LA GUERRE AUX ENFANTS

LA GUERRE AUX ENFANTS

DU MÊME AUTEUR

chez le même éditeur :

UN DUEL D'AIGLES
LE DERNIER EMPEREUR
LE HASARD ET LES JOURS

aux éditions de la Table Ronde :

TERRE MON AMIE

PETER TOWNSEND

LA GUERRE
AUX ENFANTS

Traduit de l'anglais
par Georges BELMONT et Hortense CHABRIER

ÉDITIONS ROBERT LAFFONT
PARIS

Si vous désirez être tenu au courant des publications de l'éditeur de cet ouvrage, il vous suffit d'adresser votre carte de visite aux Éditions Robert LAFFONT, Service « Bulletin », 6, place Saint-Sulpice, 75279 Paris Cedex 06. Vous recevrez régulièrement et sans aucun engagement de votre part leur bulletin illustré, où, chaque mois, sont présentées toutes les nouveautés que vous trouverez chez votre libraire.

L'idée de ce livre n'est pas de moi. Elle appartient entièrement à mon ami Georges Belmont, qui a été mon conseiller et mon traducteur pour mes trois précédents ouvrages parus en France chez Robert Laffont.

Le thème que Georges avait en tête était une protestation contre l'acharnement du monde adulte à poursuivre son œuvre de mort contre l'enfance, de destruction tant morale que physique d'innocents sans défense, en lesquels tout homme digne de ce nom devrait voir non seulement l'assurance de sa descendance, donc de la perpétuation de l'espèce, mais aussi les futurs pères et mères d'une humanité *meilleure*.

Lorsque, sur la suggestion de Robert Laffont, Georges m'offrit d'écrire ce livre, j'acceptai sans une seconde d'hésitation, car mes propres sentiments correspondaient exactement aux siens. La Seconde Guerre mondiale, qui coûta des millions de jeunes vies humaines, devait, nous avait-on expliqué, mettre fin à toute tyrannie, y compris celle des persécutions raciales et religieuses. Depuis, nous avons vu se lever de nouvelles tyrannies, poussant des millions d'êtres à fuir loin de leur foyer et de leur patrie.

Dix millions de réfugiés dans le monde — voilà où nous en sommes aujourd'hui. Et plus de cinq millions d'entre eux sont des enfants. Ceux que j'ai rencontrés et à qui j'ai donné la parole ici ont éclairé pour moi d'une lumière crue ce que j'éprouverais si mes propres enfants, maintenant, dans leur adolescence, devaient partager ce sort.

Les victimes de catastrophes provoquées par l'homme et la nature reçoivent l'aide d'innombrables organismes officiels ou bénévoles, dont les constants appels de fonds ont toujours droit à la plus généreuse des réponses. Mais il n'y a jamais assez de secours. Et les médias nous ont si bien accoutumés au tableau quotidien des malheurs de nos semblables, que nous finirions presque par considérer ce que nous voyons (ou entendons et lisons) comme une forme légitime de distraction payante, au même titre que le théâtre ou le cinéma. Le spectacle d'un enfant tué par une bombe ou abandonné sur un champ de bataille, le visage plein de terreur ou d'incompréhension — cette image pitoyable, lorsqu'elle nous est apportée par la télévision dans notre fauteuil, par la radio en voiture ou pendant des tâches ménagères, par le journal du matin ou du soir durant le trajet aller et retour entre la maison et le bureau ou l'usine, oui, cette image, si bouleversante soit-elle, nous inspire rarement plus d'émotion qu'un duel, au revolver, de western. Peut-être même moins.

Bien des correspondants de guerre et des photographes ont certes publié des livres qui impriment en nous le souvenir dramatique et durable de leur rencontre personnelle avec des enfants plongés en pleine tragédie. J'admire ces hommes, j'admire leurs exploits et leur suis reconnaissant de me conduire (en toute sécurité) droit au cœur du désastre humain, alors que les rencontres que j'ai faites moi-même pour ce livre se situaient après que le pire fut accompli.

L'avantage incontestable du livre est que la chose imprimée demeure sous la couverture, au lieu de disparaître le lendemain dans la poubelle ou dans la cheminée, ou simplement de s'évaporer dans l'air et l'oubli. Par le poids même de son sujet, un livre peut donc demeurer un témoignage permanent, une protestation qu'il est difficile de réduire au silence ou d'anéantir.

J'ai utilisé pour cet ouvrage trois sources différentes d'informations. Des documents, naturellement. Puis, les témoignages écrits de personnes aujourd'hui disparues ou encore vivantes, y compris les innombrables lettres que j'ai reçues. Enfin, troisièmement, les témoignages directs, de la bouche même des enfants et des adolescents que je suis allé chercher à travers le monde.

Pour trouver ces témoins oculaires, enfants ou « ex-enfants », victimes de la guerre et de la persécution, je suis entré en rapport avec l'Union internationale pour la protection de l'enfance (UIPE), à Genève, qui a eu l'extrême bonté de m'accorder son aide. Elle lança un appel urgent et émouvant à ses délégués et membres dans le monde entier, afin de leur demander de rassembler des témoignages. La moisson fut maigre : de toute évidence, il apparaissait que les victimes mêmes de la tragédie (tout comme nous sous les assauts de l'information quotidienne) finissent par se résigner à leurs souffrances, par ne plus avoir que le désir de les oublier, ou alors ont peur d'être citées comme témoins.

Je décidai alors de partir sur les routes et les chemins du monde, jusque dans la brousse, la jungle et le désert, sans oublier les rivages des océans, pour aller à la recherche des drames et tragédies personnels des enfants pris dans les convulsions du monde adulte.

L'aventure était hérissée de difficultés. D'abord, le temps m'était terriblement mesuré : dix mois pour conduire la recherche sur un sujet aussi vaste, et terminer la rédaction du manuscrit à temps pour sa publication en 1979, promue Année de l'enfance par les Nations Unies.

Le problème logistique était également formidable. Là, je me tournai vers Air France, vieil et solide ami, qui, réagissant aussitôt à l'aspect humanitaire de la tâche, me promit son secours matériel et moral. Ensemble, nous avons mis au point très vite un itinéraire « à la chaîne », qui m'entraîna autour du monde pendant trois mois, vers des destinations aussi éloignées les unes des autres que Belfast, Beyrouth et Bujumbura, Nairobi et Nagasaki, Dacca et Dar es-Salaam, Libreville, Lusaka et Kuala Lumpur.

Surgit ensuite une question épineuse : les visas. Par exemple, je désirais passionnément parler à des gens qui, dans leur enfance, avaient survécu à la grande famine des années 20 en Russie, ou au siège de Leningrad et à la bataille de Stalingrad. Je sollicitai un visa, mais, après que l'ambassade d'URSS à Paris eut gardé mon passeport tout un mois sous le coude, je dus par nécessité le reprendre. J'avais aussi grande envie de me rendre à Hanoi pour y interviewer des enfants sur leurs cruelles souffrances pendant la guerre du Viêt-nam. Ma demande de visa fut rejetée sans explication. Il y avait d'autres pays, particulièrement en Amérique latine, dont la situation politique interdisait l'accès à toute information sur place. Parfois, cependant, j'ai pu trouver des enfants réfugiés, libres de parler. C'est la raison pour laquelle, on le comprendra, j'ai dû souvent changer les noms et camoufler certains détails.

Il est une chose en tout cas qu'il n'est nul besoin de changer ni de dissimuler, et c'est le brûlant désir, constamment exprimé par tous ces jeunes, de retrouver leur mère patrie, pourvu qu'y soient garantis la vie et le respect des droits de l'homme.

Pendant que j'y suis, j'insiste sur le fait que mon souci dans ce livre est uniquement humanitaire, à l'exclusion de toute solution politique. Je me suis efforcé, en faisant abstraction de sentiments personnels, d'éviter de prendre parti, convaincu que je suis que tous tant que nous sommes, adultes dotés de la raison et de la parole, nous avons notre part de responsabilité dans tout désastre causé par l'homme. Les enfants, eux, ont rarement une idée claire des raisons pour lesquelles on tire sur eux, on les écrase sous les bombes, on arrête, torture et tue leurs parents.

C'est la raison pour laquelle, puisque, seuls, ici, les enfants comptent, je me suis effacé devant le récit de leurs souffrances. Les dates, les faits historiques et politiques ne sont donc mentionnés qu'à titre indicatif et comme points de repère ; ils n'ont, finalement, aucune importance fondamentale. Et si je m'en suis tenu à une structure chronologique, et non, par exemple, géographique, c'est que ce livre se passe essentiellement dans le temps — le nôtre — et non dans l'espace. Car depuis que le monde est monde et que l'histoire existe, le mal que les adultes font aux enfants n'a cessé de croître parallèlement au développement des techniques, même si, heureusement, il se trouve d'autres hommes — et, bien évidemment, des femmes — pour élargir la part du Bien, qu'il s'agisse d'initiatives individuelles, gouvernementales, privées, bénévoles, ou de l'action des Nations Unies.

Ce n'est donc pas un livre d'histoire que j'ai écrit. J'ai simplement voulu, de tout mon cœur, joindre ma voix à celle des enfants, pour dire bien haut leur immense étonnement, leur épouvante et leur chagrin d'être broyés par la machine de conflits provoqués par leurs aînés et qu'ils ne comprennent même pas.

Une fois parvenu à destination, il me restait à trouver ceux qui parleraient. L'Union internationale pour la Protection de l'Enfance fut, ainsi que je l'ai dit, la première sur la brèche avec ses délégués et représentants dans les différents pays. Puis l'UNICEF m'offrit très spontanément son aide et mit à ma disposition sa vaste organisation

10

mondiale. De ses bureaux à Genève et de ses représentants dans divers pays lointains, je reçus une assistance très précieuse. Enfin, je sollicitai pour mon entreprise la bénédiction du quartier général à Genève du Haut-Commissariat aux Réfugiés des Nations Unies. Il me l'accorda, très officieusement, mais si volontiers et de façon si efficace, tant à Genève que dans le monde, que cette aide aura été l'un des aspects les plus fructueux et les plus encourageants de ma quête. Le Comité international de la Croix-Rouge et la ligue des sociétés de la Croix-Rouge m'offrirent également, chaque fois que l'occasion s'en présenta, la plus chaleureuse des coopérations.

Je dois souligner le fait que l'action de tous ces organismes se limita strictement et scrupuleusement à me mettre en rapport avec les enfants auxquels ils manifestent un constant dévouement. Ensuite, tout se déroulait uniquement entre ces enfants et moi. C'est dire que nous sommes seuls responsables, eux et moi, des faits, sentiments et opinions rapportés dans ce livre.

Restait un problème, d'ordre affectif. Toutes ces enquêtes et le travail de rédaction qui a suivi m'ont contraint à me séparer, de longs mois, de ma femme et de mes enfants. Ce fut très dur, car je les aime tendrement. Mais nous étions tous convenus qu'il s'agissait d'un sacrifice bien petit, comparé au sort des innombrables enfants arrachés à jamais et de force à leur père et, souvent aussi, à leur mère.

Bref, pendant des mois sans discontinuer, j'ai sillonné le monde et parlé à des dizaines et des dizaines d'enfants ou d'« ex-enfants » pour les persuader, parfois non sans mal, de me faire le récit de souffrances n'ayant d'égal que le courage et l'endurance incroyables des victimes. J'ai vu beaucoup d'entre eux, garçons ou filles, pleurer — vu aussi des adultes pleurer à l'évocation de ce qu'ils avaient subi, enfants. J'étais moi-même déchiré, d'avoir à les amener à ce point où leur cœur se brisait. Mais ceux ou celles à qui cela arriva ont fait mon admiration pour le courage avec lequel ils se ressaisissaient aussitôt et comprenaient que mon insistance n'avait d'autre fin que de servir la vérité.

Et chaque fois que, revenu maintenant dans notre société d'abondance et de consommation, je pense à eux, j'ai envie d'implorer qu'on les aide, tant ils sont humbles et modestes dans l'évocation de leur douleur et de ce qu'ils ont souffert, tant ils ont de dignité dans la façon dont il supportent leur sort — jusqu'à montrer de l'indulgence pour leurs persécuteurs et même leur pardonner. Car, après tout ce qu'ils ont enduré, ils trouvent la force de rêver encore d'un monde meilleur. Mais il n'est pas de limite à ce qui leur manque et leur manquera toujours tant que nous n'y aurons pas subvenu par ce que nous possédons.

Du livre lui-même, je dirai qu'il se répartit en deux grandes sections dont la première se fonde sur des documents et des témoignages écrits, afin de donner une idée cursive de tout le mal fait aux enfants dans le passé par la guerre et la persécution. Le dossier s'en tient, je le répète, aux désastres voulus par l'homme lui-même, et qui ont valu à notre espèce plus de souffrances durables que la somme de toutes les catastrophes naturelles.

Les voix d'enfants vivants, disant la vérité sur les atrocités que l'on continue à perpétrer contre eux et leurs semblables aujourd'hui même, forment essentiellement et presque en totalité la seconde section, en sorte que les pages en sont, peut-on dire, modelées dans la pâte de la vie, avec son mélange de passions contradictoires, de peur, d'espoir, de désespoir, de volonté de vivre, ainsi que de deuils et de miraculeux triomphes des forces de survie. Par conséquent, il ne s'agit pas, je ne le répéterai jamais assez non plus, d'un rapport ou d'un résumé statistique. Ce que l'on trouvera ici, ce sont, dans leur simplicité, les paroles des enfants eux-mêmes, témoignant directement et de vive voix de ce qu'ils ont vécu dans notre monde actuel.

Ces entretiens ont eu lieu vers la mi-78, et la rédaction du livre était achevée en mai 1979. Dans certaines régions, comme l'Ouganda, le Viet-nam et bien d'autres, la situation a évolué ou changé du tout au tout, depuis — prouvant à quel point le fond de cet ouvrage ne cessera jamais d'être, humainement, moralement, d'actualité. Chaque fois que je l'ai pu, j'ai ajouté à la dernière seconde un élément d'information rappelant ces récents événements à l'attention du lecteur. D'autres événements aussi différents que la révolution au Nicaragua et que le massacre d'enfants dans l'empire centra-africain de Bokassa, tout ce que je peux dire c'est que, s'ils n'ont pas pu trouver leur place ici, ils viennent encore renforcer la preuve qu'il n'est pas de fin au massacre des innocents.

Les enfants ne constituent pas un groupe de pression. Ils ont rarement la chance de plaider leur propre cause. Quand ils le peuvent, il est encore plus rare qu'on les écoute. Ceux qui m'ont parlé — je prie qu'on ne l'oublie pas — ne représentent qu'une

12

infime poignée entre des millions d'enfants qui ont souffert ou souffrent par notre faute. Mais ils m'en ont dit assez pour prouver comme, dans le même temps que nous nous félicitons de vivre à un âge de progrès et de lumières, on continue partout dans le monde à faire des orphelins, à assassiner des enfants, à les blesser pour toujours dans leur chair, leur âme et leur intelligence — et tout cela à cause des ambitions, de la folie et de la bestialité collectives d'hommes dont beaucoup passent pour être les chefs et les garants de la légalité dans leur pays, voire pour des bienfaiteurs de notre civilisation.

Les souffrances de ces enfants sont un avertissement pour tous — y compris ceux d'entre nous que la guerre et la persécution ont, pour toute une génération, épargnés avec leurs propres enfants, jusqu'à présent, mais jusqu'à quand ? Qui peut le prédire ?

Alors, serrons les rangs avec tous les enfants qui ont déjà souffert avant nous, tout en priant que les nôtres demeurent saufs.

Ce que nous devons à cette enfance souffrante, ce qui lui manque surtout, c'est l'amour. Savoir que l'on s'occupe d'elle avec amour, même à l'autre bout du monde, lui apporte un sentiment de sécurité qu'aucun abri antiatomique, aucune armée de baïonnettes protectrices ne lui procureront jamais. Oui, ce qui prime tout pour les enfants, c'est de se savoir aimés.

Si fort que l'on puisse nous leurrer jusqu'à nous inciter à croire que jamais le monde ni la vie n'ont été aussi beaux ni bons, la vérité et la réalité sont que, à aucune époque plus qu'à la nôtre, l'humanité n'a été autant en péril. Quel est celui d'entre nous qui, sourdement, secrètement, ne s'interroge avec angoisse sur ce que l'avenir peut bien réserver à ses enfants, à nos enfants, à l'espèce en général ?

Ce faisant, mieux vaudrait nous pénétrer de cette évidence inéluctable : les enfants sont l'avenir.

P. T.

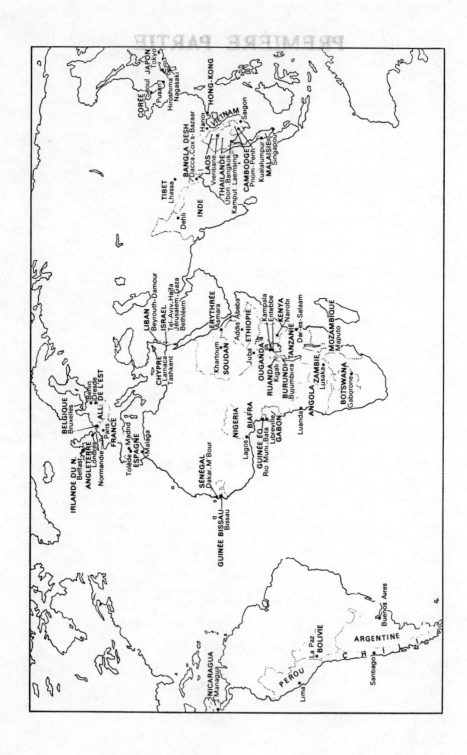

PREMIÈRE PARTIE

JAPON
Tokyo
CORÉE
Séoul
Pusan
Hiroshima
Nagasaki

HONG-KONG
VIETNAM
Hanoi
Saïgon

BANGLA DESH
Dacca Cox's-Bazar
LAOS
Vientiane
THAILANDE
Ubon Bangkok
Kamput Laemsing
CAMBODGE
Pnom-Penh
MALAISIE
Kualalumpur
Singapour

TIBET
Lhassa

INDE
Dehli

LIBAN
Beyrouth-Damour
ISRAEL
Tel-Aviv-Haifa
Jérusalem-Gaza
Bethléem
CHYPRE
Larnaca
Tashkent

ERYTHRÉE
Asmara
Addis Abeba
ÉTHIOPIE
Kampala
Entebbe
KENYA
Nairobi
Dar-es-Salaam
TANZANIE
MOZAMBIQUE
Maputo

Khartoum
SOUDAN
Juba
OUGANDA
RUANDA
Kigali
BURUNDI
Bujumbura
ZAMBIE
Lusaka
BOTSWANA
Gaboronee

BELGIQUE
Bruxelles
Berlin
Dresde
ALL. DE L'EST
IRLANDE DU N.
Belfast
ANGLETERRE
Londres
Normandie
Paris
FRANCE
ESPAGNE
Tolède Madrid
Malaga

NIGERIA
Lagos
BIAFRA
GUINÉE EQ.
Rio Muni Bata
GABON
Libreville
ANGOLA
Luanda

SÉNÉGAL
Dakar M'Bour

GUINÉE BISSAU
Bissau

ARGENTINE
Buenos Aires

La Paz
BOLIVIE
C H
I
L
I

NICARAGUA
Managua
PÉROU
Lima
Santiago

1

« *Pourquoi tirent-ils sur nous ?* »

Il y a environ trois millénaires, un enfant de trois mois était trouvé flottant sur les eaux d'un fleuve d'Egypte, dans une sorte de panier. Non qu'il ne fût pas désiré et que sa mère eût cherché à se débarrasser de lui ; bien au contraire, pendant trois mois elle avait caché l'enfançon au défi d'un décret royal : « *Et Pharaon donna alors à tous ses sujets cet ordre : " Tous les fils qui naîtront aux Hébreux, jetez-les au fleuve. "* » Du moins cette petite victime désignée survécut-elle entre toutes. Et l'ironie de l'histoire est que ce fut la propre fille du roi qui découvrit le berceau flottant ; elle appela l'enfant Moïse — « *Car, dit-elle, je l'ai tiré des eaux.* » Ainsi, cette princesse fut-elle, en un sens, la première à donner l'exemple de ce qui est devenu le *Save the Children Fund*, lequel, aujourd'hui, s'étend au monde entier et inspire des dizaines de milliers de généreux dévouements.

Bien des siècles après Moïse, à peine la nouvelle de la naissance

17

de l'enfant Jésus s'était-elle répandue, avec son message de « Paix sur la terre aux hommes de bonne volonté », que Hérode, dans la peur des prophéties, ordonna le massacre systématique « *de tous les enfants de moins de deux ans* », à Bethléem et sur tout le territoire du royaume de Judée.

Que le Massacre des Innocents ait eu effectivement lieu ou non (certains le mettent en doute), l'histoire reste comme un symbole du martyre de l'enfance par la faute et la main de l'homme. De nos jours même, malgré toutes les poignées de main, tous les sourires, toutes les harangues pour saluer la paix et exalter la bonne volonté qu'échangent sous nos yeux les maîtres de ce monde, dans la coulisse ces mêmes hommes font commerce à prix d'or des armes qui serviront à massacrer, et massacrent bel et bien en ce moment même, d'autres innocents. C'est sur ces hommes seuls que retombe la responsabilité et la honte des souffrances incessantes des enfants, du fait de la guerre et des persécutions. Ce sont eux les incitateurs, eux qui donnent les ordres, et c'est leur politique, diabolique ou simplement aveugle, mais en tout cas soutenue par le trafic éhonté des armes, qui est responsable de la terreur, de la déchéance et de la mort infligées à des multitudes innombrables d'enfants. « *Pourquoi veulent-ils nous tuer ?* » Telle est l'éternelle question qui revient sur les lèvres de ces jeunes êtres sans défense et qui ne comprennent pas. Pourquoi, se demandent-ils, les a-t-on — sans qu'ils y puissent rien — mis au monde pour y être presque aussitôt tués, mutilés, privés de leurs parents ?

Hélas ! de Hérode à Hiroshima, de Pharaon au Biafra, au Viêt-nam et aux phalangistes du Liban, le martyre des enfants se poursuit sans relâche, ne changeant que pour le pire. Ou plutôt, si, en vérité, une chose a changé : s'il est des hommes pour faire toujours plus de mal aux enfants, il en est d'autres pour leur faire plus de bien. Et inestimablement plus. L'aide apportée à l'enfance souffrante dans le monde, et l'incroyable courage des enfants eux-mêmes, sont les seuls aspects qui apportent un peu de réconfort face à ce spectacle de honte et de désolation.

De toutes les iniquités qui peuvent accabler un enfant (ou n'importe quel être humain), la pire est de le faire souffrir et de lui ôter la vie sans qu'il en connaisse la raison. Les hommes savent, plus ou moins, ou croient savoir, pourquoi ils partent en guerre. Pas les enfants, à moins qu'on ne leur ait lavé le cerveau. Et même alors, ils n'en sont pas moins les pitoyables victimes d'une violence dans laquelle ils ne sont pour rien.

Je ne doute pas que l'on ait expliqué aux enfants de la citadelle juive de Massada qu'on allait leur donner la mort pour une juste cause ; je ne doute pas non plus que cette cause fût bien la leur, en fin de compte ; il n'en reste pas moins qu'ils furent des victimes totalement innocentes. Cela se passait en l'an 73 de notre ère, et le hasard seul les avait placés là avec leurs parents. Dans un dernier geste héroïque, mais vain, face aux Romains, la garnison juive, plutôt que de se rendre, décida de périr en entraînant dans la mort les femmes et les enfants. Dix exécuteurs, qui devaient à leur tour s'exécuter eux-mêmes, furent choisis pour dépêcher tout le monde dans l'au-delà. Il est difficile d'imaginer que ces enfants aient véritablement eu envie de mourir, si noble qu'ait été l'idéal de leurs pères. Leur unique et mince consolation fut de sentir autour de leur corps les bras de leurs parents, tandis qu'ils tendaient au glaive leur jeune cou dénudé.

L'Histoire induit en erreur — que dis-je, elle abuse délibérément.

La plupart des jeunes écoliers anglais voient dans le Prince noir, qui commença la guerre de Cent ans, l'esprit même de la chevalerie. Pourtant il fut responsable, en 1370, d'un massacre assez atroce pour ôter toute illusion au plus fervent de ses admirateurs. Un témoin de l'époque écrit que, après le sac de Limoges, « *c'était grande pitié de voir hommes, femmes et enfants se traîner à genoux devant le Prince en demandant merci* ». Cela n'empêcha pas ledit prince de faire passer au fil de l'épée ou décapiter trois mille hommes, femmes et enfants, en un jour. D'un autre côté, Henri V d'Angleterre interdisait à ses soldats de capturer les enfants.

En revanche, lorsque, quelque trente ans après la mort d'Henri V, le sultan Mohammed II se heurta à la résistance des chrétiens de Constantinople qu'il assiégeait, au lieu d'épargner la ville après sa prise, il accorda à ses hommes les trois jours de pillage qui étaient la règle. Ils massacrèrent tout ce qui leur tombait sous la main, sans exception, même les enfants. Les nourrissons, tenus pour sans valeur, furent égorgés. Le pillage terminé, le sultan passa l'inspection du butin et des captifs. Il retint pour son sérail personnel les plus beaux des jeunes garçons et des jeunes filles, et l'on dit qu'il envoya en cadeau au sultan d'Egypte, au roi de Tunis et au roi de Grenade, quatre cents enfants grecs chacun. Il retint pour son plaisir personnel, le fils du *megadux* Notavas, garçon de quatorze ans d'une beauté exceptionnelle. Le père essayant de s'y opposer tous deux furent décapités. Le sultan s'appropria aussi entre autres, pour son sérail deux des filleuls de l'empereur Constantin : une fille, Thamar, qui y acheva ses jours, et un garçon qui, ayant refusé de se plier à la concupiscence du sultan, eut la gorge tranchée.

Aujourd'hui, cinq siècles après, des scènes aussi hideuses semblent appartenir à la nuit des temps sont inimaginables. Et cependant, beaucoup des enfants que j'ai rencontrés au cours de mon long périple en 1978 m'ont fait part de bestialités dignes de celles du monstrueux sultan.

Bien que les souffrances des enfants soient d'ordinaire attribuables aux désirs les plus vils et à l'ambition des hommes, les femmes ne font pas exception. Ce fut sur l'initiative de l'une d'elles, Catherine de Médicis, que fut organisé l'un des massacres les plus féroces de l'Histoire, où les enfants ne furent pas épargnés. Tout commença à Paris aux accents du tocsin, au petit matin du 24 août 1572, jour de la Saint-Barthélemy. Parmi les scènes de carnage que l'on put voir se dérouler, il faut citer le jeune marquis de Conti implorant grâce pour son tuteur, Brion, finalement tué sous ses yeux ; une petite fille, nue, que l'on trempa dans le sang de ses parents morts ; des enfants de dix ans, gagnés par la folie sanguinaire des meurtriers et traînant le corps d'un nouveau-né sur les pavés ; des bébés jetés à la Seine par pleins paniers ; des enfants qui, ayant tranché les parties génitales de l'amiral de Coligny, tirèrent derrière eux son cadavre décapité dans les ruisseaux de Paris.

Après le massacre, Catherine de Médicis reçut les félicitations des puissances catholiques, et le pape fit frapper une médaille. Lors d'une messe d'action de grâces à Rome, on entendit s'élever cette prière : « Dieu tout-puissant... exauçant la foi de Vos serviteurs, Vous leur avez accordé un triomphe glorieux ; et nous Vous supplions humblement de poursuivre ce que Vous avez commencé... au nom du Christ. » Au nom du Christ qui disait : « Laissez venir à moi les petits enfants », sans aucune distinction de croyance ni de couleur.

En 1857, de jeunes Britanniques, pour la simple raison qu'ils se trouvaient être, sans aucune volonté de leur part, les fils et filles de parents vivant aux Indes, furent les victimes pathétiques d'un hasard injuste et d'un autre fanatisme sanguinaire incarné en la personne du prince indien Nana Sahib.

Le 6 juin de cette année-là, les Cipayes de l'armée des Indes se mutinèrent à Cawnpore et, pendant plusieurs jours, la petite garnison, presque entièrement composée de Blancs à part quelques Cipayes demeurés fidèles, vécut sous un déluge de boulets et de mitraille. Au cours de ces atroces journées, des enfants périrent, d'autres naquirent — dont celui de la femme du Dr Derby, sous l'abri d'un affut de canon — pour être massacrés peu après avec leur mère. Car, après vingt jours de bombardement, la garnison se rendit. Nana Sahib promit que les femmes et les enfants pourraient gagner en sécurité Allahabad, par bateau sur le Gange. La joie des assiégés fut telle que, écrivit alors une jeune fille de dix-huit ans, Amelia Horne, « les soldats chantaient et dansaient et s'efforçaient de faire rire les enfants. L'un d'eux siffla une gigue cependant que d'autres sautaient sur cet air ».

Leur joie fut de courte durée. A peine les blessés, les femmes et les enfants étaient-ils montés à bord des embarcations, que les mutins ouvrirent le feu et que le carnage commença. Puis, poursuit Amelia Horne, « la cavalerie s'avança à gué dans le fleuve, sabre au clair, et tailla en pièces les survivants... L'air résonnait des hurlements des femmes et des enfants et de leurs appels poignants à la pitié divine... Ma pauvre petite sœur gémissait pitoyablement : " O Amy, ne me quitte pas. " » Le lieutenant Mowbray Thomson, à bord de l'unique embarcation encore à flot, vit une femme, Mme Swinton, basculer par-dessus bord, frappée par un boulet. Le fils de cette femme, qui avait six ans, se tourna vers lui, en implorant une explication : « Oh, pourquoi tirent-ils sur nous ? Ils avaient pourtant promis de nous laisser partir ? »

Pourquoi tirent-ils sur nous ?... Que de fois, sous une forme ou une autre, je l'ai entendu, ce cri de suprême étonnement ! Avant et après le fils de Mme Swinton, de combien de millions de bouches d'enfants a-t-il jailli, pour exprimer l'incompréhension de cette volonté de meurtre de la part d'hommes qui auraient pu être leur père ?

Mais revenons à Cawnpore.

Une centaine et quelque de femmes et d'enfants survivaient encore. On les enferma sous verroux dans une toute petite masure portant le nom de *Bibighar* (la Maison des Dames), sous la surveillance de la plus terrible d'entre toutes, Hussani Khanum, surnommée « la Begum », et qui était une servante de prostituée. Sous sa direction, dans cette misérable bicoque, après deux semaines de tortures supplémentaires par la faim et par la soif, tous ces êtres sans défense furent horriblement mis à mort. Le général Neill, qui arriva peu après avec la colonne de secours du général Havelock, a écrit que les mots lui manquaient « pour décrire toute l'horreur de cet abattoir humain » encore jonché des vêtements des femmes et des enfants : jupons, jupes, chaussons, corsets, chapeaux de paille et bonnets, « tous trempés de sang ». Neill jura que « chaque tache de ce sang innocent serait lavée et effacée ». Et le fait est que l'armée britannique tira vengeance des « maudits égorgeurs de femmes », avec, à son tour, la plus extrême cruauté.

Faut-il d'autres exemples ? Ils se bousculent dans cette mémoire de l'humanité coupable qu'on appelle l'Histoire.

Jusqu'à la fin du XIXᵉ siècle, et donc à moins de cent ans de nous, le massacre des Indiens d'Amérique du Nord se poursuivit : « Il n'y avait plus d'espoir sur terre et Dieu semblait nous avoir oubliés », disait Nuage Rouge, le dernier des grands chefs de tribu. En 1890, le « Mois où le Cerf jette ses Bois », un 17 décembre, une centaine d'Indiens parvint au camp du chef Grand Pied, près de la rivière de la Cerise, pour s'y réfugier. Le 28 décembre, Grand Pied lui-même, qui était sous le coup d'un mandat d'arrêt, se mit en route avec son peuple vers le camp de Nuage Rouge, à la Crête-des-Pins. Interceptée par le 7ᵉ régiment de cavalerie, la colonne de trois cent cinquante Indiens, dont deux cent trente femmes et enfants, fut escortée jusqu'au camp de la rivière du Genou Blessé (*Wounded Knee*).

Le lendemain, tandis que les soldats américains fouillaient les réfugiés afin de les désarmer, un coup de feu claqua. Alors, raconta Faucon Tournant, « aussitôt les cavaliers ripostèrent, et il s'ensuivit une tuerie générale ». Quand « la folie », pour reprendre encore ses mots, cessa enfin, près de trois cents Indiens, hommes, femmes, enfants, gisaient morts. Les chariots chargés de Sioux blessés (quatre hommes et quarante-sept femmes et enfants) atteignirent le camp de la Crête-des-Pins le soir de ce même jour. La mission épiscopale leur ouvrit ses portes toutes grandes — il gelait à pierre fendre. Comme on les transportait à l'intérieur de la chapelle illuminée aux bougies, ceux qui n'avaient pas perdu connaissance purent lire sur une banderole tendue en travers de la chaire : « *Paix sur terre aux hommes de bonne volonté* »...

Ce ne sont là que quelques exemples d'un carnage dont l'histoire est pleine. Mais il est juste de dire que, à l'aube du XXᵉ siècle, un effort a été fait pour tenir les non-combattants à l'écart des champs de bataille.

Au dernier stade de la guerre des Boers, entre 1901 et 1902, le général britannique Kitchener, harcelé de tous côtés par les commandos boers, répliqua en enfermant les familles de l'adversaire dans des camps entourés de barbelés.

Ce geste a valu aux Britanniques (pourtant précédés de quelques années, en l'occurrence, par les Espagnols à Cuba) la peu enviable réputation d'inventeurs des camps de concentration — terme dont ils qualifièrent eux-mêmes les installations en question, bien qu'elles n'eussent jamais été conçues comme des lieux de torture : leurs « pensionnaires » vivaient sous la tente, comme les soldats, mangeaient les mêmes rations que ces derniers, dormaient sous des couvertures de l'armée. Les commandants de camp n'étaient pas des méchants, mais avaient souvent le plus grand mal à faire face aux pénuries d'approvisionnements de première nécessité, y compris l'eau potable, le lait pour les bébés et les mères qui allaitaient, les médicaments, les vêtements, sans parler même de l'ombre pour s'abriter d'un soleil écrasant. Surtout, il y avait le nombre terrifiant de personnes internées, entassées dans quarante-sept camps où le taux moyen de la mortalité infantile dépassa tous les records depuis la Grande Peste de Londres en 1665. De juin à août 1901, on compta 3 245 enfants morts de maladie.

Dans ce décor d'horreur, où la guerre, selon les paroles du chef du parti libéral, était menée selon « des méthodes barbares », surgit une femme, une Anglaise frêle d'une quarantaine d'années, Emily Hobhouse, fille d'un pasteur rural et de bonne famille. Après avoir aidé à organiser un fonds de secours aux femmes et aux enfants d'Afrique du Sud, elle prit le bateau (en seconde classe) pour ce pays. Le premier camp qu'elle visita, près de Bloemfontein, renfermait 2 000 personnes, dont 900 enfants, mourant les uns après les autres, de la typhoïde. « Faites bouillir toute l'eau », ordonna-t-elle — et elle se procura à cette fin, on ne sait comment, une vieille chaudière de locomotive. Et comme on manquait de lait, elle rassembla les quelques vaches étiques qui avaient survécu à la politique de la terre brûlée de Kitchener, se débrouilla pour les nourrir et fit bouillir les quatre seaux de lait qu'elles donnaient chaque jour.

Le journal personnel d'Emily et ses lettres à sa tante, lady Hobhouse, furent imprimés dans la presse et circulèrent parmi les membres du parlement. Ils causèrent une crise politique. Les camps demeurèrent, mais on les retira à l'armée. Le taux de mortalité des enfants, qui atteignait la moyenne annuelle de 629 pour mille, retomba à 29 pour mille. Malgré quoi, selon les estimations des Boers, 26 000 femmes et enfants moururent dans ces camps de concentration.

tard. Pour la Grande-Bretagne, ce fut le mois le plus éprouvant, en pertes de navires : il ne restait plus que six semaines de vivres pour tout le pays.

Mais, en Allemagne, malgré les promesses des amiraux, depuis des mois déjà les enfants étaient au bord de la famine. Tandis que des comités et des commissions de messieurs bien habillés et bien nourris visitaient les foyers de familles misérables et émaciées et se penchaient sur les enfants à demi morts de faim en promettant une aide, l'assistance, quand elle venait, était bien peu de chose. Selon le livre de Lina Richter, *la Vie de famille en Allemagne pendant le blocus,* les enfants nés à l'époque ne pesaient en moyenne pas plus de quatre ou cinq livres, et il était quasi impossible de trouver des couches et des langes ; quant au coton, il avait aussi presque disparu. On ne comptait pas les mères qui, au lieu de langer leur nouveau-né, devaient l'envelopper dans du papier journal. De plus, à peine avaient-ils vu le jour, que les bébés étaient sans nourriture. Le lait était d'une extrême rareté, et à des prix dépassant les possibilités de la majeure partie des bourses. Si, sur le front, les effets du blocus se faisaient de plus en plus ressentir, et si généraux et politiciens des deux camps s'en félicitaient, à l'arrière, c'étaient les jeunes et les mères qui payaient.

Chef de la mission féminine auprès des tribunaux berlinois, une femme, Ruth von der Leyen, attribuait l'accroissement de la délinquance juvénile au blocus et à la famine : « Les maisons de correction et les prisons sont pleines à craquer... A Stuttgart, en trois mois, on a condamné 273 enfants. » Le délit le plus fréquent était le vol dans les champs. Les mères envoyaient leurs enfants piller les jardins et les vergers, parce qu'elles ne pouvaient supporter de lire la faim sur leur visage. Et les enfants eux-mêmes étaient conscients de la douleur de leur mère. Au juge, ils disaient souvent : « J'ai seulement pris un chou pour faire une bonne surprise à maman. » Et la faim réduisait leur résistance à la tentation. De jeunes garçons volaient leur père, vendaient les vêtements ou d'autres biens de la famille, pour se procurer de la nourriture. Des filles vendaient leurs corps, « parce que les hommes les emmenaient dans des restaurants où on pouvait manger à sa faim ». Et Ruth von der Leyen de commenter : « Tous ces jeunes étaient-ils des voleurs, des criminels ou des bons à rien nés ? Non ! La guerre les faisait ce qu'ils étaient — et, dans cette guerre, plus particulièrement la politique d'affameur de l'Angleterre. » Il eût suffi pour elle d'accuser la guerre en général.

Cela dit, le conflit mondial de 1914-18 vit s'épanouir d'autres formes de terreur, appliquées aux non-combattants. Entre autres, le transfert en masse de populations entières, en vue de les exterminer en fin de parcours. Tel fut le destin des Arméniens que les Turcs décidèrent de déporter en Mésopotamie, en 1915. C'est ainsi que, en service dans ces régions, plus tard, après la capitulation des forces turques, le sergent britannique Gledhill, du régiment de Norfolk, se retrouva parmi des milliers de réfugiés arméniens et dut, « malgré son épuisement moral », combiner les fonctions de nounou, de médecin et d'administrateur. Il y avait des enfants de tous âges, y compris des nourrissons et mêmes des nouveau-nés.

Parmi eux, un jeune garçon de dix ans, Sarkis Toumadian, qui en a aujourd'hui soixante-treize et qui racontait, les yeux pleins de larmes : « Je vivais à Zeitoun, qui est un petit village du Taurus où mes ancêtres avaient leur demeure depuis des siècles. Et puis, un jour, a commencé le terrible exode vers la Mésopotamie, où beaucoup d'entre nous ne sont jamais arrivés. Les soldats turcs se conduisaient comme des sauvages avec les femmes et les enfants, en battant certains jusqu'à la mort, tandis que d'autres mouraient de faim, de délabrement physique ou de maladie. Les plus résistants nous donnaient leurs restes, des bribes, à manger. Je me souviens d'avoir eu l'impression d'être un chien, prêt à suivre quiconque lui manifesterait un peu de bonté. »

Les artisans de la région finirent par prendre auprès d'eux des garçons et des filles et leur enseignèrent le tissage, la poterie, la vannerie. Mais la plupart de ces jeunes étaient mutilés : certains n'avaient qu'une jambe, d'autres qu'un bras et une main, d'autres encore étaient aveugles. Les soldats, après avoir violé les filles, leur coupaient un pied, une main ou les deux oreilles. « Un soir où ils me rossaient pour le plaisir, m'a raconté Toumadian, l'un d'eux me cria : " Nous ferons la même chose à tous les Arméniens, pour que ta race disparaisse à tout jamais ! " »

Une autre méthode nouvelle d'agression directe contre les non-combattants fut le bombardement aérien. Mme Florence Colepeper avait onze ans en 1917 et habitait une rue de l'East End populeux de Londres. Tout près, se dressait une église et, à côté de celle-ci, une école, dont le rez-de-chaussée était réservé à la maternelle, le premier étage aux filles et le second aux garçons. Florence elle-même allait à l'école un peu plus loin. Le 13 juin, le signal d'alerte retentit et l'on renvoya toutes les élèves chez elles. Florence n'oubliera jamais ce qui suivit : « Quand j'arrivai en vue de ma rue, un terrible spectacle m'attendait. L'école voisine de chez moi avait été bombardée. Des petits sortaient couverts de poussière jaune, hurlant, pleurant, certains tout ensanglantés. Les parents cherchaient frénétiquement leurs enfants. » Florence croit se rappeler que ce fut le premier raid aérien en plein jour sur Londres. On compta les morts :

un garçon de douze ans, une fillette de dix ans, quinze tout petits de moins de cinq ans. (Florence était décidément destinée à témoigner, puisque, dans un post-scriptum à sa lettre, elle précise que « tout ce même quartier, écoles, église, maisons, fut complètement rasé durant le blitz de 1940 ».)

Même si la guerre totale en était encore aux balbutiements, elle prenait déjà le chemin qui mènerait à Auschwitz et à Buchenwald, ainsi qu'aux bombardements de Dresde, de Hiroshima et de Nagasaki...

La Première Guerre mondiale tua dix millions de soldats et dix millions de civils. Dans le sillage de cette immense et sinistre moisson de morts, suivirent les glaneuses : la maladie et la famine qui, entre elles, cueillirent quelque vingt millions de vies en plus. Les nations vaincues étaient réduites au dénuement le plus total. On mourait de faim à Vienne, Prague et Budapest, ainsi que dans toute l'Allemagne et la Pologne. Faute de vêtements et de chaussures, les enfants allaient pieds nus et en guenilles ; beaucoup d'entre eux manquaient les distributions gratuites de vivres parce qu'ils n'avaient même pas de haillons à se mettre. En septembre 1919, Herbert Hoover, directeur de l'administration des Secours américains (et plus tard président des Etats-Unis) estimait que, en Europe orientale, quatre ou cinq millions d'enfants mouraient tout simplement de faim.

Aucun secteur ne fut frappé plus désastreusement par la famine que l'Ukraine, le plus riche grenier à blé de la Russie. Cinq armées s'étaient successivement disputé son territoire, en se nourrissant sur l'habitant. Après la révolution d'octobre 1917 et la contre-révolution, la guerre civile y faisait rage. Les « rouges » réquisitionnaient impitoyablement. A leur « communisme de guerre », les paysans répliquaient en réduisant les semailles et en dissimulant les récoltes. La sécheresse du début de l'été 1921 fit le reste. Cette année-là, la disette affecta un ensemble de régions habité par vingt ou trente millions d'âmes. Quand arriva juillet, un million de paysans environ fuirent les campagnes, dans l'espoir d'échapper à la famine. En août, on comptait huit millions d'enfants souffrant de la faim. On faisait du pain avec tout ce qui pouvait se moudre en « farine » : balle, paille, sciure, herbe, racines, feuilles. Cela favorisait l'éclosion de vers dans les intestins, puis de maux entraînant la mort. Dès septembre, c'était cette fois par centaines de milliers que les enfants mouraient de faim.

A Saratov, un voyageur britannique vit onze personnes, presque tous des enfants, mourir en une seule nuit. Des mères, plutôt que de voir leur bébé succomber ainsi, le jetaient à la rivière. Nansen, le fameux explorateur, qui s'était alors engagé dans la Croix-Rouge internationale, rapporte que, en novembre 1921, à Kazan, des centaines de milliers de gens étaient inévitablement condamnés à mourir de faim et de maladie, si l'on n'envoyait pas une aide suffisante. Et de nouveau, au début de décembre, il écrivait qu'il avait vu dans les rues « les cadavres d'enfants, de femmes et d'hommes rester là des jours durant, faute de moyens de transport... J'ai vu un corps déchiqueté par des chiens affamés ». Au cimetière, « quatre-vingts corps s'empilaient les uns sur les autres, principale- ment des enfants, tous dépouillés de leurs vêtements par les survivants... La population était résignée à souffrir et à mourir en attendant de l'aide, incapable de croire les autres peuples d'Europe assez inhumains pour refuser de venir à son secours ».

Le fait est que pas une nation d'Europe — ni d'ailleurs — ne faillit à ses devoirs d'entraide y compris certains pays eux-mêmes terriblement atteints par la famine. Pourtant il se trouva, parmi les nations victorieuses, des hommes d'Etat pour protester que mieux valait laisser mourir ces enfants : « Sinon, quand ils seront grands, ils n'auront rien de plus pressé que de se retourner contre nous. » Quoi qu'il en soit, d'énormes quantités de ravitaillement et d'appro- visionnements furent distribuées à la Russie souffrante par des organismes de secours étrangers. Des dizaines de médecins et d'infirmières prirent le chemin de l'U.R.S.S. ; beaucoup y laissèrent leur vie, victimes du typhus et du choléra. Des lettres d'enfants du monde entier témoignèrent d'une solidarité chaleureuse et émou- vante pour leurs petits correspondants russes. Une fillette suisse, Ruth W., écrivait (l'orthographe est la sienne) : *J'ai donner quelques petits sous pour ses malheureux petit enfant... J'aimerait aller en rucie pour leurs donner à manger et je les prenderais avec moi pour aller en suise et il aurets a manger.* Et cette autre lettre, de Marcel M. : *J'ai donné trois francs de ma crusille c'quil'il y a de plus terrible cest qu'il mange des racines, des chenilles... Car nous somme tousse des enfants choyés et gâtés tandis que ses pauvres petits malheureux qui non rien à mangé.*

L'aide, si généreuse qu'elle fût, ne pouvait arrêter les effroyables ravages de la famine. En janvier 1922, M. MacKenzie, de la U.I.S.E. (Union internationale de Secours aux Enfants) signalait : « Dans certaines provinces, il n'y a plus de feuilles ni d'écorce sur les arbres ;

les affamés les ont mangées. L'autopsie des enfants morts de faim montre des estomacs pleins d'herbe et de vers de terre. » Dans certains villages, les maisons n'offraient plus que des charpentes nues en guise de toit : les villageois avaient mangé le chaume.

Quand arriva février, la famine prit le plus terrifiant des aspects : le cannibalisme. De la République de Bachkirie, on rapporta à la mission de Nansen que, au village de Tuliakova (canton de Yarmanetsky), une mère du nom de Husna, avait dévoré deux de ses enfants, un garçon, Dom-Mariam, et une fille, Mennah-Meta. Un homme, Ahsam, du même village, avait mangé sa fille, Shamsiamalla. Près de Poltava, en Ukraine, une veuve, mère de cinq enfants, étrangla ses deux jeunes fils de sept et cinq ans. Quand on découvrit la chose, elle en avait déjà mangé un, et le corps de l'autre pendait dans le lardoir. A Marskoïe, district de Marioupol (aujourd'hui Jdanov), un paysan, devenu fou de faim, trancha la tête de son enfant de dix mois, que l'on fit rôtir et qui fut mangé par le reste de la famille. Il était dangereux pour les enfants de sortir dans les rues. Une petite fille de Saratov, dans une lettre à sa correspondante anglaise, explique pourquoi : *Les enfants ne peuvent pas aller dans les faubourgs, même de jour, parce que des gens les enlèvent et les tuent pour les manger.* En juin 1922 encore, l'adjoint technique de Nansen, Jean de Lubersac, signalait à Odessa le cas d'un enfant échangé contre quatre kilos de pain, et ceux d'une mère et d'un père qui avaient vendu certains de leurs enfants pour servir de viande de boucherie.

Ce ne fut qu'en 1924 que l'Ukraine commença à se relever de la famine. Se souvenant de ces années et de celles de la révolution, voici ce que pensaient des enfants : *J'ai vu dix-huit révolutions,* écrivait un écolier. *Oh, si seulement on pouvait ne garder que le bon ! Mieux vaudrait effacer toutes ces années pour les oublier à jamais. On était si habitué à la fusillade qu'on avait peur quand on n'entendait rien.* Un autre, de quatorze ans, trouvait la révolution *très amusante* et *pleine de choses formidables et excitantes* au début. *Mais j'ai bientôt vu qu'une révolution signifie que même les petits enfants doivent veiller sur eux-mêmes. J'ai vu hacher des gens en morceaux, mais mon père disait : « Viens, Mark, tu es trop jeune pour regarder ça. »* Et une petite fille, après qu'une bombe eut été jetée dans une maison : *J'ai couru voir. Tout était en miettes. Dans un coin une femme était étendue avec son fils à côté d'elle, les pieds arrachés... puis j'ai vu un grand panier qui était tout plein de petits poussins. C'était si beau ! Je les ai embrassés et caressés partout.*

Avec leurs yeux et leur esprit tout neufs les enfants ne voient que l'essentiel : *Il y avait une liste de gens qu'on avait fusillés et j'y ai* lu le nom de papa. Maman s'est approchée de nous et a dit : « Vous êtes des orphelins, maintenant. Votre papa est mort. » Ensuite ils sont venus chercher notre oncle pour l'emmener, et plus tard nous l'avons retrouvé dans un grand trou avec des tas d'autres. Quand papa a été fusillé j'ai compris ce que signifie une révolution. On l'a fusillé parce qu'il était médecin.

Et un très jeune orphelin pose l'éternelle question : *Je ne comprends pas pourquoi tout le monde voulait nous tuer...*

3

Les jeunes morts de Guernica

Le carnage et la misère dont fut cause la Première Guerre mondiale alluma par contrecoup, dans le cœur des hommes, une étincelle d'espoir : ce serait « la der des der », la dernière de toutes les guerres. Cela entraîna nombre d'hommes d'Etat sincères et de haute conscience à chercher une forme de société internationale capable de garantir un monde où les jeunes seraient enfin à l'abri de la violence. Ainsi naquit la Société des Nations. Mais ces hommes à l'esprit noble — surtout parmi les Américains, les Britanniques et les Français — tout en étant résolus à mettre la guerre hors la loi, se révélèrent, face à la réalité, faibles, indécis et surtout divisés entre eux. Avant longtemps, leurs hésitations et leurs désaccords allaient être regardés avec mépris par les nouveaux chefs de trois nations : le Japon, l'Allemagne et l'Italie.

A la fin de 1931, les Japonais envahissaient la Mandchourie Au début de 1932, ils débarquaient à Changhaï Mais leurs actes d'agression ne leur valurent que de futiles remontrances des grands pacifistes de la Société des Nations. De leur côté dès 1933, Hitler et ses nazis étaient au pouvoir, et ce fut le début du calvaire des Juifs allemands. En 1935, cent mille jeunes de la *Hitlerjugend* jurèrent « guerre éternelle à l'ennemi juif ». En octobre de cette même année, le partenaire de Hitler, Mussolini, attaquait l'Ethiopie. Cette fois encore, la Société des Nations se déroba devant les sanctions contre l'agresseur. Il en fut de même quand, en mars 1936, l'Allemagne réoccupa la Rhénanie.

Puis, en juillet 1936, la tragédie frappa l'Espagne sous la forme de la guerre civile. Purement intestine à l'origine, celle-ci se changea presque aussitôt en un cruel et sanglant conflit international, fournissant à l'Allemagne et à l'Italie une chance inespérée de mettre à l'épreuve leurs blindés, leurs canons, leur aviation, et d'être ainsi prêts, le moment venu, à la Deuxième Guerre mondiale, dont la guerre d'Espagne devint en fait le lever de rideau.

La guerre civile débuta par une insurrection de l'armée espagnole du Maroc, sous la conduite du général Franco. En quarante-huit heures, des garnisons se mutinèrent en Espagne même. A Tolède, les rebelles (les « nationalistes » de Franco), se retranchèrent dans l'Alcazar. Deux mois durant, le monde suivit, haletant, le siège de la forteresse dont les défenseurs, commandés par le colonel Moscardo, prirent figure de héros légendaires. Pourtant, il faut signaler, en toute équité que la défense de l'Alcazar est considérée d'un oeil très différent par le grand écrivain Arthur Koestler, alors correspondant du *London News Chronicle*, qui la qualifie de l'un des exploits de gangsters le plus insensé de notre époque.

La garnison comptait 1 100 soldats. En outre, se trouvaient là quatre cents femmes et enfants, dont deux cent cinquante retenus en otage, y compris cent cinquante cadets d'un prytanée, âgés de huit à dix ans. Au début du siège, Moscardo dépêcha un message ironique au général Riquelme, qui commandait les forces gouvernementales assiégeantes : *A propos, vos femmes vous envoient tout leur amour.*

Toutes les tentatives pour persuader les rebelles de relâcher les quatre cents femmes et enfants échouèrent. Bien au contraire, le colonel Moscardo reçut ordre du gouvernement rebelle de Burgos de ne les relâcher à aucun prix, mais de les exposer en pleine vue de l'ennemi. Cependant, durant les alertes aériennes, on les enfermait dans les caves. « Le plus terrible de tout, a raconté un témoin, était les hurlements des femmes et les pleurs et les gémissements des enfants. » Un jour, « dans ces caves pareilles à des puits », un enfant naquit alors que, à l'extérieur, c'était le chaos. Trois femmes devinrent folles ; trois autres se suicidèrent ; une autre encore hurlait sans discontinuer, « comme un chien à la lune ». Une fille de cuisine de quatorze ans, Zara Gonzalez, s'évada en rampant dans l'égout jusqu'en ville, où elle s'affala dans une mare de sang. A l'hôpital, elle parvint à expliquer tant bien que mal qu'elle avait été violée par neuf des héros de l'Alcazar. Quatre jours plus tard, elle mourait.

Dans un nouvel effort pour faire relâcher les otages, le colonel Rojo fut envoyé en médiateur pour négocier avec les défenseurs. Il revint au bout de deux heures en déclarant : « Ils refusent. Ils affirment qu'ils sont tous prêts à mourir et que les femmes et les enfants les suivront... » Ce fut ensuite à l'abbé Camarasa d'être admis dans la forteresse pour plaider ; mais le colonel Moscardo resta d'acier : « Personne ne sortira d'ici. » Finalement, l'ambassadeur du Chili, doyen du corps diplomatique de Madrid, accepta de s'entremettre. Il se rendit à Tolède. Moscardo refusa de le recevoir. Son offre de faciliter l'évacuation des femmes et des enfants fut transmise par le colonel Barcello, qui commandait les forces républicaines. L'offre fut repoussée.

Après soixante-sept jours de siège, l'Alcazar fut dégagé. Sur ses onze cents défenseurs, quatre-vingt-trois étaient morts. Plus un mot ne fut dit du sort des femmes et des enfants.

Dans les deux camps, pendant trois ans, on rivalisa de terreur et d'atrocités, sans quartier pour les non-combattants. Ceux qui étaient encore enfants en Espagne dans les années 30 restent à jamais hantés par les horreurs dont ils furent témoins.

Teresa, fille du comte V., est l'un de ces témoins. Elle avait dix ans lorsque commença « cette chose atroce qu'on appelle guerre civile ». Avec ses jeunes frères et sœurs et son père, elle vivait à Madrid ; les aînés étaient avec la mère à Séville. Les nationalistes se soulevèrent le 19 juillet, jour anniversaire de son père, qui avait emmené les enfants au cinéma. Le lendemain il leur déclara : « C'est la guerre partout en Espagne. Madrid est aux mains des troupes gouvernementales. Nous sommes prisonniers. » Quelques jours plus tard, un frère de Teresa, âgé de vingt-six ans et soldat, arriva en permission. A peine une heure plus tard, un membre de la police secrète et sept miliciens armés faisaient irruption et l'arrêtaient : le concierge l'avait dénoncé. Les soldats le forcèrent à descendre l'escalier menant à la rue. Une fois en bas, l'un des miliciens l'abattit d'une balle dans le dos. La dernière image que Teresa conserve de son frère est celle d'un agonisant abandonné là.

Deux ou trois jours après, les miliciens revinrent arrêter le père. A leur vue, la sœur de Teresa, âgée de seize ans, devint folle et se mit à hurler de frayeur et à se rouler par terre en essayant vainement d'empêcher les soldats d'entrer. Ceux-ci firent mine de venir en amis, en expliquant aux enfants que le *Señor Conde* serait plus en sûreté avec eux qu'à la maison, où il risquait de subir le même sort que son malheureux fils. Le comte fut bouclé dans la prison de San Anton. Les enfants eurent le droit de lui rendre visite une fois par semaine, jusqu'en octobre où les visites furent interrompues. Le 6 novembre, le père de Teresa, en compagnie de trois cents autres personnes, fut conduit à un tunnel proche de la capitale. Et là, tous furent abattus à la mitrailleuse. Teresa n'apprit la tragique nouvelle que plus tard. Entre-temps, elle et ses cinq petits frères et sœurs continuèrent à vivre à Madrid, seuls avec les domestiques. Le téléphone ne cessait de sonner : chaque fois une voix inconnue annonçait qu'on viendrait bientôt tous les « emmener en promenade » dans le voisinage, pour les fusiller.

Puis les enfants furent recueillis par des amis de la famille. Mais les miliciens continuèrent à venir là aussi, les laissant dans un état d'angoisse permanente, contraints de ne pas se montrer et ne pouvant guère jouer ni même dormir. Cependant, la nourriture commençait à manquer et de longues queues se formaient. A minuit, bravant les patrouilles militaires, ils se faufilaient dehors pour essayer de découvrir quelque chose à manger.

Un jour, la milice vint arrêter un autre des frères de Teresa, âgé de quinze ans, qui eut juste le temps de grimper sur le toit, où il resta des heures durant, pendant que la maison était fouillée de fond en comble sous les regards terrifiés de ses frères et sœurs.

La nourriture finit par se raréfier au point que toute la petite famille en fut réduite à se nourrir de graines de tournesol. Ensuite, ce furent les raids aériens des nationalistes sur Madrid — accomplis en réalité par les escadrilles de la *Luftwaffe* allemande et de la *Regia Aeronautica* italienne. Les populations civiles n'étaient pas encore accoutumées aux bombardements massifs de l'aviation. Teresa dit se rappeler encore que ses frères et sœurs avec elle-même restaient tous pétrifiés, heure après heure, à la cave, pleins, selon ses propres termes, « de désespoir et du sentiment d'être oubliés et perdus ».

Enfin, après deux années de cauchemar, la Croix-Rouge internationale les prit en charge et les ramena à Séville, en sécurité auprès de leur mère.

Angela, elle, vivait avec ses parents et deux jeunes sœurs dans une *hacienda* près de Mijas, dans les montagnes à l'ouest de Malaga. De la ferme crépie de blanc, on découvrait toute la plaine, en bas, couverte d'oliviers et s'étalant jusqu'aux plages de sable brûlées par le soleil d'été andalou et où, aujourd'hui, des milliers de touristes et d'étrangers demi-nus se rôtissent.

Beaucoup d'hommes du village étaient partis pour se joindre aux nationalistes de Franco. Le père d'Angela, qui était invalide, resta avec la mère et les filles à la ferme. « Nous vivions maigrement et simplement, comme tant d'Andalous aujourd'hui encore. » Non loin, vivait aussi une famille aristocratique, *el Señor, la Señora,* leurs deux belles-filles et les enfants de celles-ci, âgés de dix, douze et quinze ans. Les deux fils de la famille luttaient au loin avec Franco. Pour cette raison, la milice rendait souvent visite à la grande maison, pour questionner *el Señor.* Des heures durant, Angela entendait les soldats vociférer et menacer, et elle avait très peur. Peur qui ne fit que grandir, à mesure que se multipliaient les visites. Ses parents suppliaient *el Señor* et *la Señora* de fuir avec les leurs dans la montagne, par des sentiers connus uniquement des bergers, qui s'offraient à les conduire de nuit en territoire nationaliste. Le vieux couple refusait, disant qu'il préférait demeurer sur ses terres avec les villageois qu'il aimait.

Angela n'oubliera jamais le matin où *el Señor* et sa courageuse famille, au complet, arrivèrent à l'*hacienda* hors d'haleine, pour confier quelques objets et documents à son père, en déclarant tenir de source sûre qu'on allait les tuer et qu'ils voulaient essayer de fuir par leurs propres moyens, pour ne compromettre personne. Les enfants pleuraient, les mères étaient pâles, échevelées ; seuls, les grands-parents semblaient calmes — « Nous les avons regardés traverser les champs de maïs, puis les oliveraies et s'enfoncer dans les bois. » Deux heures plus tard, une douzaine de miliciens se présentèrent à la maison d'Angela et, après avoir frappé le père et giflé la mère, demandèrent où étaient partis « les riches ». Après quoi, ils se hâtèrent de rejoindre le gros de leurs camarades qui avaient déjà pénétré dans la forêt. Angela était glacée d'horreur ; ses sœurs, en larmes ; ses parents, comme paralysés. Angela dit aujourd'hui : « L'ombre de la mort était sur nous. »

De longues minutes s'écoulèrent dans un silence total, à part de temps à autre un bêlement de brebis. Angela dit aussi que les oiseaux semblaient avoir cessé leurs chants et qu'elle n'entendait même plus le murmure du petit ruisseau qui court en bas du verger. Soudain, ce silence fut déchiré par l'écho furieux d'une mitraillade, suivie, quelques secondes plus tard, de quelques détonations isolées. Angela, incapable d'en supporter plus, s'évanouit. Deux jours passèrent ; puis des bûcherons revinrent avec les corps, que l'on enterra de nuit : « Je n'ai jamais, jamais pu oublier, dit Angela Quarante ans après, je vois encore les cadavres des trois enfants, le crâne éclaté et celui du *Señor*, les mains croisées sur la poitrine. Je n'avais que neuf ans. Mais, depuis lors, je n'ai plus jamais pu jouer à la poupée. »

C'est une époque où, en Espagne, aucun enfant ne pouvait être en sûreté. On en trouvait jusque sur le front, défiant les balles ennemies. Le romancier George Orwell, l'auteur du célèbre roman *1984*, se trouva à côté de certains d'entre eux dans les rangs gouvernementaux. Dans son livre *Hommage à la Catalogne* il raconte : « Nous nous battions comme nous pouvions, avec infiniment moins de cohésion qu'un troupeau de moutons... et une bonne moitié de nos hommes, selon le terme consacré, n'étaient que des enfants de seize ans au maximum, poussant des cris qui voulaient être belliqueux et menaçants, mais qui, venant de ces gorges enfantines, étaient aussi pathétiques que les miaulements d'un petit chat appelant sa mère. » Et pourtant, ajoute Orwell, tous étaient heureux et surexcités à la perspective de monter en première ligne. Et voici une des images qu'il rapporta de leur présence sur le front : « Douze malheureux gamins... que l'on avait postés à proximité des tranchées fascistes se trouvaient là, dans l'impossibilité de regagner nos lignes. Tout le jour, ils durent rester aplatis, sans autre abri que des touffes d'herbe, tandis que les fascistes les canardaient au moindre mouvement. La nuit tombée, sept d'entre eux étaient morts... »

D'autres restaient terrés dans leur maison, où, souvent, les bombes, lâchées pour la plupart par la Légion Condor de la *Luftwaffe*, qu'Hitler avait envoyée pour participer au carnage, à la requête de Franco, les broyaient sous les décombres.

Le chef d'état-major de la Condor, le lieutenant-colonel Wolfram Freiherr von Richthofen, cousin du fameux « Baron rouge », Manfred[1], chérissait presque à l'égal de sa femme et de son jeune fils, disait-on, les appareils de son escadrille, cause de tant de morts et de destructions inutiles. A Durango, le 31 mars 1937, ses bombardiers avaient tué deux cent quarante-huit civils. Le 27 avril, ils allaient en massacrer des centaines de plus.

La veille, von Richthofen avait expliqué l'attaque à ses hommes : la cible, d'ordre stratégique, était le pont de Renteria, aux

---

1. L'as allemand de la guerre 1914-1918.

abords immédiats de Guernica, petite ville de la province basque de Biscaye et foyer de la liberté pour les Basques. C'était un petit pont : dix mètres de large sur vingt-cinq de long. Pourtant, la force assaillante consistait en une armada de quarante-trois bombardiers, porteurs, au total, de cinquante tonnes de bombes incendiaires et à fragmentation — de l'espèce utilisée habituellement pour tuer les gens et incendier, non pour démolir un pont.

Le premier arrivé au-dessus de la cible fut le lieutenant von Moreau, pilote de bombardier expert, volant sur un des Heinkel tout neufs de la *Luftwaffe*. Les bombes tombèrent, non sur le pont de Renteria, mais sur le square de la gare, à plusieurs centaines de mètres de là, en plein centre de Guernica. L'une d'elles fendit en deux la façade de l'hôtel Julian, écrasant sous les décombres plusieurs enfants qui jouaient sur le trottoir. Personne ne peut dire combien de civils périrent dans le square grouillant de monde. Une autre bombe renversa de son souffle le chef des pompiers, Juan Sillano. Gisant à terre, il vit un groupe de femmes et d'enfants projetés dans les airs et désintégrés : « Bras, jambes, têtes, lambeaux de ceci et de cela giclaient dans toutes les directions. »

Tandis que le pont demeurait intact, les vagues de bombardiers se succédèrent, écrasant la ville. Des bombes incendiaires tombèrent sur une confiserie, dont le directeur vit une de ses toutes jeunes employées, cheveux et vêtements en flammes, transformée en boule de feu. Une bombe de grande puissance frappa le n° 29 de la Calle Don Tello, où Victoria Bilbao célébrait son quinzième anniversaire avec sa mère Lucila. On les retrouva mortes sous les ruines, au sommet desquelles le gâteau d'anniversaire était entier.

Puis les chasseurs allemands du capitaine Von Lutzow piquèrent. Juan Guezureya put les voir exécuter leur va-et-vient infernal à trente mètres d'altitude, arrosant à la mitrailleuse la population qui fuyait, prise de panique. On eût dit, à l'en croire, des chiens de berger rassemblant le troupeau pour l'abattoir. Juan cherchait son jeune frère qui s'était enfui dès la première bombe. On le découvrit quinze jours plus tard, parmi quatorze autres jeunes garçons écrasés sous la maçonnerie d'une maison.

Les bombardiers reprirent leur action. Une bombe tomba sur la *residencia* Calzada, dont le toit était marqué par une croix rouge géante. Parmi les nonnes, les vieilles gens, les blessés et les orphelins abrités là, il y eut quarante-cinq morts. Mais le pont de Renteria restait toujours intact. Le commandant d'escadrille Von Beust signala par la suite que la cible disparaissait sous les nuages de poussière ; mais il n'était pas question de rentrer pour se poser avec des bombes : trop dangereux pour les équipages. On les lâcha donc sur les femmes et les enfants de Guernica.

Les gens qui s'étaient réfugiés à la mairie peu auparavant, venaient tout juste de faire de la place à un groupe d'enfants, forcés de s'accroupir, la tête entre les genoux, quand la mairie fut touchée trois fois ; le plafond s'effondra et trois étages croulèrent sur les gens au-dessous.

Plus de cinq cents femmes et enfants s'étaient réfugiés dans l'église de Santa Maria, convaincus d'y être en sûreté. Les bombes incendiaires frappèrent l'église. Faute d'eau, le père Ensebio se servit du vin de messe pour essayer d'éteindre les flammes. Exhortant les fidèles, il leur disait qu'il était sûr que le bon Dieu, s'il avait été là, eût changé le vin en eau.

Les bombardiers se retirèrent enfin. Le pont de Renteria était toujours debout. Mais, de Guernica, entre la gare et le marché, il ne restait presque rien. Le cœur de la ville avait été broyé. Et loin d'éprouver une ombre de remords, les aviateurs allemands célébrèrent la chose ce soir-là, à leur hôtel ; on chanta des chansons obscènes et les bordels ouvrirent leurs portes. La soirée finit pour ces hommes dans l'oubli et le sommeil.

Mais le massacre des innocents de Guernica demeurera à jamais dans les mémoires. Les silhouettes squelettiques de ses immeubles effondrés, les cadavres de ses citoyens et de ses enfants jonchant les rues, ses hôpitaux, ses églises et ses écoles en ruines furent incontestablement la première ébauche des futures hécatombes provoquées du haut des airs et où personne, jeunes ou vieux, ne pouvait espérer la moindre merci.

L'année de Guernica (1937), un nouveau conflit, aussi terrible que la guerre d'Espagne qui continuait, éclata à l'autre bout du monde : cet hiver-là, les Japonais envahirent la Chine.

Peu de temps auparavant, Edith Lunn, qui venait d'avoir dix-huit ans, était arrivée à Wei-Hai-Wei, en qualité de gouvernante du fils du consul britannique. Wei-Hai-Wei était un paisible village de pêcheurs, dont la tranquillité n'était rompue que par la toux rythmée des moteurs des barques, les rires des hommes halant leurs filets et les cris des mouettes tournoyant au-dessus d'eux. Edith se rendait parfois à la baie de l'Œil-de-Chat, sur une barque à voile qu'elle louait à un pêcheur toujours accompagné de son jeune fils. Quand le vent tombait et que la voile pendait, pareille à l'aile blessée d'un grand papillon de nuit, le pêcheur sifflait interminablement pour appeler le vent, tandis que l'enfant contemplait en silence l'horizon.

A terre aussi, l'enfant était toujours silencieux et retiré en lui-même. Il ne se joignait jamais aux autres gamins du village, qui se rassemblaient au bord de l'eau pour y acheter ces colliers de morceaux de sucre semblables à du verre brisé et enfilés sur un cordon. Il ne s'arrêtait jamais pour admirer les petites filles dans leurs travaux, lorsqu'elles faisaient aller et venir la navette avec leur pieds, ni pour les singer, comme les autres garçons, quand elles courbaient jusqu'aux genoux leur petite tête noire et luisante, comme les dames missionnaires le leur avaient enseigné, pour parler à des étrangers. Il ne chantait pas non plus avec ses camarades l'hymne des missionnaires : *Oui, je suis aimé de Jésus...* D'ailleurs, il ne prononçait jamais un mot : il était sourd et muet. Le seul service qu'il rendît était de chasser les mouettes qui essayaient de voler les poissons pris par son père. Et il s'en acquittait à la perfection : il courait, courait sans relâche sur l'étroite bande de sable proche du port, son pantalon bleu fané battant ses chevilles brunes, ses bras minces tournant follement en l'air lorsqu'il sautait pour attraper les mouettes. Et quand il en saisissait une, ses doigts se resserraient autour du cou de l'oiseau et il pressait celui-ci sur sa poitrine en attendant d'avoir creusé un trou dans le sable pour y enterrer « l'ennemi », sous un petit tumulus semblable à ceux qui recouvraient les tombes de ses ancêtres, au flanc de la colline.

Il courait comme d'habitude sur le sable, ce jour gris d'hiver où un sous-marin japonais, se glissant vers l'estacade de Wei-Hai-Wei, tel un crocodile à demi submergé, vomit une escouade de fusiliers marins. Ils escaladèrent les marches glissantes du quai en criant *banzaï !* et en brandissant de petits arcs triomphaux de feuillage vert sombre piqueté de rosettes de couleur. Des fenêtres, les gens regardaient, terrifiés. Dehors, quiconque courait était abattu d'une balle ; on lui tranchait ensuite le col, on fichait la tête sur une perche et le corps était promené dans une brouette, en guise d'avertissement.

Le jeune garçon continua à courir et à sauter en l'air en essayant d'attraper les mouettes, lorsque les Japonais débarquèrent. L'un d'eux leva lentement son fusil et visa. Edith et les enfants qu'elle accompagnait regardaient, impuissants, la petite silhouette bondissante. Puis, incapables de supporter plus longtemps l'attente, ils se détournèrent. Il y eut une détonation et le concert criard des mouettes sembla s'envoler dans un nuage d'ailes blanches. Sur le sable, gisait maintenant le corps fluet du jeune garçon, muet comme toujours, mais aussi immobile à jamais.

L'une des histoires les plus émouvantes qui nous soit parvenue de Chine, au cours de ces terribles années de guerre, a été véridiquement et admirablement contée par Alan Burgess dans le livre intitulé *la Petite Bonne Femme*, d'où fut tiré le film célèbre, *l'Auberge du sixième bonheur*. Afin d'échapper à la guerre et à ces atrocités, une Anglaise, Gladys Aylward, connue des Chinois sous le nom de *Ai-weh-deh*, entraîna une centaine de petits Chinois dans une marche de quinze jours à travers les montagnes, jusqu'au Fleuve Jaune, au-delà duquel tous se retrouvèrent enfin en sûreté, loin des brutalités de la sodaltesque nippone.

Pendant le temps où elle fut forcée de vivre sous la férule de l'envahisseur japonais, Gladys s'était souvent étonnée de voir comme les soldats pouvaient se conduire tantôt avec une extrême sauvagerie, tantôt avec infiniment de courtoisie et de bonté. Ils témoignaient souvent une grande tendresse aux enfants. Elle se souvenait d'un groupe d'entre eux qui était venu avec des sacs de sucre, les avait vidés dans de grandes cruches à eau et, avec de grands rires, avaient tendu des tasses pleines de liquide sirupeux aux enfants ravis. Et pourtant, ils étaient capables d'incroyables cruautés envers ces mêmes enfants.

Gladys, pénétrant dans Yangcheng après le départ des Japonais, avait découvert « une ville de cadavres aux orbites vides ». La plupart de ces gens avaient été passés à la baïonnette et étaient restés pliés en deux ou étendus dans des attitudes grotesques. Beaucoup de ces cadavres étaient ceux d'enfants. Et il y avait eu aussi le traitement affreux infligé à la famille du muletier Hsi-Lien : après avoir enfermé dans leur maison sa femme, son petit garçon et sa petite fille et l'avoir lui-même ligoté à un arbre, on l'avait forcé à regarder sa maison brûler, pendant que les soldats ricanaient des hurlements des trois victimes dévorées par les flammes.

La décision de Gladys d'emmener sa centaine d'enfants loin de telles horreurs signifia pour tous une dure et périlleuse randonnée. La fin d'une pénible journée trouva les enfants partageant un repas frugal de bouillie de mil. Gladys, serrant dans ses mains « la minuscule chaleur » de son bol de mil et regardant deux adolescentes assises à côté d'elle et nommées Neuf-Sous et Sualan, « exquises petites créatures au teint pâle et clair et à la chevelure d'un noir bleuté », se dit : « Quelle absurdité de penser qu'elles soient forcées de faire une randonnée aussi épuisante pour sauver leur vie. » Et elle se prit d'une profonde colère contre la stupidité des hommes, cause d'une si terrible épreuve pour ces jeunes innocents.

Pendant que, en Espagne et en Chine, se multipliaient les carnages de populations civiles, Hitler poussait sur l'échiquier mondial ses pions et préparait les coups qui aboutiraient à la gigantesque tuerie mondiale de la deuxième « Grande Guerre ». En novembre 1938, il tourna toute sa fureur contre les Juifs. Depuis six ans déjà, il n'avait cessé de les persécuter ; mais, cette fois, il s'agissait d'un pogrom à l'échelle nationale, la « Semaine du Verre brisé ».

Quarante ans après, à Jérusalem, j'ai rencontré El Hanan Schmidt, autrefois juif allemand, aujourd'hui citoyen israélien, qui échappa au pogrom dans son village de Badersfeld. Il avait alors huit ans : « Nous vivions dans un bel appartement, plein de très belles choses, m'a-t-il raconté. Et puis un soir, c'était le 9 novembre, on sonna à la porte. Comme j'étais le plus jeune de la famille, j'allai ouvrir. Sur le seuil, je me trouvai en face d'un agent de police et de deux S.S., ce qui me remplit d'épouvante. Les trois hommes entrèrent et dirent à mon père : « *Herr Schmidt, Wir Kommen Sie in Schutzhaft nehmen* » — nous vous conduisons en prison pour votre sécurité personnelle. Il en allait de même de maison en maison, où l'on raflait tous les hommes d'origine juive. Le lendemain seulement, nous avons compris ce que signifiait ce mot de *Schutzhaft* : mon père rentra ce soir-là couvert de meurtrissures et de traces de coups, et il avait l'ordre de quitter la ville le lendemain à 6 heures du matin. »

Le jeune El Hanan et sa famille abandonnèrent donc leur appartement et toutes leurs belles choses pour aller s'installer chez un parent, à Gross Krotzenburg. Mais le jour même de leur arrivée, le 10 novembre, les S.S. sonnaient à la porte. Avant même que l'on eût ouvert, ils l'avaient enfoncée. C'étaient des jeunes de dix-huit ou vingt ans, armés de bâtons et de haches. Ils brisèrent tout dans la maison et jetèrent les débris par la fenêtre.

— Qu'avez-vous fait ? demandai-je à El Hanan.

— Nous sommes restés là, à nous lamenter et à implorer le Ciel.

— Vous a-t-on frappés ?

— Non, ils se sont contentés de tout casser, et nous sommes demeurés plantés, impuissants, à pleurer.

El Hanan fut placé par son père dans un orphelinat. Etre séparé de ses parents à cet âge était, m'a-t-il dit, « très affreux. Je n'en suis toujours pas remis ». Il avait deux sœurs, de onze et treize ans.

— Etaient-elles à l'orphelinat avec vous ?

— Non, répliqua-t-il presque violemment. On les a mises dans un camp où on les a tuées. Quand j'y songe aujourd'hui, je me dis que quiconque n'a pas vu cela ne pourra jamais comprendre.

— Et vos parents, les avez-vous revus ?

— Quatre ans plus tard seulement, j'ai reçu une lettre d'une dame catholique, une amie de la famille, qui me racontait ce qui était arrivé. Je regrette qu'elle ait écrit cette lettre, ajouta El Hanan amèrement. J'aurais mieux aimé rester dans l'ignorance du sort de ma famille, plutôt que d'en apprendre les détails hideux.

A mesure que Hitler et le nazisme étendaient leur puissance et conquéraient toujours plus de territoires, le nombre des camps de concentration augmentait en proportion. Dès 1939, les noms de Dachau, de Sachsenhausen, de Buchenwald, de Mauthausen et de Ravensbrück éveillaient déjà des échos de mort.

Puis, le 1er septembre 1939, l'armée allemande envahit la Pologne, tuant, brisant, brûlant tout devant elle. Moins de trois semaines plus tard, les troupes soviétiques pénétraient à leur tour en territoire polonais par la frontière orientale. La Deuxième Guerre mondiale était engagée.

DEUXIÈME PARTIE

4

Le long et double martyre
des enfants polonais

La Deuxième Guerre mondiale a porté à son compte à peu près le double de morts et de blessés de la Première Guerre mondiale. Mais les statistiques n'ont rien d'humain et ne sauraient en aucun cas donner la mesure de la souffrance des hommes. Il serait tout aussi inhumain de vouloir comparer les souffrances des nations et celles des individus, alors que le monde entier frôla la destruction dans un océan de douleur. Jésus n'a-t-il pas dit des petits moineaux eux-mêmes : « Pas un seul d'entre eux n'est oublié de Dieu » ?

Toutefois, si l'on cherche un symbole de cette souffrance universelle, il est impossible de ne pas penser à la Pologne, d'abord parce qu'elle fut la première victime de l'agression, et ce, de deux côtés à la fois ; ensuite, parce que ce furent les Polonais — Slaves et Juifs — qui, les premiers encore, furent choisis pour l'extermination totale ; puis, parce que, du jour où elle tomba en servitude, ses fils et ses filles entamèrent la lutte contre la tyrannie des maîtres ; enfin, parce que l'assaut brutal contre son sol et sa liberté donna naissance à une vague d'horreur qui engloba près de soixante nations belligérantes, dont deux, qui avaient été ses premiers agresseurs, l'Allemagne et la Russie, furent, ironiquement, les plus sévèrement frappées. Mais chacune des nations entraînées dans le conflit, et notamment celles qui souffrirent sur leur propre territoire, se retrouvèrent avec des millions d'enfants martyrisés, estropiés, invalides, orphelins — eux qui, selon la nature des choses, étaient destinés à perpétuer la race et, ce faisant, à transmettre aux générations suivantes la peur et les infirmités que la guerre de la génération précédente avaient imprimées dans leur chair et dans leur âme.

Le processus est aussi vieux que l'humanité elle-même. Mais dans l'éventualité d'une Troisième Guerre mondiale, le martyre et l'agonie de la race humaine ne sauraient se prolonger au-delà de la décadence et de la mort de nos propres enfants et petits-enfants. Déjà, les cris pitoyables et douloureux des enfants de la Deuxième Guerre mondiale sonnent comme un glas et un dernier avertissement aux peuples de la terre.

Pour les petits Polonais qui, ce premier dimanche ensoleillé de septembre 1939, furent brutalement réveillés par les explosions des bombes, la vie telle qu'ils l'avaient connue, avec la famille, l'amour et la protection des parents, le foyer, les jeux, les amis, cessait désormais d'exister. Terrifiés par l'ouragan de mitraille, de bombes et d'obus, ils furent réduits, comme tout le monde, à se cacher sous terre à la manière des taupes, à s'entasser dans le noir de trous humides baptisés abris, pour s'y retrouver pressés contre des gens de toute sorte et de tous âges, des malades, des mourants, sans compter les chats qui miaulaient et les chiens qui aboyaient, et pour passer alternativement de la panique et de l'hystérie aux prières déchirantes pour implorer leur salut.

Si les enfants avaient du mal à comprendre ce qui leur arrivait, ils le ressentaient profondément. Quand enfin ils purent sortir des abris, on leur annonça : « La guerre est finie ». Mais tout, autour d'eux, n'était que ruines, cadavres difformes, blessés ensanglantés et agonisant dans les rues. Avant même la chute de Varsovie, le général Frank, Gauleiter de Pologne, notait dans son journal qu'il avait ordre de piller sans merci le territoire de l'ennemi et de tout réduire — institutions, économie, société, culture et régime politique — à néant. Le terme utilisé par les nazis pour définir ce processus était : *Neue Ordnung*, Ordre nouveau.

Henryka Veillard-Cybulska, qui était à l'époque une jeune fille appartenant, selon ses propres mots, à la race inférieure (les Polonais) marquée pour l'extermination par les *Übermenschen* (les

48

surhommes allemands), rejoignit immédiatement les rangs de la Croix-Rouge et du Comité d'Aide sociale (*Polnisches Hilfkomitee*), l'unique organisme de charité polonais autorisé par les Allemands. A l'automne de 1940, elle fut détachée auprès du tribunal polonais de Radom. Par la suite, elle devint elle-même magistrat au tribunal d'enfants et travailla en étroite collaboration avec un certain nombre d'organismes de secours à l'enfance. Si pénible qu'il lui fût d'évoquer cette longue et terrible période de l'Occupation, elle m'a fourni des détails précieux sur la vie quotidienne en Pologne sous les nazis.

(Henryka porte encore les traces de sa première rencontre avec l'administration hitlérienne. Insultée par un fonctionnaire qui la traitait de « truie polonaise », elle riposta : « Il est une autre forme de justice que celle des Allemands. » Ce qui lui valut une gifle en pleine figure. A quoi elle répliqua : « J'aime mieux recevoir des coups que d'en donner ; moi, Polonaise, je n'aurais jamais réagi comme vous. » Ce nouveau défi lui attira un autre coup au visage qui, cette fois, la laissa sans connaissance. On la jeta alors en bas de l'escalier à coups de pieds. Elle y perdit toutes ses dents de devant et dut rester longtemps édentée, aucun dentiste n'ayant plus d'équipement.)

Décrets et mémorandums se succédaient. L'un d'eux, en date du 25 novembre 1939, publié par le *Rassenpolitische Amt der N.S.D.A.P.* (Service de la politique raciale du Parti national-socialiste) définissait le comportement hitlérien à l'égard des enfants polonais. Selon la « théorie de la race », un « examen racial » devenait obligatoire pour tous les enfants de deux à six ans, l'objectif étant d'opérer une sélection « scientifique » de ceux qui seraient qualifiés d'Allemands « sur la base de la race ». Le recrutement d'enfants polonais à des fins de « germanisation » était assuré par l'organisation *Lebensborn,* qui avait un centre dans chaque ville polonaise. Parmi les instructions émises par cet organisme, il en était une avertissant que l'expression technique « enfants propres à la germanisation » ne devait pas être rendue publique ; on devait la remplacer par « orphelins allemands ».

Au cours de l'impitoyable chasse aux enfants qui suivit, les jeunes étaient enlevés sans pitié à leur foyer et soumis à l'examen précité. La chasse commença dans les écoles et les orphelinats. Puis elle se généralisa. Le Comité de Secours social polonais recueillit certains des « enfants racialement impropres ». Il en était qui avaient déjà subi la stérilisation obligatoire. Ceux-là restaient tristement entre eux, sans jamais rire ni jouer. Souvent, des parents se présentaient au Comité, cherchant désespérément un fils ou une fille arrachés par les S.S. Quand les Allemands s'apercevaient qu'ils avaient un trop-plein de ces petites victimes, ils les mettaient simplement en vente. Les prix variaient de cinquante à cent *zlotys* ; mais une bouteille de vodka ou un paquet de cigarettes suffisaient à acheter un enfant.

L' « acquisition » était souvent remise aux mains du Comité de Secours. On vit une paysanne amener une fillette de sept ans en disant : « Je l'ai achetée alors que je cherchais mes propres enfants, que l'on m'avait enlevés. J'ai aperçu un camion plein de petits et entouré de gens qui criaient leur enchère. Les petits criaient aussi : « Achetez-moi, monsieur ! » et : « Moi, moi, madame ! Sauvez-moi ! » ou encore : « Monsieur, je peux travailler... Madame, je serai très sage ! » Les plus jeunes étaient en larmes et appelaient : « Maman, maman ! » — en vain, puisqu'ils ne la reverraient jamais, leur mère... Une petite fille s'est agenouillée et s'est mise à prier : « O, Sainte Mère de Dieu, faites que quelqu'un me prenne »... Le camion allait partir quand un petit garçon a sauté et s'est mis à courir vers la forêt. Il y a eu une détonation. Alors j'ai ôté ma montre-bracelet et je l'ai donnée au chauffeur du camion en montrant cette petite fille. Depuis lors, elle est restée avec moi pendant que je continuais à chercher mes propres enfants. Mais maintenant elle est trop fatiguée. Prenez-la, je vous en prie. Peut-être sa mère la cherche-t-elle aussi. Moi, je vais continuer pour les miens. Si je ne les trouve pas et qu'elle ne trouve pas non plus ses parents, alors je la reprendrai. »

Des années devaient passer avant que parents et enfants — certains d'entre eux, du moins — fussent réunis. Et alors, bien trop souvent, les enfants ne reconnaissaient pas leur père ni leur mère, pas plus qu'ils ne parlaient leur langue : ils ne savaient plus que l'allemand. Les nazis y avaient veillé. Après avoir mis la main sur les « racialement propres », ils les expédiaient en Allemagne pour y être « germanisés » dans des *Heimat Schulen*, des « Ecoles de la Patrie », ou pour y être logés dans des familles allemandes « pur sang ». On les y contraignait à oublier leur nom polonais pour y substituer un nom allemand, ainsi qu'à oublier leur famille, leur pays, leur langue maternelle.

Rares furent ceux qui parvinrent à échapper à ce processus de germanisation. L'un d'eux était un petit garçon tuberculeux, aux traits nordiques, qui fut relâché d'un centre de *Lebensborn*, afin de persuader son père de s'inscrire à la *Volksliste* (la liste du peuple), ce qui leur permettrait à tous deux de devenir allemands. L'enfant, sous traitement dans un hôpital dont l'équipement était réduit à sa plus simple expression, reçut la visite de son père qui lui déclara :

« Si je signe, je pourrai te faire admettre dans un sanatorium de montagne ». L'enfant répondit : « Papa, si jamais tu deviens un *Volksdeutsch*, j'en mourrai de honte. Donc, si tu veux hâter ma mort. tu n'as qu'à signer. » Tous deux n'allaient pas tarder à mourir, l'enfant de sa maladie, le père des mains des S.S. Mais ils moururent polonais.

Parfois, grâce au courage et à l'abnégation d'un parent ou d'un ami, un enfant « racialement impropre » était arraché à une mort certaine. Tel fut le cas de Michel. Son père était décédé avant la guerre ; sa mère vivait avec un homme qui avait abandonné sa propre femme et son enfant pour elle. Les deux familles s'étaient vues contraintes d'entrer au ghetto de Varsovie et, lorsque le processus d'extermination commença à exercer ses ravages, en 1942, Michel et sa mère parvinrent à trouver refuge dans la partie « aryenne » de la ville, avec « l'ami » de la mère (dont la femme et l'enfant, restés dans le ghetto, devaient, eux, y trouver la mort). Puis « l'ami » fut arrêté et déporté. Dès lors, la mère de Michel, comme obéissant à une étrange intuition, habilla son fils de neuf ans en fille. Ce qui leur sauva la vie ; car, lorsque tous deux furent arrêtés à leur tour, la mère, durant toute une semaine d'interrogatoire serré dans la célèbre prison de la Gestapo, ne démordit pas de son affirmation que son enfant et elle étaient de pur sang aryen. Si Michel avait été habillé en garçon, la Gestapo n'aurait eu qu'à le déshabiller, et la partie était perdue. Mais Michel joua à la perfection son rôle de fille, et sa mère et lui furent libérés. Ce qui n'empêche pas Michel. aujourd'hui encore, de porter en lui le remords de la disparition de l'autre mère et de son enfant abandonnés.

Louis aussi avait perdu son père, tué par les Allemands en 1943. Louis avait alors quatre ans, et sa mère et lui furent expulsés de leur appartement. Un couple polonais plein de bonté recueillit Louis et s'arrangea pour prendre aussi chez lui sa mère, en qualité de bonne. Le couple risquait sa vie. Quant à Louis, il devait traiter sa mère comme la servante et ne jamais prononcer le mot maman. sauf la nuit, quand tout le monde dormait et qu'il se glissait dans la chambre de sa mère, dans son lit, dans ses bras.

Et puis il y a Georges, dont le père était également mort, en 1939, des mains des Allemands. Sa mère périt aussi, victime de la campagne d'extermination. Et Georges qui n'avait que trois ans, devint un petit orphelin perdu. Cependant, des amis s'arrangèrent pour le faire passer en fraude dans le secteur aryen de la ville — il faut avoir été mêlé à ce genre d'entreprise pour imaginer les périls encourus. Une famille polonaise prit chez elle le petit garçon et le cacha... dans un placard d'où il ne sortait que la nuit — pendant deux ans !

Quand enfin la Pologne fut libérée, l'enfant tenait plus de l'animal que de l'humain. On considérait son cas comme désespéré. Mais une amie de la famille qui vivait à Paris alla le chercher en Pologne et le ramena chez elle. Alors, commença la lutte pour sauver Georges de la perdition. Pendant des mois, cette femme renonça à tout pour lui. Elle obtint son entrée à l'école communale, mais dut s'asseoir à côté de lui en classe, sans le quitter une seule minute. Sa patience et son dévouement eurent leur récompense : à la longue, Georges devint l'égal de tous ses camarades d'étude. Aujourd'hui, il est un brillant savant. Ce qui prouve bien que, pour un enfant, l'amour est une nourriture tout aussi vitale que le lait. Les nazis, à supposer que l'amour signifiât quelque chose pour eux, n'en gaspillèrent pas une goutte pour les enfants qu'ils jugeaient « sous-humains ».

Himmler, le chef suprême de la Gestapo, avait défini les grands principes du système éducatif pour élever les enfants « sous-humains » selon l'Ordre nouveau : « Il ne saurait exister d'autres établissements éducatifs que les Ecoles du Peuple (*Volksschulen*), comprenant quatre degrés. Quand les élèves en sortent, ils doivent posséder les qualifications suivantes : être capables de compter au moins jusqu'à cinq cents, reconnaître les panneaux de signalisation, et écrire leur nom correctement. Je ne pense pas qu'il soit nécessaire de leur apprendre à lire. » D'un autre côté, soulignait Himmler, on devait « les persuader absolument que, des Commandements de Dieu les plus importants sont les suivants : obéissance aux Allemands, honnêteté, volonté de travailler ». Et il concluait : « Après dix années d'application rigoureuse de ces mesures, la population du gouvernement général de Pologne se composera inévitablement d'individus inférieurs à tous égards. » Et ce fut ainsi que furent fermés non seulement les lycées et les écoles publiques, mais également les bibliothèques et les librairies. Toute activité intellectuelle, scientifique et artistique fut déclarée illégale. Il y eut interdiction aux petits Polonais de posséder le moindre équipement sportif (par exemple, des skis), photographique ou radiophonique. Ni disques, ni motocyclettes, ni bicyclettes. Sur les tramways, l'arrière du dernier wagon était réservé aux « Juifs, Polonais et chiens ». Comme beaucoup de gens vivaient dans les faubourgs, les enfants devaient souvent faire des kilomètres à pied, par des températures plus basses que 30° au-dessous de zéro.

Les *Volksschulen* présentaient les pires conditions possibles : de soixante-dix à cent élèves par classe, dans des installations misérables, presque sans manuels scolaires. Tous les élèves devaient apprendre par cœur les principaux préceptes de la propagande nazie. Par exemple, à la question : « *Quel est votre pire ennemi ?* », il fallait répondre : « *Les Juifs, la vermine et le typhus.* » Un jour, au cours d'une inspection, un inspecteur s'aperçut que, au mot « *Juifs* », on avait substitué « *Allemands* » ; la classe entière reçut l'ordre de sortir et de se ranger sur le terrain de jeux, pour y rester debout par 12 degrés au-dessous de zéro, jusqu'à ce que le coupable se dénonçât. Comme personne ne dit rien, l'école fut fermée, et maîtres et élèves incorporés dans le Service des Constructions (*Baudienst*).

Mais c'était mal connaître les jeunes Polonais et leurs maîtres que d'imaginer qu'ils se soumettraient. Entre eux, ils organisèrent des classes secrètes, baptisées *complets*, ne comprenant pas plus d'une demi-douzaine d'élèves et où l'on apprenait presque tout par cœur, à cause du danger de prendre des notes. On cachait les manuels scolaires au fond d'un panier de pommes de terre ou de charbon, par exemple ; leur découverte pouvait entraîner la peine de mort. Un jeune garçon pris par les S.S. à garder un livre, et une fillette qui avait conservé une carte de « l'ex-Pologne » furent tous deux exécutés.

Cependant, le courage des jeunes enfants comme des adolescents était extraordinaire. Jamais on ne manqua de volontaires pour être « kangourou » — c'est ainsi que l'on appelait les garçons et les filles qui, à grand risque, transportaient les livres interdits dans une doublure spéciale cousue sous le devant ou le derrière d'un pull-over. Et la terreur n'empêchait pas les écoles secrètes de gagner de ville en ville. Presque tous les foyers polonais servaient de lieu de rendez-vous aux *complets*. Pour leur sécurité, élèves et maîtres devaient changer constamment d'endroit. Il n'était pas rare que la classe se tînt à la cuisine, le jour où l'on lavait le linge de la semaine — prétexte idéal pour justifier la présence d'une demi-douzaine de jeunes. Ou alors, c'était à la cave, le jour où l'on livrait le charbon. Ou encore, on avait toujours sous la main un ou deux jeux de cartes, de la laine et des aiguilles à tricoter, du linge à raccommoder pour les orphelins du coin. Sans compter les cachettes préparées soigneusement d'avance pour les livres. Grâce à l'ingéniosité et à la complicité de tous, garçons et filles parvenaient à poursuivre leurs études jusqu'au baccalauréat. Il exista même à Varsovie et, après la destruction de la ville, à Radom, une faculté clandestine de philosophie.

Mais les risques courus par ces écoles secrètes étaient considérables. Beaucoup d'enfants furent pris, de maîtres déportés ou exécutés en public. Un garçon de dix-sept ans y échappa de justesse. Son *complet* se réunissait dans diverses cachettes plus ou moins pittoresques, y compris un grenier où un de ses amis élevait des pigeons. Par beau temps, ils se retrouvaient souvent au « Vieux Jardin », le seul parc de Radom ouvert aux Polonais. Le professeur s'asseyait sous un arbre, ses élèves autour de lui. Mais il y avait toujours deux garçons dans un arbre pour guetter les « hommes à la tête de mort », les S.S. Un jour, le *complet* se réunit dans une demeure privée. Le péché mignon de notre adolescent était son manque de ponctualité. Cela le sauva. Arrivant un quart d'heure en retard, il eut juste le temps de voir le reste de la classe, professeur en tête, sortir de la maison, encadré par des S.S. « Le malheureux prof finit à Auschwitz, dit-il. Quant à mes amis, je n'ai jamais su ce qu'il advint d'eux. Moi-même, je m'enfuis dans les bois et j'y restai jusqu'à la Libération. »

Le corps magistral fit preuve d'une bravoure exemplaire. Il compta parmi les premières victimes du *Neue Ordnung*. Deux cents professeurs de l'université de Cracovie furent déportés à Sachsenhausen, et Varsovie en perdit deux cents autres. Ceux de l'université de Lvov furent bestialement assassinés par le bataillon *Nachtigal* (Rossignol) de la S.S.

Et il y eut l'admirable Dr Janusz Korczak — véritable saint, médecin de profession, mais pédagogue de cœur, qui refusa, bien que l'exception de son métier le lui permît, d'abandonner ses deux cents élèves du ghetto de Varsovie. Un jour, il dit : « Mon seul rêve est de continuer à enseigner, avec mon petit coin à l'asile des enfants et mes deux repas frugaux par jour. » Le 5 août 1942, les nazis fermèrent l'orphelinat et le Dr Korczak rassembla ses élèves pour la dernière fois ce jour-là. Aux enfants, convaincus qu'ils partaient pour un camp de vacances, il déclara : « Et là, vous serez plus près de la lumière, plus proches de Dieu. » Puis il les fit chanter. Et c'est toujours chantant qu'on les transporta au camp de la mort où, le Dr Korczak en tête, ils pénétrèrent en rang dans la chambre à gaz.

Si les nazis interdisaient aux petits Polonais toute éducation normale, ils avaient leurs méthodes pédagogiques bien à eux. L'une était de forcer les écoliers à assister aux exécutions publiques, ou du moins à contempler les cadavres pendant encore au gibet. « Permission spéciale » était accordée aux maîtres d'interrompre leur leçon pour conduire leurs élèves sur le lieu des exécutions et y « étudier » les méthodes de la Gestapo.

Un jour, un petit garçon reconnut son père parmi les victimes. Quelques mois plus tard, on l'amena une fois de plus avec ses camarades au pied du gibet — que la Gestapo, fidèle à ses méthodes, avait érigé tout près de l'orphelinat. Soudain, le petit garçon poussa un grand cri et voulut s'enfuir : « Ils ont encore tué mon papa ! sanglotait-il. J'ai reconnu son chandail avec toutes les reprises que maman avait faites... » C'était bien le chandail de son père, mais sa mère en avait fait cadeau à un voisin que l'on venait de pendre à son tour. Parmi les autres victimes de cette « fournée », il y avait une étudiante de dix-huit ans, enceinte de huit mois, pendue à côté de son jeune mari étudiant, de ses parents et de ses trois frères et sœur.

L'horreur, les persécutions, les restrictions de toute sorte et, surtout, l'éclatement de la vie de famille poussaient les enfants à la délinquance. Les tribunaux d'enfants ne savaient plus où donner de la tête. Le vol était le délit le plus fréquent. Pourtant, accusés de vol de comestibles, de vêtements, de chaussures, de charbon, de cigarettes, de boissons ou d'argent, les jeunes répondaient invariablement selon le même raisonnement : « Quel mal y a-t-il à voler les Allemands ? Ils nous ont tout pris. Pour quelques miettes qu'on récupère, et vu le danger, c'est nous féliciter qu'on devrait ! » Parfois, on les accusait de crimes qu'ils n'avaient pas commis, telle cette petite fille qui, en pleurant, dit au juge : « Je les ai jamais volés, ces petits pains. C'est une dame allemande qui me les a donnés, je le jure ! Il y en avait un qui était tombé de son panier, mais il était tout sale, et elle m'a donné les autres en me disant de les cacher. Alors, je les ai cachés dans mes manches. Seulement, ils sont tombés quand j'ai couru pour rentrer à la maison. Et un S.S. qui m'a vu s'est mis à me battre. Il criait : « Salope de petite Polonaise ! » en essayant de m'enfoncer un des petits pains plein de boue dans la bouche, tellement que j'ai failli étouffer. Et comme je voulais me défendre, il a appelé la police. »

Avec le temps, les jeunes délinquants devenaient de plus en plus arrogants : « Ceux qui nous jugent aujourd'hui, nous les jugerons plus tard », répliqua l'un d'eux à un magistrat. Pourtant les juges s'en tenaient toujours à leur conscience dans leurs verdicts, et non à la lettre de la loi. Un jour, un jeune garçon comparaît. C'est un voleur de charbon impénitent :

— Pourquoi, lui demande le juge, continues-tu à voler et à

t'exposer ainsi — sans même parler de ton juge avec toi — à des ennuis de plus en plus graves ?

— Parce que le charbon ça ne se mange pas, répondit le jeune garçon, et parce que je vis près d'une gare. Alors il y a toujours des morceaux de charbon qui traînent, tombés des locomotives, quand ce ne sont pas les mécaniciens polonais qui m'encouragent à taper dans le tas. Vous n'allez tout de même pas, vous, me faire boucler dans votre prison crasseuse pour quelques petits kilos de charbon ? Ou est-ce que vous voulez qu'on vous prenne pour un collaborateur ?

Cette fois encore, on le relaxa. Pas pour longtemps ; un soir où il revenait à son jeu habituel, la police des chemins de fer l'abattit d'une balle.

Un autre, traîné devant le tribunal pour le vol d'un litre de lait, s'exclama, comme on lui annonçait que le jugement était remis à quinzaine :

— Est-ce que vous croyez que je serai encore vivant ? Mettez-moi tout de suite en taule. Au moins, comme ça, j'aurai un bol de soupe chaude une fois par jour. Ça ne m'est pas arrivé depuis l'arrestation de mes parents. Et puis, qui sait si je ne les retrouverai pas en prison ?

La pensée dominante de tous ces jeunes garçons était de vivre jusqu'au jour de la vengeance.

— Je veux vivre, ne serait-ce que pour pouvoir venger mon père et mon frère ! s'écriait l'un d'eux.

Si cette idée de vengeance venait moins souvent à l'esprit des filles, il en fut une au moins qui exerça contre les Allemands un ordre bien particulier de revanche. Comme tant de ses sœurs dans d'autres pays en guerre, elle se prostituait. Et, comme la majorité des jeunes Polonaises citées devant les tribunaux, elle avait une maladie vénérienne. A dix-sept ans, elle avait l'air d'une femme de trente ans gravement malade. Accusée d'avoir contaminé deux Allemands, elle répliqua fièrement :

— Ces deux gars n'ont eu que ce qu'ils méritaient. Par-dessus le marché, je suis bien contente d'avoir fait le même petit cadeau à une vingtaine de soldats allemands. Je serais encore plus heureuse si j'avais pu en faire autant à une centaine d'autres, mais je n'en ai plus la force.

A la suite de l'attaque en tenaille de la Pologne, en 1939, deux millions de Polonais furent déportés au fond de la Russie. Ils

56

moururent en foule. Puis, en juin 1941, l'Allemagne envahit la Russie. Malgré le passé, Russes et Polonais redevinrent amis — du moins sur le papier — et les prisonniers polonais survivants recouvrèrent la liberté. On les évacua vers le Moyen-Orient, l'Afrique orientale, l'Inde et l'autre côté de l'Atlantique. Dans son livre *Situation des Polonais évacués de Russie en Perse en 1942*, le Dr M. Kruszynski décrit l'arrivée de ces réfugiés à Téhéran, le 28 mars de cette année-là. C'était le premier « lot » : *Deux cars s'arrêtèrent devant l'hôpital, et en descendirent en se traînant péniblement des squelettes loqueteux, vêtus de ce qui avait dû être des chemises de nuit blanches, à présent tachées de sang et de crasse, et enveloppés dans des capes noires... C'étaient des enfants, tous grands malades... couverts d'excréments et ayant perdu tout désir de propreté. Ils avaient de quatre à quatorze ans...*

Ils moururent par centaines, du typhus, du choléra, de la malaria, de la dysenterie et d'une multitude d'autres maux, y compris la varicelle, les oreillons, la scarlatine et la coqueluche. Dieu merci, grâce à l'habileté et à l'admirable courage des médecins et du personnel infirmier de l'hôpital civil polonais de Téhéran, des centaines d'autres aussi furent sauvés.

De Russie, à destination de l'Inde, partirent des contingents de familles avec leurs enfants. Sept cents de ces exilés embarquèrent sur un navire britannique pour Karachi. A bord, se trouvait une sœur infirmière, Lilyan Field. Aujourd'hui encore, après tant d'années, elle garde un souvenir douloureux de ces petits Polonais assis sur le pont, le visage tout tiré et ridé, l'air de petits vieux et de petites vieilles, ne riant jamais, ne pleurant jamais, pas plus qu'ils ne se battaient ou ne jouaient entre eux : quand on leur tendait un jouet, ils reculaient de peur. La guerre, voulue, déclarée, dirigée par les grands de ce monde, avaient changé ces innocents anonymes en une horde hébétée de déchets physiques et mentaux.

Hélas ! ce fut seulement par milliers que les trains russes rendirent des Polonais à la liberté, pendant que d'autres convois — allemands, ceux-là — en transportaient d'autres par millions vers l'esclavage et la mort.

De l'immense foule d'enfants qui prit ce chemin, j'ai rencontré récemment un rescapé, Zvi Gill, qui avait alors quatorze ans et qui m'a décrit son effrayant trajet jusqu'à Auschwitz et au-delà.

Le père de Zvi était un important homme d'affaires ; sa mère, l'infirmière en chef de l'hôpital du lieu, une petite ville proche de Lodz, où vivait Zvi avec ses parents et ses deux jeunes frères. Un matin de 1942, la Gestapo les chassa de chez eux et leur ordonna de se rendre au cimetière. C'était le rendez-vous habituel. Là, sous la menace des fusils allemands, la famille fut séparée. Zvi se retrouva avec son grand-père, ne sachant ce qu'il allait advenir de son père, de sa mère et de ses frères. Puis le grand-père fut emmené brutalement de son côté. Zvi essaya de courir derrière lui, mais les gens de la Gestapo le frappèrent à coups de crosse et l'en empêchèrent.

— Vous savez, me dit-il, j'étais habitué aux brutalités des Allemands. Nous habitions sur la grand place et j'y avais vu pendre et fusiller des gens.

— Que ressentiez-vous, lui demandai-je, à ce spectacle ?

— Je ne me souviens pas d'avoir même pleuré. C'était exactement comme si on nous avait bannis d'une société civilisée pour nous jeter dans la jungle parmi les loups.

Pourtant, il était une exécution qu'il n'oublierait jamais :

— C'est resté gravé très profondément en moi. Les Allemands choisissaient parmi les notables, et l'homme en question était un chanteur très connu, personnage merveilleux et grand ami de mon père. Je l'ai vu gravir l'échafaud et, debout là-haut, en attendant que la trappe s'ouvre, il a chanté. C'était un chant sur la venue du Messie et disant que nous finirions par triompher. Je ne m'en suis jamais remis.

Mais revenons-en à Zvi au cimetière, jeté à terre à coups de crosse, avec l'ordre de rester allongé là comme les autres. Il faisait horriblement chaud et il avait soif. Il se leva pour essayer de trouver de l'eau ; des balles sifflèrent à ses oreilles. Le deuxième jour, sa mère, en rampant parmi tous ces êtres gisant sur le sol, parvint à le retrouver.

— Ce ne fut pas une rencontre très loquace, mais ma mère était tout de même folle de joie de retrouver un de ses fils vivant. Car il ne faut pas oublier que, tout ce temps-là, des camions noirs allaient et venaient, et je savais ce que cela voulait dire. Le camp de concentration de Chelmno n'était pas loin et on y creusait à l'avance les tombes. Les camions étaient hermétiquement clos ; à l'intérieur, on pouvait lâcher des vapeurs de cyanure. On rassemblait les gens comme un troupeau, on les poussait dedans comme du bétail. Le plus souvent, on les gazait en route. Je savais donc ce que cela signifiait que d'être là avec ma mère, et j'ignorais où pouvaient être passés mon père, mes frères, mon grand-père et mes oncles.

Zvi ne devait jamais plus entendre parler d'eux.

— Quelle impression cela peut-il produire sur un garçon de

quatorze ans, de savoir que, à tout instant, il risque d'être poussé dans un de ces camions et gazé ? A-t-on peur ?

— Non, pas du tout. Je crois que c'est à cause du sentiment que l'on est condamné. On a une sensation d'impuissance sans remède. Mais ce que je ne comprenais pas, c'était pourquoi il fallait que je sois séparé de mon père et de mes frères. Où que l'on pût me conduire, j'aurais voulu être avec eux. Songeant à mes deux jeunes frères, j'espérais au moins que mon père les accompagnait.

— N'aviez-vous pas envie d'essayer de fuir ? demandai-je à Zvi

— Absolument pas. La question ne se posait même pas : on ne pouvait espérer fuir et garder la vie sauve. Pourtant je me suis évadé, mais plus tard. D'un train. Mais, à ce stade, c'était différent. J'avais si froid que j'étais gelé — c'était comme avant de se faire arracher une dent : on vous fait une piqûre et tout se gèle. Même chose au camp : le corps était gelé et continuait seulement à respirer. Oui, sauf la respiration, je ne crois pas que nous fussions encore en vie.

— Et tous ces malheureux que l'on menait à la chambre à gaz, demandai-je, pensez-vous qu'ils y allaient sans éprouver quoi que ce soit ?

— Oui, j'imagine, répondit Zvi. Car, si l'on éprouve quelque chose, si l'esprit fonctionne encore, alors, inévitablement, la première pensée est : « Comment sortir de là ? Comment faire pour qu'ils payent ça ? Comment s'arranger pour sauter sur un gestapiste ou un soldat, n'importe qui, pourvu que ce soit un Allemand ? Puisque je dois mourir de toute façon, qu'ils meurent avec moi ! » Je suis convaincu que ce terrible sentiment qu'on a d'être *sonné*, cette apathie totale, étaient la raison principale du manque de réaction des gens. Voyez-vous, ils ne pleuraient même pas. Moi, je n'ai pas pleuré, tout jeune que j'étais. Si l'on pleure, cela veut dire que l'on est capable d'avoir encore une émotion, de raisonner, et alors l'esprit se met à fonctionner. Mais si l'on a perdu toute sensibilité, on a perdu aussi toute volonté, tout désir. Je ne pense pas, conclut Zvi, que ceux qui mouraient avaient encore foncièrement le moindre désir de survivre.

Après ce jour tragique de 1942 où Zvi et sa mère s'étaient retrouvés tous les deux, seuls de la famille, dans ce cimetière, ils furent relâchés et allèrent vivre dans le ghetto de Lodz. Zvi trouva que l'existence y était, selon son propre terme, « réaliste ».

— Tout alentour, raconte-t-il, il faut bien se représenter qu'il y a des barbelés et des sentinelles parmi les arbres, mais qu'on va se promener au clair de lune avec sa petite amie, comme si on était à Acapulco ou dans un endroit de ce genre. C'est une autre planète.

Mais ce « réalisme » prit une tournure sinistre lorsque, en 1944

— Zvi avait alors seize ans — la Gestapo fit une nouvelle rafle. Après s'être cachés vingt-quatre heures au fond de la maison, Zwi et sa mère se livrèrent. Peu après, ils se retrouvèrent entassés avec d'autres dans un wagon à bétail scellé, en route pour Auschwitz. Des gens mouraient de soif et d'asphyxie dans le wagon.

— Le tout était de respirer, m'a-t-il raconté. On était si serrés les uns contre les autres que le seul espoir était de se frayer de force un passage jusqu'à la paroi du wagon pour essayer d'aspirer par une fente un tout petit peu d'air frais.

Les gens savaient où on les conduisait, savaient que, en débarquant à Auschwitz, on les enverrait soit à la chambre à gaz, soit dans un camp de travail.

— Je savais ce qui m'attendait, contrairement à ce qui m'était arrivé deux ans auparavant. Je me sentais devenu adulte et j'avais exactement conscience de ce que j'allais faire. Je ne voulais pas mourir tout de suite.

A Auschwitz, il vit sa mère emmenée loin de lui, mais pas vers la chambre à gaz. Sans qu'il s'en doutât, elle aussi à son tour le vit partir dans une colonne pour un camp de travail.

— En d'autres mots, c'était vers la vie qu'on m'emmenait, et non vers la mort immédiate. Le problème était pour moi de rester vivant; j'étais résolu à survivre. Résolu à ne pas demeurer à Auschwitz. Je ne voulais pas qu'on me tatoue un matricule sur le bras. Quand on nous a triés pour en envoyer certains à Baden, en Bavière, dans ce fameux camp de travail, j'ai fait tout mon possible pour être choisi, et ça a marché.

J'ai demandé à Zvi comment s'opérait la sélection.

— Dans ce cas-là, nous étions un millier, alignés. Les fonctionnaires de la prison sont venus nous examiner, estimant chaque corps selon sa capacité de travail. Il y avait des prisonniers qui s'efforçaient de ne pas être sélectionnés, parce qu'ils soupçonnaient que c'était pour être conduits à la chambre à gaz. Cela devenait une sorte de jeu psychologique auquel chacun jouait à sa façon. Tout le monde cherchait à deviner la réponse, mais personne ne la connaissait. Dans l'ensemble, je dirai que, tout de même, la plupart des gens voulaient être sélectionnés pour ne pas rester derrière.

Au bout de quelques semaines à Baden, Zvi fut mis au travail forcé. C'était en décembre et, en dépit du froid glacial, les prisonniers étaient à peine vêtus.

— Comme j'étais tout jeune, raconte encore Zvi, on me donnait un travail facile.

60

— De quel ordre ?

— Tous les soirs, je devais porter les cadavres gelés hors du camp et les jeter dans des trous.

— Mais c'est lourd, un cadavre.

— Oui, seulement, un marchant devant et un autre derrière, on considérait que c'était une tâche facile pour nous les jeunes. Et parfois, avec un peu de chance, on avait un vieux sergent de la *Werhmacht* qui semblait nous aimer bien : il nous donnait des croûtes de pain et autres friandises... Les gens mouraient de faim, d'épuisement et de froid — le corps ne pouvait plus tenir, plus réagir. Je me demande encore aujourd'hui comment je m'en suis tiré avec seulement mon mince uniforme de prisonnier, par des températures de 15° au-dessous de zéro. Un jour où je travaillais dans les bois, j'avais si froid, j'étais tellement à bout de force, que j'ai craqué et pleuré. C'était trop. Et puis nous sommes arrivés à une cabane, et à l'intérieur il y avait un poêle allumé et j'ai essayé de me sécher.

— Vous deviez vivre dans la peur constante de la chambre à gaz ?

— Bien sûr, répond Zvi. On l'avait toujours devant les yeux et dans l'esprit. Mais je n'avais pas vraiment peur, car j'étais décidé à réussir, à m'évader du camp. Tout au fond de moi, il y avait un besoin terrible de vaincre et de me venger. J'ignore si les autres avaient peur ; c'était la terreur ou l'épouvante qui les tenait, et ce n'est pas tout à fait la même chose. Cependant il y en avait certainement qui devaient avoir peur, parce que plus on attend, plus on a le temps de réfléchir et plus la peur grandit.

En même temps que beaucoup d'autres, Zvi tomba malade, avec une forte fièvre. On les mit tous dans un train et ils roulèrent jusqu'à la nuit tombée et, quelque part près de Landsberg, en Bavière, le convoi s'arrêta brutalement. La R.A.F. était dans le ciel. Chez les gardes du convoi ce fut la panique. Dans le tumulte qui suivit, Zvi « prit son envol » — ce sont ses mots — avec quatre autres, en direction des bois. Des soldats les poursuivirent en tiraillant au hasard. A la fin, ils se lassèrent. Les évadés se séparèrent, chacun allant de son côté. Zvi parlait couramment l'allemand. Il avait toujours la fièvre et était maigre comme un coucou. Une famille allemande eut pitié de lui. Plusieurs mois, il travailla chez ces gens comme garçon de ferme, en couchant au fenil. Les Alliés avançaient. La division du général Leclerc finit par atteindre Landsberg. Zvi était sauvé. Les Français l'adoptèrent, le comblèrent de rations, de chocolat. Le moment venu, il fut en mesure de contacter l'*Aliyah* de la Jeunesse sioniste, qui le transféra en Palestine, en ce temps-là encore sous mandat britannique.

Là, il apprit que sa mère était encore en vie. De son père et de ses jeunes frères, il n'a plus jamais eu de nouvelles.

5

Même l'enfer des enfants
est pavé de bonnes intentions

Quand la Russie attaqua la Finlande à son tour, en novembre 1939, les Finnois organisèrent, avec l'aide des Suédois, une déportation d'un autre genre — celle de leurs propres enfants, pour la plupart âgés de moins de dix ans.

A Stockholm, j'ai parlé à une Finlandaise, Anna Edvardsen, qui avait connu beaucoup de ces enfants et qui a raconté leur histoire dans un livre : *les Enfants finlandais dans la guerre de 1939-1945.*

Anna m'expliqua que, lors de l'offensive russe, neuf mille enfants finlandais furent « déportés » en Suède. La « Guerre d'Hiver » prit fin en mars 1940 ; mais la Finlande se retrouva de nouveau en guerre quand, en juin 1941, l'Allemagne, la contraignant à la suivre, envahit la Russie. Entre cette date et 1948, cinquante-cinq mille enfants de plus furent transférés en Suède, dans l'espoir qu'ils y grandiraient normalement et en sûreté. Ce fut le cas pour beaucoup, et notamment pour Pirrko O'meara.

63

Pirrko avait quatre ans, son frère, trois ans, quand on les envoya en Suède : « Mon enfance là-bas a été heureuse, dit-elle. J'ai eu droit à beaucoup de tendresse. » La guerre finie, les parents demandèrent le retour des enfants en Finlande. Et c'est ainsi que, un jour, la « grand-mère » de Pirrko lui montra une photo d'une très belle dame.

— Elle m'expliqua que c'était ma mère, qui vivait en Finlande. Je n'ai pas pleuré, mais je me souviens d'avoir serré très fort la photo dans ma main toute la soirée, en la regardant. Je n'arrivais pas à comprendre que cette dame pût être ma mère. Pour moi, mes parents étaient *ici*, dans cette maison, en Suède, avec mes frères et mes sœurs. Cela me faisait un effet très bizarre.

La « mère » suédoise de Pirrko lui parla si merveilleusement de ses vrais parents que la fillette était tout excitée à la pensée de les revoir.

Dans le train qui la remenait en Finlande, un homme monta et s'assit à côté d'elle. Il tenait à la main un dictionnaire et tenta d'engager la conversation avec Pirrko et son frère.

— Une femme vint aussi, poursuit Pirrko, et nous dit que c'était notre papa. Un homme si jeune, notre papa ! Je n'y comprenais plus rien.

Leur vraie mère était à la gare pour les accueillir.

— Elle était si mince et si belle qu'on aurait cru absolument une jeune fille, pas du tout une mère comme je les imaginais. Cette nuit-là, nous avons tous dormi dans le même lit. Mon père et ma mère voulaient que nous éprouvions le sentiment d'être vraiment ensemble, malgré les problèmes de langage.

Pirrko assure qu'elle a aimé ses deux foyers également et qu'elle y a trouvé le même amour. A la mort de sa « mère » suédoise, elle retourna en Suède pour l'enterrement. Elle n'avait pas eu le temps d'acheter des fleurs.

— Ce qui s'est passé alors, dit-elle, montre à quel point j'appartenais bien à cette famille. Chacun prit des fleurs à son bouquet et me les donna pour me permettre de les déposer sur la tombe. Et, quand les enfants se sont avancés vers le cercueil pour le dernier adieu, ils m'ont prise avec eux. C'était sûrement le moyen le plus tendre de me marquer combien on m'aimait.

Malheureusement, d'autres furent moins heureux que Pirrko. Pour ceux-là, les bonnes intentions des autorités finnoises et suédoises pavèrent un interminable enfer. Anna Edvardsen pense que le système était mauvais en soi, inhumain et cruel. Les enfants étaient tiraillés entre leurs parents finlandais et leurs parents d'adoption suédois. Ils avaient le sentiment de n'appartenir à aucune des deux nationalités et ne savaient plus où ils en étaient. Les autres enfants des deux pays se moquaient d'eux et les humiliaient. Loin des vrais parents, le besoin de sécurité, fondamental chez tout enfant, restait insatisfait. Faute d'une bonne connaissance de leur langue maternelle, ils devenaient non pas bilingues, mais mi-lingues. Certains cessèrent entièrement de parler tant le finlandais que le suédois.

Voici ce que quelques-uns d'entre eux racontèrent à Anna Edvardsen.

Marja, née en 1938, retourna trois fois en Suède. A la fin, adolescente, elle revint s'y installer, incapable de se sentir chez elle en Finlande : « Toute ma vie, j'ai été en quête de sécurité. Aujourd'hui, j'essaie de donner à mes enfants tous les baisers, toutes les caresses, toute la tendresse auxquels je n'ai moi-même jamais eu droit. Parfois, je me demande si ce n'est pas le petit enfant que je suis encore, tout au fond de moi, que j'essaie de prendre dans mes bras. »

Anja, née en 1942, regagna, après deux années merveilleuses en Suède, un petit village du nord de la Finlande : « Personne, ma famille comprise, ne parlait le suédois. Moi, je ne comprenais rien au finlandais ; alors, on me battait. Ma mère avait honte de moi et aurait voulu me cacher. » Quand sa sœur se maria, on enferma Anja à clef dans une chambre : « J'ai dû rester là pendant que les autres banquetaient et s'amusaient. » A dix-huit ans, elle s'enfuit de la maison et retourna en Suède :

— Je me suis tout de suite mariée avec un Suédois. Pas par amour, mais simplement par étonnement de voir quelqu'un éprouver de l'affection pour moi. J'étais désespérément affamée d'amour. Je ne me sens pas plus suédoise que finlandaise.

Hans fut envoyé en Suède à l'âge de deux ans. Quatre ans plus tard, on décida son retour en Finlande : « Cela faisait terriblement mal de dire au revoir. J'essayais d'expliquer que je reviendrais bientôt. » Mais, en Finlande, personne ne comprenait cette nostalgie de la Suède.

— Quand j'en parlai à ma mère, elle répondit sèchement : « Eh, bien, qu'attends-tu pour y retourner ? » Alors, j'ai fait une petite valise et je suis sorti dans la rue pour m'en aller en Suède. Mais comme aucun autobus, aucun car ne se montrait, j'ai dû revenir à la maison et défaire ma valise.

A six ans, le petit Hans avait le sentiment d'être abandonné du monde entier.

Et puis, il y a la pitoyable histoire de Risto qui, à six ans aussi, avec son jeune frère et sa jeune sœur, fut enlevé presque de force pour être envoyé en Suède. Leur mère avait promis de les accompagner. Risto raconte ce qui se passa sur le quai :

— Elle nous laissa dans une salle en disant qu'elle revenait tout de suite. Au lieu de cela, elle s'esquiva. Je me suis mis à pleurer affreusement et à crier qu'il fallait attendre ma maman, mais on nous traîna à bord du train, malgré ma résistance désespérée.

En Suède, en descendant à leur gare de destination, ils s'intallèrent tous les trois, se tenant par la main et Risto au milieu, sur un banc de la salle d'attente.

— On m'avait raconté, explique Risto, que les soldats sont très dangereux en temps de guerre. Si bien que j'ai cru devenir fou quand un homme en uniforme, bottes fourrées et tout, s'approcha et saisit mon frère par le bras. « Risto, Risto ! » criait de son côté mon petit frère en tendant les bras vers moi.

Mais tout ce que Risto et sa sœur purent faire fut de regarder à travers la vitre, pendant qu'on faisait monter leur petit frère dans une grosse voiture noire. Ensuite, ce fut le tour de la sœur d'être emmenée par une femme. Même chose pour elle : grosse voiture, et en route ! Risto se demandait : « Personne ne veut donc de moi ? » Il se mit à pleurer. Une petite fille de deux ans lui tendit une banane : « C'était, dit Risto, le premier geste de bonté depuis que j'avais quitté mes parents. » La petite fille était sa future sœur adoptive.

Personne ne semblait comprendre toute la cruauté de ce système de sélection où l'on traitait les enfants comme du bétail. Juhani, sept ans, raconte comment, après l'arrêt pour désinfection à Uppsala, il fut embarqué avec d'autres petits Finnois dans un train pour le Nord. A chaque gare, le train s'arrêtait, on faisait descendre les enfants et les gens choisissaient. Juhani en était à se demander, comme Risto, si quelqu'un voudrait jamais de lui, lorsque le train arriva en Laponie. A la fin, un couple l'emmena. Ce couple avait amené avec lui un landau d'enfant, vide — « Sans doute parce qu'ils espéraient que ce serait un bébé, se souvient tristement Juhani. J'ai dû pousser le landau tout le long du chemin jusqu'à ma maison d'adoption. »

Au printemps de 1940, ce fut au tour de Hitler de déclencher la grande offensive qui allait le rendre maître de l'Europe. Deux pays neutres, le Danemark et la Norvège, furent ses premières victimes.

Trente-huit ans après, presque jour pour jour, à Oslo, j'ai écouté Randi, épouse de l'ex-premier ministre norvégien Trygve Bratteli, évoquer ses souvenirs de l'attaque allemande contre la capitale, aux premières heures du 9 avril 1940 :

— Même aujourd'hui, trente-huit ans après, je sens se réveiller le sentiment de terreur et de désespoir total qui s'empara de moi, au cours de ces premières heures.

Terreur bien naturelle, car elle avait alors quinze ans et adorait la vie. Tous les dimanches, elle allait se promener ou skier avec ses parents ou ses deux frères dans les bois des environs d'Oslo. Avec son amie Bitten, qui avait son âge, elle écoutait des disques, surtout sentimentaux, en rêvant à l'avenir. Elle était très proche de son père, directeur du plus grand journal d'Oslo. La veille même de l'invasion allemande, elle avait flâné avec Bitten et rendu visite à diverses petites amies. Le soleil brillait, le ciel était bleu et un peu de vert pointait aux arbres. Plus que tout, Randi se sentait en *sécurité*, auprès de ses parents, de ses frères, de ses amies. Seule, une pensée la tourmentait : peu de temps auparavant, quelqu'un avait rendu visite à son père. C'était un homme, tout récemment libéré d'Oranienburg, l'un des camps d'infamie de Hitler :

— Il nous avait raconté les choses les plus atroces, m'a dit Randi. Longtemps après être allée me coucher, j'étais restée dans le noir, à réfléchir à ses paroles. Je me sentais terriblement seule et trouvais affreusement douloureux et incompréhensible que des êtres humains pussent torturer leurs semblables à ce point.

Pourtant, ces sombres pensées s'étaient évanouies avec l'aube du jour nouveau, et la vie paraissait tout aussi merveilleuse que d'habitude, lorsque, soudain, ce matin du 9 avril, les hurlements des sirènes retentirent. Avec ses frères, Randi sauta à bas du lit, et leur père leur dit : « Habillez-vous le plus vite possible et descendez à l'abri » — asile improvisé, installé tant bien que mal dans la cave. Randi tremblait tellement de peur qu'elle n'arrivait pas à s'habiller. A la cave, d'autres locataires étaient déjà là, dont une jeune femme pâle et défaite, qui venait de perdre un bébé. Randi songea que cette jeune mère était peut-être contente, à cet instant, d'avoir perdu son enfant quelques jours plus tôt. Il y avait aussi un couple juif, réfugié de Pologne, avec un garçon et une fille à peu près de l'âge de Randi. Elle entendit le père, les yeux pleins de chagrin et de terreur, murmurer : « Cette fois, c'est la fin ». Il ne se trompait pas pour son fils et pour lui ; seuls, sa femme et sa fille purent s'enfuir en Suède.

Le père de Randi, en disant qu'il allait à son bureau, s'en fut, et Randi se demanda quand elle le reverrait. Un peu plus tard dans la matinée, tandis que les bombardiers allemands à la croix noire passaient bas sur la ville, Randi se serra contre sa mère en pleurant d'impuissance et de peur. En même temps, dit-elle : « Je sentais une haine dévorante et sans limite s'allumer en moi contre Hitler et ses hommes, et contre le traître Quisling ».

Le lendemain matin, comme sa mère et elle erraient de pièce en pièce, on sonna à la porte. Elles restèrent pétrifiées : la Gestapo, déjà ? Non, c'est un ami venu leur conseiller de quitter Oslo. Elles ne prirent que le strict nécessaire ; Randi emporta des photos de vacances à ski, souvenirs de bonheur qu'elle avait peur de voir détruits par la guerre. Elle pleura en quittant l'appartement, certaine de ne jamais le revoir. (Elle l'a revu, et ses parents y vivent toujours.) Toutes deux réussirent à monter dans un train pour Hamar. Là, elles retrouvèrent le père, qui avait déjà organisé un service de renseignement par radio, avec l'aide de ses journalistes qui avaient fui avec lui. (L'un d'eux s'appelait Trygve Bratteli ; elle l'épousera plus tard. Un autre portait le nom de Rut Brandt. Randi m'a raconté qu'elle n'oubliera jamais combien il se montra gentil et secourable, en ces jours sombres où les nazis avaient envahi son pays. Après la guerre, il devint célèbre, comme chancelier d'Allemagne Fédérale : c'était Willi Brandt.)

— Nous avons fui encore vers le nord, poursuivit Randi, dormant dans des couloirs et à même le sol, avec le sentiment chaleureux de la solidarité de tout un peuple, et pleurant les villes réduites en cendres par les bombes.

Dans une petite gare de campagne appelée Harpefoss, son père les quitta, pour aller continuer la lutte dans le nord. Après avoir passé la nuit dans un lavoir, Randi sortit sans bruit au petit jour et s'aperçut qu'elle se trouvait dans une vallée profonde, entre deux versants abrupts escaladant le ciel bleu.

— C'était d'une beauté écrasante, se souvient-elle, et qui effaçait toutes les terreurs des jours précédents.

Elle resta avec sa mère dans cette vallée tout l'été, écoutant les communiqués de la radio, pleine d'espoir et de confiance. Mais, au début de juin, tout était fini : la Norvège devait capituler. Ses frères furent forcés de s'enfuir en Suède, et Randi regagna Oslo, où elle retrouva son père. Deux années plus tard, celui-ci était arrêté et envoyé en Allemagne, dans un des fameux trains de wagons à bestiaux plombés, en route pour un camp de concentration.

Tant d'années après, Randi se rappelle avec une extrême netteté ses sentiments d'adolescente de quinze ans :

— On ne se sentait plus en sécurité nulle part en ce monde.

En sécurité... C'est là une expression que tout enfant comprend et traduit en termes de nourriture, d'abri, de foyer, de famille de paroles chaudes et de caresses qui le tranquillisent et apaisent ses craintes, et qui sont autant de gages de confiance pour lui que pour un poussin ou un lionceau.

Toujours est-il que, cinq années durant encore, les abominables convois où s'entassaient des êtres humains mourant de soif, de faim, d'asphyxie et souvent de froid, emportèrent vers l'est, l'Allemagne et les camps de concentration, leurs cargaisons tragiques chargées en Norvège, au Danemark, en Hollande, en Belgique et en France — pour recommencer indéfiniment leur circuit sinistre.

Mme Van den Eede, une Belge qui a aujourd'hui quatre-vingt-trois ans, n'est qu'une mère parmi ces milliers d'autres qui continuent à vivre, hantées par le souvenir d'un jour analogue à celui où elle fut, avec son mari, entraînée par la Gestapo, laissant derrière elle sa petite fille de sept ans, qui ne s'est jamais remise de cette séparation brutale.

Mme D., belge aussi, présente un cas analogue. Son mari et elle étaient membres d'un réseau de passeurs, qui permettait aux prisonniers alliés de regagner le monde libre, jusqu'au jour où ils entendirent à leur porte ce martèlement que tout le monde redoutait. Avant d'être emmenée par la Gestapo, elle eut le temps de chuchoter à son fils de dix ans, Francis : « Ecoute-moi bien, mon chéri, tu ne sais rien, tu n'as rien vu. Nous revenons tout de suite. » Mais son mari devait mourir sous les coups de pieds au camp de Gross-Rosen, et quand, après trois années de Ravensbrück et de Mauthausen, elle-même revint enfin, son fils recula d'horreur à sa vue en criant :

— Ce n'est pas ma mère ! Elle n'a jamais ressemblé à ça. On dirait un épouvantail !

Mme D. pesait trente-sept kilos.

En 1940, Edith K. vivait à Bruxelles avec ses parents, des juifs polonais qui avaient émigré onze ans plus tôt. Le 10 mai, jour où Hitler viola la neutralité de la Belgique, de la Hollande et du Luxembourg avec ses panzers et ses parachutistes, le père d'Edith lui annonça gravement : « Nous sommes en guerre. » Edith, qui n'avait que sept ans, ne savait pas exactement ce que signifiait ce mot « guerre », tout en se rendant compte qu'il s'agissait de quelque chose de terrible. Ses parents ayant décidé de fuir, ils quittèrent tous Bruxelles dans un train de marchandises. Lorsque celui-ci s'arrêta près de la frontière, ils continuèrent à pied en poussant leur unique bicyclette, en direction de la France. Non loin de la frontière, ils virent Dunkerque en flammes. Peu après, les Allemands les capturèrent et les renvoyèrent à Bruxelles. Là, deux années durant, le père d'Edith, qui était linotypiste, travailla pour la presse clandestine, jusqu'au jour où, dénoncé, il fut arrêté.

Dix jours plus tard, deux individus en civil — « très polis, très gentils », trouva Edith — se présentèrent à l'appartement et emmenèrent la mère, qui déclara à sa fille : « Ce sont des amis de papa. » Mais Edith avait compris tout de suite. Jamais elle ne revit ses parents. Longtemps après, elle reçut, par l'intermédiaire de la Croix-Rouge, la montre-bracelet de sa mère, récupérée à Auschwitz : « Mes parents n'ont pas dû survivre bien longtemps, pense Edith. Leur santé était trop faible. »

En fait, du train qui les emmenait à Auschwitz, les parents avaient réussi à jeter une carte postale par laquelle ils demandaient aux grands-parents de cacher leur petite-fille à la campagne. Edith passa donc le reste de la guerre à Famenne, dans les Ardennes, chez un boulanger et sa femme. Elle n'éprouvait pas la moindre gêne à expliquer autour d'elle qu'elle était juive. Loin de se douter de ce que cela signifiait, elle voulait au contraire que tout le monde le sût, pensant « qu'on ne l'en aimerait que mieux ». Ses parents d'adoption avaient beau lui expliquer le danger que cela entraînait pour eux comme pour elle, « je ne pouvais supporter de cacher la vérité, raconte-t-elle. Et d'ailleurs les religieuses et les gens du village étaient d'une gentillesse inouïe pour moi ! ».

Après la guerre, elle connut des années pénibles. Elle n'avait pas d'argent pour aller à l'université — son rêve ! En grandissant, elle connut cet étrange phénomène, que j'ai constaté chez tant de survivants : le remords de n'avoir pas péri comme les siens à Auschwitz et comme tant d'autres ailleurs. Pendant des années, cela l'a rendue affreusement malheureuse et déprimée. Puis, elle a fini par découvrir la vérité du bonheur, avec l'homme qu'elle aime.

A la fin de son récit, Edith avoue : « *J'ai versé des larmes en vous écrivant cette lettre. Mais peut-être servira-t-elle à quelque chose.* » Son vœu est exaucé. A mon tour de souhaiter que tous ceux qui souffrirent comme elle me sachent gré de lui avoir cédé la parole en leur nom.

6

Raïa
la fillette à l'étoile jaune

On ne les compte pas, les enfants directement victimes de la folie diabolique d'Adolf Hitler. En France, des familles entières furent arrêtées, jetées dans les « paniers à salade » et enfermées dans les camps de triage de Drancy et de Pithiviers.

Drancy, dans la banlieue nord de Paris, recevait indifféremment juifs et *gentils*, riches et pauvres, jeunes femmes élégantes, étudiants et écoliers des deux sexes, et même bébés dans les bras de leur mère. Le commandant du camp avait une idée fixe : remplir au maximum ses trains de déportés. Le « voyageur » qui tombait malade à la dernière minute était remplacé sur-le-champ. Faute de quoi, le capitaine Brunner (c'était son nom) courait lui-même les rues en voiture et faisait saisir tout ce qui lui tombait sous les yeux « pour boucher les trous », adultes ou enfants juifs, peu importait. Et s'il ne trouvait rien, on expédiait malgré tout le malade. Qu'il mourût en

71

route n'était pas l'affaire de Brunner. Il avait chargé le train au maximum, c'était tout ce qui comptait.

Et beaucoup d'enfants étaient ravis de monter dans le train : ils poussaient des cris de joie quand le mécanicien actionnait le sifflet et que le convoi s'ébranlait — vers quelle destination ? Les malheureux petits étaient bien incapables de l'imaginer.

Quant à Pithiviers, pittoresque petite ville au nord d'Orléans, connue en des temps plus heureux pour son pâté d'alouettes et son gâteau fourré à la pâte d'amande, c'était maintenant un lieu d'horreur, un camp essentiellement peuplé de mères et d'enfants — un camp, surtout, où les enfants, serrant dans leurs petites mains la jupe ou le sein de leur mère, étaient arrachés à elle, pour ne plus jamais la revoir. Tous les deux ou trois jours, un train, bourré d'êtres humains, partait pour l'Allemagne. Pour les sauvages à qui incombait le soin de préparer la cargaison humaine, peu importait qu'une mère fût dépêchée sans ses enfants ou, au contraire, qu'elle restât seule derrière les barbelés pendant qu'on verrouillait ses petits dans un wagon à bestiaux. Comme à Drancy, l'essentiel était qu'il n'y eût plus le moindre espace vide dans les wagons. Tant qu'il en restait, la « crèche » des orphelins fournissait le contingent nécessaire — et peu importait l'âge.

Et puis, il y avait l'hôpital de la Fondation Rothschild, le seul laissé ouvert aux Juifs par la magnanimité nazie. Mais cet établissement n'était nullement l'asile que prétendaient les Allemands. Il ressemblait plus à un charnier où hommes, femmes, jeunes garçons et fillettes, juifs ou non, étaient entassés après être sortis en titubant des chambres de torture de la Gestapo, pour y être plus ou moins ramenés à la vie, ou même simplement pour y mourir. Une malheureuse agonisante, forcée d'abandonner ses trois enfants à Drancy, criait chaque fois qu'un soldat allemand passait près de son lit : « Espèces de sales Boches, vous faites la guerre aux enfants ! » Elle mourut le lendemain, sans cesser de murmurer : « Sales Boches... ils font la guerre aux enfants... »

Nombreux étaient ceux cependant — enseignants, prêtres et autres — qui couraient des risques énormes pour cacher des enfants menacés. Une petite fille — appelons-la Jeanne — doit sans doute la vie au pasteur Jean J., de la Mission populaire évangélique, et à ses aides. Jeanne était la plus heureuse des enfants jusqu'à l'entrée des Allemands à Paris. Elle avait dix ans et, dès lors, tout changea. Ses parents, d'habitude si tendres et si gentils, devinrent nerveux et sombres.

— Nous devions tous porter l'abominable étoile jaune et, en plus de cette marque d'infamie, il y avait tout ce qui était *verboten*.

Défense de monter avec les autres dans le métro ; seule, la dernière voiture nous était réservée. Défense d'aller au cinéma et au théâtre. Défense d'aller dans les boutiques aux mêmes heures que les autres : nous devions attendre des heures et, inutile de le dire, ensuite il ne restait presque plus rien pour nous.

La famille entière vivait dans la peur continuelle d'une dénonciation et des terribles coups frappés à la porte, annonciateurs de la Gestapo. En 1943, les trois frères aînés de Jeanne s'en allèrent en secret rejoindre la Résistance. Jeanne elle-même, qui avait maintenant treize ans, était trop jeune pour quitter sa famille et son petit frère et sa petite sœur. Les rafles se multipliaient ; des voisins, M. et Mme O. et leur neuf enfants, furent arrêtés.

— J'entendrai toujours cette pauvre femme crier : « Au secours ! Au secours ! » sans que personne bouge, bien entendu. Qui aurait osé ?

La meilleure amie de Jeanne fut ainsi emmenée avec sa famille :

— Elle avait quatorze ans, elle était pleine de drôlerie et de vie et d'envie de faire des bêtises, et si jolie !

Jeanne ne la revit jamais.

La mère de Jeanne, prévoyant le pire, avait préparé un petit sac de voyage pour chaque enfant.

— Nous étions prêts, raconte Jeanne. Pieds et poings liés, car personne ne pouvait nous aider. Nous savions que nous ne pouvions compter que sur nous-mêmes, comme les malheureux héros du ghetto de Varsovie.

En 1944, s'ajoutant aux rafles, à la terreur et aux restrictions, vinrent les raids quotidiens de l'aviation. Jeanne dit :

— Et puis, de toutes ces ténèbres naquit pour ma mère, ma sœur et moi, un faible rayon de lumière : quelqu'un nous avait trouvé un asile.

Dans un merveilleux château entouré d'un grand parc, le pasteur Jean J., avec une poignée d'enseignants des deux sexes, défiait la Gestapo et dissimulait une centaine d'enfants juifs.

— Ils avaient assumé cette terrible responsabilité, afin de permettre à ceux comme nous d'échapper aux camps de la mort et de survivre jusqu'au jour de la Libération. Chacun de nous avait un faux nom, une fausse carte de rationnement, et nous étions bien loin de nous rendre compte de tout le mal qu'avaient ces gens pour nous nourrir, nous chauffer, nous cacher et, par-dessus tout, créer une atmosphère nous permettant d'oublier l'horreur du passé et de réapprendre à vivre et à jouer.

A Paris, les nuits de Jeanne avaient été hantées par des rêves où elle voyait la Gestapo la traquer, l'arrêter, l'emmener loin.

73

— Maintenant, tout cela était fini. Grâce à notre pasteur, nous étions là bien en vie, quand les Américains arrivèrent, à la fin du mois d'août 1944. Mais, trente-cinq ans après, l'ombre de la Gestapo et des S.S. plane encore sur notre souvenir, et son obsession nous a tous marqués indélébilement pour le reste de nos jours. Elle fait en tout cas partie de moi.

Une de ses petites camarades, sauvée elle aussi par le pasteur Jean J., dit en écho :

— Toutes ces années de notre jeunesse, ces années extraordinaires où tout semble possible, où il fait bon vivre et où l'amour semble régner dans le monde, tout cela a été complètement tué en nous. J'aurai toujours le sentiment de n'avoir jamais connu la joie et la liberté des jeunes années.

L'histoire de Raïa est celle d'un miracle de volonté. Elle vivait à Tours avec sa mère, sa sœur de quinze ans et son frère de huit mois. Son père était mort avant la guerre. Raïa avait beaucoup entendu parler de guerre, sans y comprendre grand-chose ; elle n'avait que dix ans. Mais, la nuit, un cauchemar lui revenait sans cesse : sa mère lui avait raconté un jour que, au cours d'un pogrom en Russie, les Cosaques avaient chargé, tranchant la tête, d'un seul coup de sabre, de tous ceux qu'ils attrapaient. Et Raïa songeait que c'était probablement cela, le visage de la guerre. Erreur, car les souffrances qu'elle crée peuvent aussi ménager de lents martyres.

En 1941, la famille fut convoquée au commissariat de police, où chacun de ses membres reçut une étoile jaune « à porter très visiblement ». Seul, le petit frère, qui avait maintenant deux ans, se vit épargner l'humiliation.

L'étoile de Raïa eut un effet extraordinaire sur ses camarades d'école, même celles qui la connaissaient depuis des années et dont les parents étaient en termes amicaux avec les siens. On lui tournait maintenant le dos. Plus tard seulement, elle comprit que c'était parce que ces gens avaient peur que l'on arrêtât leurs enfants avec leurs petits amis juifs ; la Gestapo n'entrait pas particulièrement dans les détails. Mais la petite Raïa, ignorant tout de cela, était très triste.

Avec les restrictions et les mesures antisémites, la famille était réduite à la misère. Le couvre-feu appliqué spécialement aux juifs interdisait de sortir après 6 heures du soir, et tous craignaient en permanence pour leur vie. Puis ce furent les premières déportations, de juifs mâles, trop jeunes ou trop vieux pour faire la guerre. Les choses empirèrent : le nom de Drancy devint un symbole de terreur et la haine s'insinua dans le cœur des gens.

Le 15 juillet 1942 avait connu un temps radieux. Malgré cela, à 18 heures, respectant le couvre-feu, Raïa et sa famille s'enfermèrent dans leur appartement. La mère, malade, était déjà couchée, quand on entendit un bruit de bottes dans la rue. C'était la Gestapo. La mère dut se lever et préparer un maigre bagage — « Juste ce qu'il faut pour le voyage, dit l'officier de la Gestapo. On vous fournira le reste plus tard. » La mère de Raïa supplia : « Je suis malade ; je vous en prie, laissez-moi avec mes enfants. — Mais ils sont du voyage », répondit-on sèchement. Et toute la petite famille fut conduite dehors. Puis on apposa les scellés sur la porte.

La même chose se passait à l'étage au-dessus pour la famille d'Annie, l'amie de Raïa, dont le père avait déjà été déporté. Les deux familles se retrouvèrent rassemblées dans la rue, où l'on commença à les faire monter dans un camion. Mais celui-ci se révélant trop petit, l'homme de la Gestapo ordonna :

— Attendez ici, on va revenir vous chercher.

C'est ainsi que Raïa et son petit frère, avec Annie, qui avait treize ans et aussi un jeune frère (neuf ans) restèrent derrière.

— Que pouvions-nous faire tous les quatre ? poursuit Raïa. Je ne vous raconterai pas les pleurs, les cris et le reste. Je vous laisse à imaginer ce que n'importe quel être humain, père, mère ou enfant, ressent dans une situation pareille. Quand on est tout juste âgé de trois ans comme mon frère, on dépend encore terriblement de sa mère. J'ai cru qu'il n'en finirait jamais plus de pleurer ni de crier.

« Nous étions très légèrement vêtus à cause de la chaleur. Jamais encore nos parents ne nous avaient laissés seuls. Nous ne pouvions plus rentrer chez nous. Nous n'avions pas d'argent. L'instinct de conservation pur nous poussa à nous enfuir en courant, avant qu'on revienne nous chercher...

Mais où aller ? Le mieux semblait être de gagner les rives de la Loire. Voilà donc les quatre enfants partis, rasant les murs et essayant de cacher leur étoile jaune.

— J'avais le plus grand mal à tâcher de faire taire mon frère, raconte Raïa. Il avait mouillé sa culotte et pleurait en réclamant notre mère. Nous étions morts de peur à la pensée qu'il allait attirer l'attention, et nous nous sommes cachés derrière un tas de vieilles ferrailles.

Annie et Raïa firent le compte de toutes les familles non juives qu'elles connaissaient et qui avaient une chance de les aider. Finalement elles s'arrêtèrent à une famille polonaise. Mais les pauvres gens, terrifiés à la vue des enfants, leur fermèrent précipitamment la porte à la figure. Le petit quatuor regagna le bord de la rivière, où il passa une nuit d'insomnie.

Le lendemain, Raïa se trouva dans la nécessité absolue de trouver du linge de rechange pour son jeune frère, et à manger. Elle décida de revenir à l'appartement. Hélas ! pas la moindre fenêtre n'était restée ouverte. Toutefois, elle trouva une torche électrique à côté de la porte d'entrée, manifestement perdue là par un des hommes de la Gestapo. Une idée folle lui vint alors : rapporter cette torche à la *Kommandantur* et demander en retour qu'on lui ouvre l'appartement, en expliquant qu'elle avait besoin de linge pour son frère de trois ans. Ce qu'elle fit.

— Allez devant, nous vous rejoignons tout de suite, répondit le S.S.

Ce fut seulement dans la rue que Raïa comprit la folie de son entreprise et se hâta de regagner la Loire.

Après un autre conseil de guerre, Annie eut à son tour une idée : au moment de la déportation de son père, le patron de celui-ci s'était montré d'une grande bonté. Elle irait le voir. Quelques heures plus tard, les quatre enfants étaient amenés en cachette chez ces braves gens, débarbouillés de fond en comble et dotés de vêtements propres. Puis un des camions de l'entreprise les conduisit à un village tranquille, où on les cacha dans l'école.

Le soir, des hommes se présentaient chez l'institutrice et Raïa les entendait chanter très fort *les Bateliers de la Volga*. Très vite, elle se rendit compte que leurs voix étaient uniquement destinées à couvrir les émissions de la BBC de Londres. C'étaient des membres de la Résistance — ce qui explique que, au bout d'une semaine, l'institutrice déclara aux enfants qu'ils ne pouvaient pas rester là.

Ils revinrent au bord de la Loire. Comme le frère de Raïa refusait de lâcher celle-ci, Annie alla toute seule trouver une crémière à Tours, chez qui les deux mères se fournissaient toujours, naguère. Elle en rapporta une énorme omelette et une miche de pain. Et il en fut ainsi jour après jour, jusqu'à ce que la crémière leur eût trouvé un passeur qui acceptât de les conduire secrètement en zone libre.

Déguisé en curé, cet homme retrouva les quatre enfants au rendez-vous fixé : le terminus des cars, à Tours. Les petits n'avaient pas la moindre idée de leur destination ; mais lorsque, au bout d'un moment, ils virent le « curé » s'apprêter à descendre, ils comprirent qu'ils devaient en faire autant à la prochaine halte. Alors seulement, Raïa se rendit compte que le groupe de gens qui descendait en même temps qu'eux faisait aussi partie des « ouailles » du « curé ». Celui-ci, tandis que le car s'éloignait, leur expliqua que, pour éviter les postes de contrôle allemands, il leur fallait à tous continuer à pied et parcourir une trentaine de kilomètres à travers champs.

Cette marche fut une véritable torture pour Raïa. A quatorze ans, elle dut porter son frère tout le long du chemin. Personne ne s'offrit à la soulager. Quand bien même quelqu'un se fût-il proposé, le petit aurait refusé de quitter sa sœur. Au bout d'un certain temps, il s'endormit, mais il n'en pesa que plus lourd dans les bras de Raïa, qui prit de plus en plus de retard sur les autres. Elle ne les rattrapa que lorsqu'ils s'arrêtèrent pour casser la croûte. Pendant qu'ils ouvraient tous leur paquet de sandwiches, les enfants durent se contenter de regarder : ils n'avaient pas de provisions. Une bonne âme eut cependant la générosité de leur donner une demi-tomate à se partager entre eux.

La nuit tomba, et le passeur leur déclara : « Restez bien ensemble ; comme cela, si on nous aperçoit de loin, on nous prendra pour un arbre ou un gros buisson. » Ils repartirent, et la torture de Raïa recommença. Le ventre vide, elle n'en pouvait plus. Ses pieds chaussés de sandales étaient déchirés par les chaumes et saignaient. Son frère pesait de plus en plus lourd et, dans le grand noir, elle perdait sans cesse le contact avec les autres. A force de tendre le regard dans l'obscurité, elle parvenait seulement à discerner de temps en temps quelque chose qui ressemblait plus ou moins à un arbre ambulant et elle savait alors que c'était quelqu'un du groupe. S'ajoutant aux terreurs de la nuit, l'alarme était souvent donnée lorsqu'ils passaient trop près d'un village : les chiens aboyaient, on entendait des coups de sifflet, parfois une fusée montait dans le ciel. Tout le monde s'aplatissait alors par terre et Raïa devait presque étouffer son frère pour l'empêcher de crier. Et pourtant, ces moments terribles étaient en un sens une bénédiction : ils lui laissaient le temps de reprendre haleine.

A la fin, le passeur leur fit signe de s'arrêter et leur expliqua : « Nous voilà à trois cents mètres de la ligne de démarcation. J'ai indiqué la route à ce jeune couple, vous n'avez qu'à le suivre. » Dès qu'il eut disparu, l'homme et la femme en question dirent aux enfants : « Les grandes personnes vont rester quelques instants ici pour se reposer un peu. Comme vous allez moins vite, partez devant, nous vous rattraperons dans dix minutes. » Et ils montrèrent la direction.

Les enfants se mirent en route ; mais, au bout de quelque temps, ne voyant pas arriver les autres, ils rebroussèrent chemin jusqu'à l'endroit où ils les avaient laissés. Là, plus personne ; rien qu'un parapluie oublié. Les enfants furent pris d'épouvante à l'idée d'avoir été ainsi abandonnés. Puis, soudain, ils comprirent :

— Oui, nous avons compris tout à coup, m'a raconté Raïa, que les adultes nous avaient envoyés devant exprès, et de plus dans la mauvaise direction, pour se débarrasser de nous, les plus faibles et les plus lents du groupe. Qui sait ? Peut-être en effet aurions-nous tout gâché à la dernière minute.

Ne sachant où aller, les autres enfants continuèrent droit devant eux, interminablement, jusqu'au moment où ils aperçurent enfin des maisons. C'était le salut. Non, tous les chiens du voisinage se mirent à aboyer en même temps.

— Dans notre panique, dit Raïa, nous nous sommes mis à courir d'une porte à l'autre en cognant : mais personne ne répondait. Pourtant, tout en frappant, je criais : « N'ayez pas peur, nous ne sommes que des enfants qui ont perdu leur chemin ! » A la fin, tout de même, de derrière une porte vint une voix d'homme qui dit : « Vous êtes à cinq kilomètres de la ligne de démarcation. Faites très attention : une patrouille passe par ici toutes les deux heures. Je ne peux rien faire pour vous aider. »

Les quatre petits reprirent donc en titubant leur route jusqu'à l'orée du village, où ils trouvèrent une grange. Là, à bout de force, ils se laissèrent tomber dans le foin et les chiens finirent peu à peu par se taire.

A l'aube, un paysan parut et les jeta dehors. Tout le jour, ils restèrent cachés dans les fourrés au bord de la route. A un moment, un soldat allemand à cheval passa, et Raïa trembla de peur :

— Une fois de plus, je dus presque étouffer mon frère, de crainte qu'il ne se mît à crier.

Ils étaient tous les quatre dans un triste état, vêtements déchirés, corps couverts d'écorchures qui attiraient sur eux les mouches. Ils reprirent leur chemin, et Raïa repéra une ferme qui, sans qu'elle sût pourquoi, lui parut amicale. Elle partit en éclaireur. De fait, une jeune femme les accueillit et les installa chacun devant un énorme bol de lait. Elle se montra si bonne que Raïa lui déballa toute leur histoire. La jeune femme lui montra du doigt une maison au toit rouge : « Cette maison est en zone libre. Cela vous fait cinq kilomètres, entièrement à découvert. Il vous faudra essayer de passer pendant l'heure de midi, où les Allemands ouvrent moins l'œil. »

Et voilà nos deux courageuses fillettes reparties, obstinément, avec leurs jeunes frères, pour la dernière partie — la plus périlleuse — de leur randonnée vers la liberté. Le frère de Raïa se refusait à marcher : il était trop fatigué. Raïa aussi, mais pour elle il était pareil à un bagage précieux qu'elle ne pouvait pas abandonner.

Le portant dans ses bras, elle entama donc la marche à travers champs. Le sol était inégal et brûlé Le soleil de midi tapait sur les têtes. Les gosiers étaient desséchés. Raïa devait s'arrêter de plus en plus souvent pour se reposer un peu et, bientôt, elle se trouva loin derrière Annie. Pourtant, le fameux toit rouge semblait de plus en plus près ; même, elle pouvait maintenant distinguer le détail de la maison. Annie et son frère étaient presque arrivés. Mais, à ce moment, Raïa, qui les voyait là-bas, loin, comprit soudain qu'elle ne pourrait plus avancer. Elle s'affala par terre et resta là, assise, son frère à côté d'elle, incapable de bouger.

Combien de temps demeura-t-elle ainsi ? Elle ne le sait pas. Elle croyait que c'était la fin.

— Là-bas, devant la maison au toit rouge, je voyais Annie et son frère me faire de grands signaux des bras. Ils étaient sauvés, et moi, j'avais le sentiment que jamais je n'y parviendrais. Je me suis relevée lentement, j'ai repris mon petit frère dans mes bras et recommencé à marcher ; mais chaque pas me coûtait un effort terrible et prenait un siècle. La maison me semblait être tout juste un peu moins loin, quand j'ai vu des hommes, sur une meule de foin, qui me faisaient frénétiquement signe. J'ignore comment j'ai pu arriver jusqu'à eux. Tout ce que je me rappelle, c'est qu'il y a eu tout à coup plein de gens autour de nous et que quelqu'un lavait mes pieds en sang. Puis on m'a expliqué que j'avais traversé la route juste derrière cinq soldats allemands accompagnés de deux chiens et qu'on avait eu terriblement peur que ces bêtes ne nous sautent dessus et nous dévorent...

Les quatre enfants étaient sains et saufs. Mais ce n'était pas la fin des tribulations de Raïa. Son frère toujours accroché à elle, elle passa pour ainsi dire de main en main, courant et faisant courir à ses sauveurs des risques terribles, jusqu'en 1944. Alors seulement, elle entendit parler des camps d'extermination allemands. Jusque-là, elle n'avait jamais perdu l'espoir de revoir sa mère et sa sœur aînée. Mais le seul signe d'elles qui lui parvint fut un document officiel déclarant : *Déportées de Tours le 15 juillet 1942. Mortes à Auschwitz le 20 juillet de la même année.* Raïa et son frère devaient d'avoir échappé à un sort semblable uniquement au fait qu'il n'y avait pas eu de place dans le camion de la Gestapo et aussi au courage indomptable de la fillette, même si Raïa dit aujourd'hui, avec une modestie qui n'a d'égale que sa sincérité absolue :

— Il n'y a rien d'extraordinaire dans mon histoire. Tous ceux qui ont échappé à la chasse à l'homme des nazis ne doivent d'être encore en vie qu'à toutes sortes de miracles...

Rares, hélas ! furent les enfants capables d'une telle endurance. Je pense à ces deux orphelins de guerre, deux petits Français, un garçonnet de quatre ans et sa sœur de deux ans, qui, depuis leur naissance, n'avaient connu que l'atmosphère des champs de bataille et des bombardements.

En septembre 1945, on les fit passer clandestinement en Suisse. A demi morts de peur, de faim et d'épuisement d'avoir franchi la frontière, ils furent conduits chez un boulanger de Delemont, près de Bâle.

Une magnifique chambre d'enfant les y attendait — préparée depuis longtemps par la femme du boulanger, dans l'espoir d'un bébé qui n'était jamais né. Mais le couple était fou de joie, maintenant, à la pensée des deux petits Français qu'il comptait adorer. La femme les baigna, les nourrit et les mit au lit. Les deux enfants s'endormirent en se tenant par la main. Plusieurs fois pendant la nuit, l'homme et la femme se relevèrent pour admirer le sommeil des petits.

Le matin venu, ils pénétrèrent dans la chambre pour les réveiller. Dans le lit, le garçonnet et sa sœur se tenaient toujours par la main et continuaient à dormir... pour ne plus jamais se réveiller. Ils avaient trouvé la paix, mais leur cœur n'avait pu résister aux épreuves.

7

L'effrayant silence
des enfants de Jastrebarsko

Jusqu'à l'attaque meurtrière des nazis contre Rotterdam au printemps de 1940, les forces aériennes allemandes autant que britanniques avaient, presque par un accord tacite, épargné les cibles à l'intérieur des territoires. Mais, après que Hitler en personne eut pris l'initiative du bombardement de Rotterdam, Churchill, dès le lendemain, 15 mai, ordonna aux bombardiers de la R.A.F. d'attaquer les centres industriels de la Ruhr allemande. C'était inviter ouvertement Hitler à bombarder en retour Londres et tous autres lieux de son choix en Grande-Bretagne.

Dès lors, la guerre contre les enfants allait se déclencher dans les deux camps, portant la mort au cœur des villes, grandes ou petites aussi bien. Les bombardiers avaient beau faire leur possible — et parfois ce n'était pas le cas — pour n'essayer de frapper que les objectifs militaires et industriels bien déterminés, les bombes ne pouvaient qu'exercer inévitablement de terribles ravages parmi les populations civiles sans défense. Les Alliés le reconnaissaient plus ou moins franchement. Les Allemands, plus spécifiquement. A Berlin, le 4 septembre 1940, Hitler proclamait devant une assistance de femmes qui l'applaudirent frénétiquement : « Quand ils (les Britanniques) déclarent qu'ils vont multiplier les raids contre les villes, alors, moi, je dis que nous raserons les leurs jusqu'au sol. » Et le commandant en chef de la *Luftwaffe,* le maréchal Goering, définissait clairement l'objectif de son armée de l'air : « Annihilation progressive et totale de Londres. »

« Annihilation totale » signifiait que toutes les maisons de Londres devenaient une cible. L'une d'elles, l'école d'Ardgowan Road, à Hitler Green, fut la cible ainsi annihilée, un jour de septembre 1940. Cinquante enfants se trouvaient en classe. L'agent de police Ernest Hooper, qui était, parmi les sauveteurs, m'a dit : « Le carnage était indescriptible. Le terrain de jeu était jonché de corps d'enfants, les uns mutilés, d'autres partiellement ensevelis, d'autres encore réduits en bouillie. Une petite fille ne cessait de pleurer, parce qu'elle avait du sang plein les yeux et ne voyait plus rien : il ne lui restait rien pour voir. »

Goering avait pourtant lui aussi une petite fille à peu près du même âge, Edda. Mais ce rapprochement ne lui vint jamais à l'esprit. De son G.Q.G. du Cap Gris-Nez, il téléphona à sa femme, au comble de l'enthousiasme : « Tu sais déjà la nouvelle, Emmy ? Oui, quelle merveilleuse journée ! J'ai envoyé mes bombardiers sur Londres. La ville est en flammes ! »

Mais ce n'était pas seulement Londres. Les bombardiers de Goering tuaient des enfants dans les grandes villes, du haut en bas des îles britanniques. Et ce n'étaient pas seulement les grandes villes. La bourgade de Petworth, dans le Sussex, n'avait d'autre importance que son marché, et ne constituait pas un objectif militaire. Un jour, un bombardier allemand volant bas, lâcha sur elle une série de bombes, dont une tomba en plein sur l'école des garçons, tuant vingt-neuf écoliers.

— La première chose que nous avons vue, raconte John Kirk, soldat en permission, fut le cadavre d'un petit garçon. Rien ne saurait égaler les souffrances, la patience et le cran de ces gosses. A l'hôpital, ils étaient là, à deux ou trois dans le même lit, la tête et le visage terriblement blessés, ou les bras et les jambes brisés. Et pourtant pas un ne criait ou ne faisait des histoires. Leur bravoure était incroyable. Un petit gars, le crâne ouvert, la lèvre fendue et une jambe fracturée, répondit en souriant au médecin qui lui demandait comment ça allait : « Très bien, sauf que j'ai de la poussière dans les yeux. »

Et Kirk d'ajouter :

— Le souvenir de l'horreur a beau s'estomper avec le temps, il y a une pensée qui demeure, et c'est que les pauvres petits n'avaient pas la moindre chance non seulement de pouvoir se défendre, mais même de se mettre à l'abri.

Et pourtant, la barbarie allait continuer croissant, sur terre et dans les airs, jusqu'à la fin de la Deuxième Guerre mondiale.

Même si les raids sur Londres ne prirent fin qu'en 1944, avec les bombardements aveugles des V-I et V-II, l'attaque la plus féroce de toutes fut lancée dans la nuit du 10 mai 1941 par cinq cents bombardiers allemands. Bombes à grande puissance et bombes incendiaires noyèrent la capitale sous un océan de feu — très précisément sous 2 200 foyers d'incendie distincts, et 1 436 civils périrent cette nuit-là.

Moins de quatre ans plus tard, les bombardiers anglo-américains, plus nombreux encore, et dotés de techniques de destruction plus perfectionnées, anéantirent Dresde, tuant près de cent fois plus de civils. Du vent semé par Hitler, les malheureuses populations allemandes et leurs enfants récoltaient la tempête de feu et de mort.

Mille quatre cent trente-six civils tués en une nuit par la *Luftwaffe*... Par une étrange et lugubre coïncidence, exactement le même nombre de civils assassiné par des soldats allemands, en un seul après-midi, dans la petite ville grecque de Calavryta — et cela représentait tous ses citoyens mâles de plus de quinze ans.

Quinze ans, l'âge où un garçon arrive au seuil de la vie et a la tête pleine de rêves, dont le dernier est bien de se retrouver contre un mur et de mourir d'une balle en plein cœur. Le cœur d'un fils de la Grèce, mère glorieuse de la civilisation européenne.

Le barbare qui, en novembre 1940, se jeta sur la Grèce avec ses armées était Benito Mussolini, César au petit-pied d'une civilisation presque aussi ancienne et glorieuse : celle de Rome. Lorsque les légions du Duce furent arrêtées, puis repoussées par les Grecs, son ami, le *tedesco* Hitler, accourut à la rescousse. A la fin d'avril 1941, la Grèce succombait et la bestialité nazie se mit à l'œuvre. Des trains entiers prirent le chemin d'Auschwitz, pendant que des milliers de patriotes grecs étaient exterminés sur place.

J'ai parlé des adolescents de quinze ans fusillés à Calavryta. A Distomon, les nazis varièrent le style de leur sadisme : parmi les deux cents victimes d'un abominable massacre, on compta quatorze nourrissons et quarante-deux jeunes enfants. Les rares rescapés s'enfuirent dans les montagnes, où ils vécurent sans autre abri et sans ravitaillement. Les enfants, lorsqu'on les sauva plus tard, étaient devenus de véritables bêtes, incapables de parler langage humain.

Mais, pour réduire la Grèce, les armées d'Hitler avaient dû passer par la Hongrie, la Roumanie, la Bulgarie, ces deux dernières ralliées de tout cœur à Hitler, cependant que la Hongrie hésitait d'abord un peu, avant de les imiter — le tout se terminant par une hégémonie allemande pesant de tout son poids sur les trois pays, devenus la base de la *Wehrmacht* pour l'invasion de la Yougoslavie en avril 1940, puis pour porter le coup de grâce à la Grèce.

Les signes caractéristiques de l'occupation nazie se manifestèrent très vite en Yougoslavie. On dressa des potences, on installa des camps de concentration. Et, comme d'habitude, pas de quartier pour les enfants : on les emprisonna, les exécuta, les enferma dans les camps. On en jeta vivants dans les rivières et les précipices, on en fusilla, on en mit à mort dans les chambres à gaz. Sous les yeux des autres, on tortura, on assassina parents, frères, sœurs.

Dora Sekulic avait douze ans lorsqu'elle s'enfuit avec sa mère et ses jeunes frères et sœurs, une nuit, pour se terrer dans une hutte :

— Je ne pouvais pas dormir. Soudain, il y eut un grand cri. Je relevai la tête : la hutte était en flammes. Nous avons tous couru dehors avec ma mère, et là nous sommes tombés sur des soldats allemands.

Dora reverra toujours les yeux de ces soldats : la lueur des flammes s'y reflétait et semblait les injecter de sang.

— Leur regard fixe paraissait nous percer comme une lame.

Les Allemands ordonnèrent à la mère et aux enfants de sauter dans le feu.

— Nous étions tous cramponnés à la robe de maman. Un des soldats la jeta dans la neige en hurlant : « Attends un peu, vieille truie ! Tes petits brûleront les premiers. » A ce moment précis, des coups de feu claquèrent tout près. C'étaient les partisans ! Les diables nazis s'évanouirent dans la nuit. Quand nous sommes repartis, conclut Dora, nous avions l'impression d'être ressuscités d'entre les morts.

Pourchassée par les nazis, une autre mère, Boja, essaya de se suprimer avec ses enfants. Les Allemands avaient tué le père et incendié la maison. Elle prit la fuite avec ses cinq petits. Arrivée au bord de la rivière proche, l'Una, elle leur dit : « Nous allons tous nous noyer, pour que les nazis ne puissent pas nous prendre vivants. » Et, s'arrachant aux mains deux plus jeunes, cramponnés à ses jambes, elle les saisit et les précipita dans l'eau. Les trois autres s'agrippèrent de plus belle à sa jupe et à ses genoux, la tirant en arrière : « J'ai bataillé ainsi avec leur vie et la mienne. » Les enfants furent les plus forts, finalement, et lui dirent : « Maman, sauvons-nous dans les bois et tâchons de rejoindre les partisans. » Ils finirent par les trouver, et Boja travailla dans un foyer d'enfants de la Résistance, jusqu'en 1944, où elle mourut de la fièvre typhoïde.

Les nazis aussi avaient créé des établissements qu'ils appelaient « Foyers d'Enfants », ou d'autres noms semblables. Les trois plus notoires étaient à Stara Gradiska, à Sisak et à Jastrebarsko. Sous couvert d'un plan intitulé : *Evacuation des Réfugiés des Zones dangereuses*, les enfants yougoslaves étaient dirigés sur ces institutions, à la tête desquelles étaient placés des oustachis, les « collaborateurs » yougoslaves.

Stara Gradiska recevait les enfants avec leur mère, que l'on séparait ensuite de force de la progéniture pour l'envoyer dans un camp de travail en Allemagne. Si la mère offrait trop de résistance, on la laissait monter dans le train avec son ou ses enfants. En route, ceux-ci lui étaient enlevés. Mais, en général, la séparation s'effectuait à la satisfaction des oustachis, qui installaient les enfants dans une cave ou un grenier où, privés de nourriture et de soins, ils mouraient ou étaient « mis de côté », « épargnés » en attendant de subir un sort atroce.

Dragica Habazid, infirmière de la Croix-Rouge yougoslave, visita Stara Gradiska le 9 juin 1942. On lui montra « l'infirmerie des enfants », où elle trouva les jeunes pensionnaires couchés à même le sol nu : « Dans un coin il y avait des pots de chambre et, sur chacun d'eux, un enfant accroupi, pareil à un fantôme ou à un cadavre. » Parvenue devant une porte, Dragica l'ouvrit et recula d'horreur : « Des petits cadavres squelettiques s'écroulèrent dans la salle de « l'infirmerie ». La porte dissimulait la « resserre » à enfants morts. Leurs camarades malades, eux-mêmes presque réduits à l'état de squelettes vivants les y entreposaient de leurs propres mains. »

L'une des internées de Stara Gradiska, Ljubica Bobrinic-Saga, rapporte (n° 1 de *Zena u borbi*, 1943) : « Demain est l'anniversaire du Poglavnik. Pour le célébrer dignement... ce soir, un millier d'enfants serbes ont été tués comme des bêtes, ainsi que cinq cents femmes serbes inaptes au travail en Allemagne. »

A Sisak, il y avait ce que les nazis appelaient un « Centre d'Accueil pour Enfants de Réfugiés », placé sous le patronnage de l'organisation des Jeunes Femmes oustachies. Ces appellations innocentes ne dissimulaient ni plus ni moins qu'un camp de concentration pour nouveau-nés. Le Dr Velimir Dezelié, du ministère de la Politique sociale, dit de ce « Centre d'Accueil » que « cette institution en apparence très humaine... était en réalité un abattoir et un cimetière pour enfants. »

Lorsque l'infirmière de la Croix-Rouge yougoslave Jana Koh visita Sisak, elle pénétra dans la « Polyclinique de l'Ecole », vieille bâtisse enfermant un « hôpital » improvisé. Cent-soixante enfants gisaient là, pour la plupart nourrisons et tout petits, tous avec une forte fièvre, tous allongés sur le sol nu, parmi les excréments, l'urine et les matières en putréfaction, tous couverts de loques puantes, leur unique protection contre les essaims de mouches. Sentant que quelqu'un venait d'entrer, les petits se mirent à sangloter, presque inaudiblement : « Pain... eau... »

Le Dr Najza, qui administrait le centre, avait déclaré à Jana Koh que les enfants logés dans un des locaux, une saunerie, étaient « en bonne santé ». Voici comment Jana décrit leur condition : « Ils n'avaient pas mangé de tout le jour. Ils étaient couverts de plaies et de croûtes, et chacun d'eux avait du pus qui lui coulait des oreilles, lesquelles grouillaient de vers. » Tous dégageaient une puanteur insupportable, avaient les yeux enflammés, et l'écho lamentable de leurs pleurs résonnait lugubrement entre les murs froids et incrustés de sel.

Dans une prairie, elle découvrit le « Pavillon sanitaire ». Des femmes y étaient couchées sur le sol nu, soit qu'elles fussent enceintes ou récemment accouchées d'un nouveau-né qu'on leur avait enlevé, les laissant souffrir atrocement de leurs seins gonflés par la montée du lait. Dans un hangar proche, toujours sur le sol nu, étaient allongés quatre cents enfants, réclamant de leurs cris inconsolables leur mère, couchée à une dizaine de pas seulement de là, sous la garde de sentinelles nazies.

Ces femmes étaient venues donner le sein une dernière fois à leur enfant, avant de le quitter, probablement pour toujours. Quand on les réunissait, les bébés se serraient contre leur mère, tétant avidement, puis, repus, s'endormaient. Les mères partaient alors en silence, en chuchotant au passage aux volontaires de la Croix-Rouge : « Prenez bien soin du petit... » Le soir de la visite de Jana Koh, un train de plus prit le chemin de l'Allemagne, bondé de « mères sans enfants ».

Quant au « Foyer d'Enfants » de Jastrebarsko, il existait déjà avant la guerre. Il était tenu par des religieuses de l'ordre de Saint-Vincent-de-Paul, sous la direction d'une prieure, Pulherija Barta. A la suite de l'occupation allemande, le foyer fut agrandi et rebaptisé : « Centre de Rassemblement pour Enfants de Réfugiés » — encore un euphémisme. L'administration en fut laissée à la prieure Barta.

86

Le Pr Kamilo Bresler garde le souvenir vivace de l'arrivée des premiers enfants en provenance de Stara Gradiska. où on les avait soustraits à leur mère :

— Lorsque les portes des camions à bestiaux s'ouvrirent. . nous vîmes une centaine de formes enfantines accroupies ou gisant en tas par terre. A peine les posions-nous sur le sol que ces enfants se mettaient à croupetons et se serraient les uns contre les autres comme des oiseaux effrayés.

Le professeur fut frappé par la légèreté de ceux qu'il prit dans ses bras :

— Il ne leur restait plus que la peau sur les os. Sous leurs aisselles, ils avaient caché des morceaux de pain qu'ils n'avaient même pas la force de manger.

Au crépuscule de la première journée, quinze de ces enfants étaient déjà morts, et chaque journée vit grossir le bilan. Le professeur et ses collègues tâchaient d'obtenir des enfants leur nom, pour pouvoir prévenir les parents. Mais, pour toute réponse aux questions, « les enfants, dit le professeur, nous regardaient, terrorisés, et se cachaient sous les couvertures en refusant de dire quoi que ce soit. » Ce réflexe résultait d'une cruelle expérience : leur nom eût dénoncé les pères et les parents de la famille qui avaient rallié les partisans. Si bien que ces enfants héroïques gardaient le silence jusqu'à la mort, victimes anonymes du nazisme.

Religieuses et religieux pressaient les petits de déclarer leur religion, sous le prétexte que, s'ils n'étaient pas catholiques, on ne pourrait les enterrer en terre consacrée. La prieure Pulherija Barta avait pris soin de faire creuser une fosse hors de l'enceinte du cimetière, pour « cette vermine de partisans », comme elle disait. Tous les soirs, les petits agonisants étaient soumis à une véritable inquisition, qui n'était en fait qu'une torture délibérée et raffinée. Dans la salle n° 3, gisait une adolescente de quinze ans au corps si émacié qu'elle semblait plus légère que son oreiller. Ses deux yeux brillants, qui suivaient le moindre mouvement alentour, indiquaient seuls qu'elle était encore en vie. La sœur de service, Lina Padovan, lui demanda son nom :

— Quelle importance, murmura l'adolescente, puisque je vais mourir de toute façon ?

Mais la nuit suivante, elle réclama sœur Lina :

— Mon nom est Danica et je suis de Crovljani, chuchota-t-elle à l'oreille de la religieuse.

La prieure avait, malheureusement, entendu. Cette même nuit, le prêtre, croix en main et marmonnant d'une voix inaudible une prière, pénétra dans la salle n° 3. A sa suite, une religieuse agitait l'encensoir, emplissant l'air de l'odeur puissante du parfum. Les enfants poussèrent des cris de frayeur perçants en se cachant au fond des lits. Seule, Danica restait étendue, calme, fixant de ses grands yeux le prêtre, tandis que, serrant d'une main le pied du lit et se balançant d'avant en arrière, il psalmodiait sans relâche : « Danica, reviens à Dieu... Dis-moi quand tu as reçu pour la dernière fois la Sainte Communion... quand tu t'es confessée pour la dernière fois... Danica... » Et chaque fois il insistait sur le nom que l'adolescente avait refusé de livrer, sauf à sœur Lina. Mais Danica se contentait de le regarder de ses grands yeux fixes sans prononcer une parole.

A la fin, le prêtre se retira et sœur Lina se précipita au chevet de Danica. Elle prit la main de la fillette et la supplia de ne pas croire qu'elle l'avait trahie. Mais le regard de Danica n'exprimait que reproche et mépris. Elle arracha sa main à celle de sœur Lina et lui tourna le dos. Cette même nuit, le visage toujours tourné vers le mur, elle rendit l'âme.

L'Europe occidentale, les Balkans et la Grèce sous sa botte, et l'invasion de la Grande-Bretagne remise *sine die*, Hitler était maintenant prêt à réaliser un rêve longtemps caressé ; la conquête et la colonisation de la Russie, avec son corollaire naturel, qui entraînait « l'anéantissement des Russes en tant que peuple », selon les ordres même du Führer.

Au cours de la lutte titanesque qui s'engagea en juin 1941, les hommes de Hitler réduisirent en cendres neuf mille bourgades et villages russes. Mais deux grandes cités, Leningrad et Stalingrad (rebaptisée depuis Volgograd) sont devenues des symboles particuliers de la résistance russe à l'envahisseur. Stalingrad incarne la valeur des combattants russes ; Leningrad, l'héroïsme opiniâtre du peuple russe lui-même, et de ses enfants.

La ville fut encerclée et assiégée d'août 1941 à janvier 1944, près de deux ans et demi. Elle ne capitula pas, malgré la famine qui, à elle seule, tua un demi-million de ses habitants — dont des dizaines de milliers d'enfants. L'histoire d'une poignée de ceux-ci a été contée à Ales Adamovitch et Danii Granin, et publiée dans *le Livre du blocus* (dont des extraits ont paru en 1978 dans *Sputnik*, sous le titre : *les Enfants et la guerre*).

Le froid, la peur, la faim étaient les contraintes les plus puissantes auxquelles les enfants réagissaient à leur manière. Pour Zhanna Umanskaya, qui avait huit ans, la chose la plus terrible de tout le siège était le froid. Que ce fût sous son gros manteau ou dans son lit, elle n'arrivait jamais à se réchauffer ; elle ne cessait pas de grelotter. Vitya Korbunov, petit garçon de six ans, lui, était surtout impressionné par la façon dont les explosions, pendant les bombardements et les marmitages de l'artillerie, faisaient danser l'énorme armoire de ses parents. Un autre garçonnet de six ans, Kolya Khludow, trouvait que le pire de tout était la neige : « Quand elle commençait à tomber, j'avais toujours faim, sans arrêt. » Un autre prenait la vie et la mort aussi avec une extrême philosophie. Un témoin raconte comment, sortant un jour de chez lui, il trouva cet enfant blotti près de l'entrée :

— Que fais-tu là ? lui demanda-t-il.

— Je suis venu mourir ici, répliqua le jeune garçon.

— Mourir ? Tu ne t'es pas regardé ! Du moment que tu as pu marcher jusqu'ici, c'est que tu n'es pas près de mourir. Où habites-tu ?

— Sur la Moïka. La cour est très noire et il fait très noir aussi chez nous. Tandis qu'ici, vois comme il fait clair ! C'est pour ça que je suis venu mourir ici.

Manykina, le témoin, et ses filles le firent entrer, lui donnèrent à boire de l'eau chaude et, à manger, de petites croûtes de pain avec de la colle de menuisier. L'enfant leur dit :

— Si je ne meurs pas, je veux manger de cette colle toute ma vie !

Les privations endurées poussèrent les habitants de Leningrad aux actes les plus bas comme les plus nobles. Mais la discipline et l'esprit de sacrifice l'emportèrent — et les jeunes furent loin d'être les derniers à cet égard.

La petite Irina Kuryaeva se trouvait à l'hôpital pour enfants, quand on installa une autre petite fille dans le lit voisin. La nouvelle venue était mourante. Elle dit à Irina : « Je t'en prie, mange mon pain... (La ration était maigre : 125 grammes)... Moi, je ne serai plus en vie demain. » Et Irina poursuit :

— Je n'ai pas pu fermer les yeux de la nuit, parce que je pensais : « Est-ce que j'ai vraiment le droit de manger ce pain ? Elle, elle ne peut plus manger. Mais moi, si je prends ça, est-ce qu'on ne croira pas que je l'aurai volé ? » J'avais beau mourir littéralement de faim, je luttais terriblement avec moi-même. Finalement, je n'ai pas pris le bout de pain. La petite fille est morte, et il est resté sous son oreiller.

Maria Mashkova raconte la pitoyable histoire d'une mère devenue folle de faim. Son fils ayant perdu la carte d'alimentation de la famille, elle perdit la tête et lui interdit l'entrée de la maison. Le jeune garçon périt dehors, de froid et de faim. La mère, dans son chagrin, se suicida.

Mais la plupart des gens s'efforçaient de maintenir un faux-semblant de vie normale ; c'était cela qui les aidait à survivre. Durant tout le siège, la mère de Marina Tkacheva força ses enfants à se brosser les dents tous les jours, sans poudre dentifrice, puisqu'il n'y en avait plus, mais au charbon de bois. L'acte d'abnégation dont la famille fut le plus fier était d'avoir tenu bon pour ne pas manger le chat — lequel était si squelettique, de toute façon, qu'il était à peu près immangeable.

A l'autre bout de la gigantesque conflagration mondiale, il y avait le Japon. Six mois après l'invasion de la Russie par l'Allemagne, l'empire du Soleil Levant, le 7 décembre 1941, sans déclaration de guerre, avait lancé sa foudroyante attaque aérienne contre la flotte américaine ancrée à Pearl Harbour. En quelques mois, les Japonais avaient mis la main sur les Philippines et sur les colonies britanniques et hollandaises, de Hong Kong à la Birmanie, à Bornéo et au-delà ; de Singapour aux Célèbes, à Sumatra et à Java. En dehors des combattants alliés tombés aux mains de l'armée nippone, des milliers de civils et d'enfants furent internés, en général dans les conditions les plus pénibles.

Lorsque, en février 1942, les Japonais débarquèrent à Java, une petite Hollandaise de six ans, Jeannette, vivait à Surabaya avec ses parents. Les envahisseurs, à la pointe de la baïonnette, poussèrent l'enfant et sa mère à l'intérieur d'une enceinte. Peu après, avec d'autres familles, on les fit monter dans un train qui les conduisit à un camp, à Semarang. Bien que le trajet ne fût que d'un peu plus de cent kilomètres, le convoi se traîna durant plusieurs jours par une température de 40°, sans nourriture ni boisson pour les « voyageurs ».

A mi-chemin, arrêt. Tout le monde est enfermé dans une église catholique. Là, les garçons de dix ans et plus sont arrachés à leur mère au milieu de scènes d'hystérie, pour être expédiés dans un camp d'hommes. Certaines mères essaient de se tuer avec leur fils, mais, m'a dit Jeannette, « Les soldats s'en chargèrent pour elles. » Et elle a ajouté : « Après le départ des jeunes garçons, s'installa une atmosphère de panique et d'horreur, un sentiment lugubre d'épouvante. Aujourd'hui encore, chaque fois que je pénètre dans une église, ce sentiment me revient. »

Le train poursuivit sa route jusqu'à Semarang. Et là, de nouveau, chaque jour, se déroulèrent des scènes terribles. De ses yeux innocents de fillette de six ans, Jeannette put voir souvent des femmes battues et violées. Elle se souvient de l'une d'elle, âgée de trente-cinq ans, et dont les soldats voulaient violenter la fille adolescente. Courageusement, farouchement, la mère la défendit, si bien que ce fut elle que l'on saisit et viola, puis tortura jour après jour pendant une semaine. A la fin de quoi, elle était plus morte que vive. Ce fut alors que pour la dernière fois, on la viola. Mais cette fois ce ne furent pas les hommes eux-mêmes, comme à l'ordinaire. Après avoir forcé sa fille et tous les enfants, dont la petite Jeannette, à regarder, plusieurs soldats se jetèrent sur la malheureuse, lui enfoncèrent entre les jambes une lance d'arrosage, et ouvrirent le jet à pleine puissance.

Lorsque Jeannette fut enfin libérée, elle avait dix ans. La maladie avait ravagé son corps, le décharnant complètement. Elle n'avait jamais mis les pieds à l'école. Elle reste encore si traumatisée que, m'a-t-elle dit en conclusion :

— Je meurs toujours de peur à l'idée d'une nouvelle guerre. Si jamais elle éclatait, je me tuerais avec mes enfants.

Quand, au début de 1942, les Japonais prirent pied à Sangihe, île appartenant alors à la Hollande et située au nord des Célèbes, dans l'archipel indonésien, ils commencèrent par laisser en paix les Européens, parmi lesquels Emma Csesko, qui avait quatorze ans, et ses parents. Mais, le père d'Emma ayant secouru des soldats alliés blessés, on le jeta en prison, où il mourut. Puis on arrêta la mère et l'on força la fille à assister tous les jours, pendant deux mois, aux séances de torture auxquelles on la soumettait. Emma était présente aussi lorsqu'enfin on la décapita.

Emma se retrouva donc seule pour s'occuper de sa sœur cadette Eva, et de ses deux jeunes frères, Guyla et Joseph. Les quatre enfants étaient les uniques Blancs de l'île ; mais, avec l'aide d'une Indonésienne pleine de bonté, la fillette parvint à nourrir tant bien que mal tout son petit monde. Toutefois, au bout d'une année de vie au jour le jour, il ne resta plus rien à manger sur l'île.

— Alors, raconte Emma, je me suis procuré un *prau* et nous avons tous mis à la voile pour l'île voisine de Tahoelandang.

Ce fut là que, un beau jour de mars 1945, les enfants stupéfaits virent un hydravion Catalina amerrir tout près du rivage. En descendirent des soldats et un Anglais, Richard Hardwick, « venus en sauveurs », dit Emma.

Richard Hardwick était un merveilleux personnage. En dépit de ses soixante ans, on l'avait choisi pour des missions hasardeuses de sauvetage à la barbe même des Japonais. Du sauvetage d'Emma, en particulier, il dit : « Nous entendions l'artillerie japonaise tirer à quelques kilomètres de là. Les enfants étaient si faibles qu'il a fallu les porter. Sur la plage, les Indonésiens nous entouraient, en nous suppliant de les emmener à bord de notre Catalina. Au bout du compte, l'hydravion était si surchargé qu'il ne put décoller qu'à la troisième tentative. Entre-temps, les Japonais sont arrivés et je suis certain qu'ils ont tué tous ceux que nous avions dû abandonner sur la plage. »

Le dernier chapitre de l'histoire d'Emma est, de loin, le plus touchant. Avant la guerre, son père et sa mère s'étaient liés d'amitié avec un missionnaire et sa femme, les van der Beek. Les parents avaient fait entre eux un pacte : si les enfants d'une des deux familles se retrouvaient sans père ni mère, l'autre famille les adopterait. Et ce fut ainsi qu'Emma, sa sœur et ses frères, furent ramenés en Hollande par les van der Beek.

— Je connaissais leur fils aîné, Gérard, depuis notre enfance à Sangihe, où nous jouions ensemble, m'a raconté Emma. Il est probable que je devais l'aimer depuis toujours, car, à peine l'avais-je revu en Hollande que j'eus la certitude que nous nous marierions un jour.

Et c'est exactement ce qui est arrivé.

Après Pearl Harbour, dans toutes les provinces chinoises qu'ils occupaient déjà depuis le début des années 30, les Japonais avaient raflé tous les civils appartenant aux nations alliées et vivant dans ces régions. Voilà comment une petite fille de moins de cinq ans — nous l'appellerons Josette — se retrouva avec son père, un Belge, sa mère, russe, et son tout jeune frère, derrière des fils de fer barbelés à Wei-Hsien, à environ quatre cent cinquante kilomètres au sud-ouest de Pékin, parmi d'autres Belges et des Français, des Anglais, des Américains. Et là commença pour Josette la période la plus heureuse de sa vie — même si son père et sa mère n'étaient pas de cet avis.

A T'ien-Tsin où vivait la famille, Josette avait été réveillée au milieu de la nuit pour apprendre qu'il fallait se préparer à un voyage inattendu, ce qui l'avait ravie, d'autant plus que son père était du voyage. A la gare, elle joua gaiement parmi la foule qui attendait, assise sur des bagages et les yeux perdus dans le vague. Dans le train, ensuite, personne n'avait l'air de s'amuser beaucoup non plus, ni ne dormait ; un groupe de missionnaires belges chantait des cantiques : le visage des parents de Josette affichait une expression bizarre — plus tard, elle comprit que c'était de l'angoisse. Elle-même commençait à ne plus se sentir très à son aise et à avoir envie de rentrer à la maison.

Le camp de Wei-Hsien était installé dans une ancienne mission protestante, maintenant entourée d'un mur de deux mètres de haut, surmonté de barbelés électrifiés et flanqué de miradors par intervalles. Deux mille prisonniers s'y trouvaient rassemblés ; c'était le seul endroit, avec Hong Kong, dans tout le Pacifique, où les familles pouvaient rester ensemble.

Josette garde encore aujourd'hui un souvenir heureux de ce camp. Grâce aux amis de son âge et aux jeux qu'ils organisaient ensemble, elle avait l'impression d'appartenir à une grande famille. Les soldats japonais, qui — du moins ceux-là — adoraient manifestement les enfants, étaient toujours pleins de gentillesse pour eux.

— Nous les taquinions, en nous faufilant derrière eux par surprise, pour leur « faire chat ». Ils riaient toujours et nous donnaient des batons de craie, ce que nous adorions, car il n'y avait ni crayons ni papier, et avec la craie, nous pouvions dessiner sur les murs.

Mais les officiers faisaient peur à Josette, avec leurs mines sévères et leur façon d'aboyer les ordres. L'un d'eux était surnommé King-Kong. Il inspectait le camp tous les matins, carnet en main, contrôlant chacun nominalement. Un jour, Josette se retrouva au lit avec une grosse fièvre ; pourtant, son père insista pour qu'elle se rende à l'appel matinal. Sa mère s'y opposa. Elle resta donc couchée.

— King-Kong est venu voir jusqu'à mon lit pour s'assurer que j'y étais bien. J'ai eu très peur et je m'étais enfouie sous les draps, quand j'ai senti qu'une main tirait sur les couvertures pour me découvrir, et je me suis brusquement retrouvée face à face avec King-Kong. Seigneur, qu'il était laid !

Josette, qui avait six ans maintenant, finit pas subir l'extraordinaire attirance du mur ; il fascinait d'ailleurs tout le monde. Pour les prisonniers, il y avait désormais deux univers : l'un entouré de murs, l'autre libre, au-delà de l'enceinte. Les Chinois venaient vendre des œufs et des provisions de toutes sortes en les faisant passer par des trous dans le mur ou en les jetant par-dessus. Josette, ayant appris par les adultes l'existence de l'autre univers, grimpait au sommet du mur pour le contempler :

— Mais tout ce que je pouvais voir, c'étaient des champs et des enfants chinois qui jouaient.

Elle avait l'impression que les grandes personnes étaient véritablement obsédées par cet « extérieur ». Une fois, l'une d'elles se hissa jusqu'au sommet d'un très grand arbre, afin de voir aussi loin que possible. Mais la branche cassa, et la personne se tua.

Josette était aussi fascinée par les oiseaux :

— Eux, ils pouvaient voler par-dessus le mur. Quelle chance ! Il y avait des geais, des pies et surtout des grives dorées, rares entre tous, et quel magnifique spectacle dans la lumière du soleil couchant !

Les bulles de savon exerçaient la même fascination, lorsqu'elles montaient dans l'air chaud du soir, aussi haut que les arbres, puis dérivaient par-delà le mur. Et il y avait aussi les avions.

Un jour, alors qu'ils étaient tous depuis près de trois ans derrière le mur, Annie, une fillette hollandaise, grande et mince, arriva en courant et en criant : « La guerre est finie ! » Josette se souvient très bien de ses longues jambes et de sa voix surexcitée. Personne ne voulait y croire, mais, quelques jours plus tard, la nouvelle fut confirmée par l'apparition d'un grand avion argenté qui passa en rase-mottes au-dessus du camp. Josette éprouva un étrange sentiment et remarqua que, subitement tout le monde se mettait à se conduire de façon très bizarre : les gens criaient, sautaient en l'air, riaient follement, pleuraient et finissaient par se précipiter en dehors du mur et dans la campagne — libres enfin !

— Moi aussi, j'ai crié... mais parce que mon monde merveilleurx cessait d'exister.

Aujourd'hui, paradoxalement, Josette garde le sentiment d'avoir eu une enfance normale et heureuse. Il n'y avait pas de tortures, et tous les soucis, toutes les angoisses étaient réservés aux adultes. Les enfants, grâce à la Croix-Rouge, ne manquaient de rien en matière de rations. Ils étaient libres de jouer à leur guise, même si c'était à l'intérieur de l'enceinte. Ce fut seulement lorsqu'elle quitta le camp avec ses parents que Josette éprouva de la tristesse.

Le paradoxe n'est qu'apparent. En réalité et au fond, l'histoire de Josette prouve à la fois comme est fragile le bonheur de l'enfance, mais comme il en faut peu pour maintenir ce frêle équilibre, y compris dans les pires circonstances, à partir du moment où une complicité ou même une simple trêve entre adultes le permet. C'est l'histoire de tous ceux d'entre nous qui ont eu la chance de connaître un monde béni et sûr, protégé par un mur d'amour contre les agressions du monde alentour. A l'abri de ce mur, c'est le paradis — le genre de paradis auquel, seuls, les enfants ont droit — quand le monde adulte le veut bien.

8

Le colonel ne voulait pas que ses fils croient à la guerre

Sur le front occidental, le cours de la guerre avait commencé à tourner, à l'automne de 1942. Dans les déserts d'Afrique du Nord, avec la victoire alliée d'El Alamein, avait débuté la longue campagne qui finirait par chasser les nazis d'Afrique et d'Italie et aboutirait à la libération de toute l'Europe de l'ouest. Des rives de la Volga, laissant derrière les ruines fumantes de Stalingrad, les armées russes entamaient leur irrésistible progression vers les Balkans et Berlin.

De ce que voyaient ces armées dans leur avance, un jeune Polonais de dix-huit ans, Venceslas Lipinsky a parlé à un de mes amis, avant de mourir de faim. La famille de Venceslas était paysanne. Ses parents, ses deux frères et sa jeune sœur étaient disparus durant les combats qui avaient fait rage sur le sol de leur nation. Venceslas avait décidé que son seul espoir était de suivre les troupes russes dans leur chasse aux Allemands en retraite. Beaucoup de ces soldats étaient des garçons jeunes comme lui, et il se fit de nombreux amis parmi eux. Le soir, il écoutait leurs chants ou leurs récits de l'occupation nazie. C'est ainsi qu'il rapporta l'histoire que l'un de ces jeunes hommes lui avait racontée : « Lors de notre avance en terre russe vers la Pologne, nous avons traversé village après village, tous brûlés et rasés jusqu'au sol et sans âme qui vive. Mais de toutes les choses effroyables que nous avons vues, la pire était le spectacle des isbas restées encore debout sur notre sol reconquis. Car, à la porte de chacune d'elles, il y avait un enfant cloué par un très long clou planté à travers la tête. »

A mesure que les Russes reconquéraient l'Ukraine, les esclaves de leur « Ordre nouveau » étaient libérés. Parmi eux se trouvait un jeune garçon du nom de Aharon Appelfeld, aujourd'hui l'un des écrivains les plus connus d'Israël. A Jérusalem, dans les bureaux de l'*Aliyah* de la jeunesse, l'agence d'immigration juive qui le rapatria en Israël comme tant d'autres orphelins, Aharon m'a longuement parlé.

Il avait huit ans lorsque les Allemands les déportèrent, ses parents et lui, de leur foyer en Roumanie jusqu'à un camp aux confins de l'Ukraine — un camp de travail qui ne tarda pas à se changer en camp d'extermination. On l'enleva à ses parents, qu'il ne revit jamais. Il était sans illusion sur leur sort. Tous les jours, on tuait des femmes et des enfants, « de la façon la plus simple et la plus brutale, précise Aharon. Les nazis n'avaient pas encore introduit la tuerie mécanisée — chambres à gaz et fours crématoires. Ce qui signifie que mon père et ma mère, comme tant d'autres, furent abattus par balle, par les Allemands aidés des Ukrainiens. »

Comme je demandais à Aharon quels étaient les sentiments que pouvaient éprouver un jeune garçon de cet âge, risquant d'être fusillé à tout instant et voyant les autres tomber sous ses yeux, il me répondit :

— C'est difficile à expliquer exactement. C'était plus facile pour les enfants que pour les adultes, parce qu'il s'agissait d'une peur aveugle et non pas raisonnée. Cela tenait de l'instinct animal beaucoup plus que de la logique. La première impulsion était de s'évader, si bien que, comme des bêtes, à plusieurs enfants, nous avons creusé une sorte de tunnel dans la neige et réussi à nous échapper en effet.

Ce que devinrent les autres ? Il ne l'a jamais su. Lui-même n'était pas trop inquiet à son propre sujet : « Je parlais le patois ukrainien de la région et, de visage, je n'avais pas trop l'air juif. » Il devint berger.

— C'était presque idyllique ? m'étonnai-je.

— Pas exactement, me répondit-il en souriant. J'avais très

conscience d'être juif, c'est-à-dire circoncis, et je savais que, si les paysans le découvraient, ils me tueraient. Ils étaient encore plus dangereux que les Allemands.

— Quelle religion professaient-ils ? demandai-je.

— Foncièrement, ils étaient communistes. Cela n'empêchait que, chez eux, on trouvât des images de Jésus, à côté de celles de Staline et de Hitler. Leur foi était extrêmement primitive.

Comme berger, Aharon ne séjournait jamais longtemps dans le même endroit et allait de village en village. Il le fallait :

— Si on s'attardait trop dans le même endroit, les gens commençaient à poser des questions embarrassantes : « Qui es-tu ? D'où viens-tu ? » et ainsi de suite. Le maximum était deux ou trois semaines.

— Sans vos parents et si jeune, vous deviez vous sentir terriblement seul au monde et perdu ?

— C'est étrange, et cela fait mal de le dire, me répondit Aharon, mais je ne pensais absolument plus du tout à mes parents. Cela aussi était une sorte de sentiment animal. On survivait comme une bête, parce qu'on était motivé par la peur, et même, oui, par des cauchemars. On agissait d'instinct, de façon de plus en plus animale, il n'y a pas d'autre mot. Les parents avaient cessé d'être le symbole de la famille ; peu à peu, ils s'effaçaient de la conscience.

Cinq années durant, Aharon erra ainsi, ne fréquentant jamais que des « êtres sans attaches », selon ses propres termes : voleurs, déliquants, criminels.

— Ceux-là adoptent facilement les enfants, vous savez, m'expliqua-t-il. Les enfants inconnus, sur lesquels plane un doute.

— Et vous demandaient-ils de « travailler » pour eux, à l'occasion ?

— Oh, oui, me dit cet homme de lettres aujourd'hui célèbre. Souvent. J'ai fait des tas de choses pour eux. C'étaient des clandestins, des personnages interlopes ; mais qu'étais-je d'autre ? Nous parlions le même langage.

— Et ils étaient gentils pour vous, en général ?

— Oh, très gentils. Je me souviens d'une femme particulièrement adorable. C'était une prostituée. Elle me donnait des sucreries et me permettait de loger chez elle.

Cela n'allait pas au-delà, bien sûr : Aharon n'avait que dix ans et la chère femme avait assez à faire de son côté.

— Qui étaient ses clients ?

— Les non-juifs du village. Il y avait des tas d'allées et venues toute la nuit.

Quand, en 1943, les Russes revinrent chassant devant eux les

Allemands, Aharon, comme nombre d'autres déportés, suivit l'Armée rouge dans sa marche vers l'ouest à travers l'Ukraine, la Bulgarie, la Roumanie et jusqu'en Yougoslavie, pour finir.

C'est de là que l'un des navires de l'*Aliyah* de la jeunesse le rapatria en Israël, illégalement, cela va de soi. Le navire, le *Haganah*, fut intercepté par la marine britannique (la Palestine était alors sous mandat) et escorté par elle jusqu'à Haïfa.

— J'ai fait connaissance alors avec les Anglais, raconte Aharon. Ils étaient gentils pour nous, comparés aux Allemands. N'empêche, ils étaient en uniforme et cela nous rappelait la *Wehrmacht*.

Toutes ces années, qui étaient celles de sa jeunesse, il avait erré, tenaillé par la faim, sans recevoir d'autre éducation que celle de la vie, sans connaître ni amour ni tendresse.

— Quel âge aviez-vous quand vous êtes tombé amoureux pour la première fois ? lui demandai-je.

Sa réponse fut pathétique :

— Pas un seul des amis de mon âge n'est marié, uniquement parce que, par la force des circonstances, nous sommes devenus profondément méfiants et repliés sur nous-mêmes. A ce régime, on se défie de tout le monde, y compris de soi-même. Impossible de faire confiance à une femme. Oui, cela vient de très loin, de très profond ; cela s'est enraciné.

— Pensez-vous, demandai-je encore, que votre expérience de jeune berger soit à l'origine de l'extraordinaire subtilité de votre art d'écrivain, de la façon dont vous sentez la terre, le ciel, la nature ?

— C'est possible, me répondit-il. Mais par derrière tout cela, tout au fond, il y avait la peur que les paysans ou les Allemands ne découvrent que je suis juif. C'était une peur terriblement ancrée au plus profond de mon être.

Même s'il a changé de sentiments aujourd'hui, Aharon avait l'impression alors que le monde était divisé en juifs et non-juifs — les premiers étant, pour toutes sortes de raisons, les victimes désignées.

— J'ai beau avoir le même genre de visage que vous, le même genre de sourire, j'ai beau vous parler en ami, je reste entouré d'un certain mystère, parce que je suis juif. Moi-même, je ne comprends pas exactement la signification de ce mystère. Je sais seulement que les autres, les non-juifs, le flairent dans l'air. Ils savent que je suis juif, et cela fait que je deviens une victime, parce que j'ai sur moi cette odeur particulière.

J'ai voulu savoir si Aharon lui-même avait l'impression qu'il existe vraiment, entre juifs et non-juifs, une différence — intellectuelle, physique, historique, religieuse. Après tout, ne sommes-nous pas tous les enfants de Dieu ?

— Si, me répondit Aharon, mais, durant la guerre, l'impression d'une différence s'enracine profondément. On nous disait : « Vous êtes des juifs, donc vous méritez d'être persécutés. » Même si nous n'étions que demi-juifs ou quart de juifs, cela suffisait. Ce n'était pas une question d'intellect ou de religion : c'était biologique. C'était une attitude démente.

La famille d'Aharon était entièrement « assimilée » et européenne.

— Les juifs avaient perdu leur « judéité », le sens de leur propre histoire. La Deuxième Guerre mondiale les a forcés à la retrouver.

— Et aujourd'hui, vous voilà devenu israélien et vous avez redécouvert votre identité. Est-ce là la solution ?

— C'en est une, me répliqua Aharon. Et l'une des meilleures. Mais elle a engendré un autre problème : la tragique question des réfugiés palestiniens.

Cependant Aharon est convaincu qu'il existe bien une solution :

— Le tout est de trouver un langage commun.

Pour finir, j'ai demandé à Aharon quels étaient ses sentiments pour ces Allemands qui avaient fait tant de mal aux enfants comme lui.

— Soudain, m'a-t-il dit, on a vu jaillir de l'Europe, où nous nous croyions tant en sécurité, une bête sauvage. C'était incroyable, quand on pensait à la culture européenne, à la culture allemande. C'était quelque chose de plus qu'une évolution, cela allait très loin.

— Pensez-vous qu'il y ait une bête féroce qui sommeille en tout homme ?

— Oui, je le pense. Notre culture juive respecte toutes les autres cultures, toutes les races, toutes les religions. Les juifs eux-mêmes sont typiquement plutôt timides et réservés. Pourtant, conclut Aharon, il y a en eux aussi une bête féroce qui peut se réveiller et faire d'eux des combattants redoutables.

Au début de 1944, l'armée russe franchit, après de durs combats, la frontière polonaise, mais cette fois en libératrice. Auschwitz était à deux cent vingt kilomètres de là, à l'ouest. Parmi ses milliers de détenus qui mouraient de faim et priaient pour leur délivrance, il y avait un garçon de quinze ans, Avrham Schdeur. Avrham venait d'Uzok, village des Carpathes, rempart oriental de la Hongrie, où son père était petit fermier et marchand de bestiaux. Quand j'ai fait la connaissance d'Avrham en Israël, il avait quarante-huit ans, mais semblait beaucoup plus âgé. Trapu, lunettes à monture noire, petite calotte noire sur le crâne, faisant ressortir la pâleur du visage, il grisonnait, presque chauve. Sur la peau blême de son avant-bras gauche était tatoué un matricule : *A 11667* — « A » signifiant Auschwitz. Manifestement, Avrham était un homme qui avait terriblement souffert. De sa voix douce, il raconta.

Les Hongrois, après l'effondrement de la Tchécoslovaquie en 1939, avaient occupé la Ruthénie, province orientale de l'ancienne république, où vivait la famille d'Avrham. Tout alla bien jusqu'en 1941, année où sa famille avec d'autres furent rassemblées et transportées à l'est, vers la frontière russe. Avrham avait alors onze ans et, me dit-il, « toujours faim et peur. » Il avait l'impression d'être un animal, chassé ici et là en troupeau avec ses parents : « Jour et nuit je vivais dans la peur, me demandant ce qui allait arriver l'instant d'après. » Les villageois du cru étaient hostiles : terrorisé, le jeune Avrham les vit noyer des juifs et en massacrer d'autres à la hache.

Malgré les ordres leur interdisant de bouger, les familles déportées entreprirent peu à peu de reprendre le chemin de l'ouest et de leur foyer. En 1942, celle d'Avrham était presque parvenue chez elle, lorsqu'elle fut recapturée par des soldats hongrois. Alors, vint le voyage redouté, en train, pour Auschwitz. Là, la famille fut dispersée : Avrham d'un côté avec son père ; son frère d'un autre avec sa mère ; ses deux sœurs disparurent sans que l'on sût où. On le conduisit chez le coiffeur où on lui rasa la tête. Comme il était assis, le coiffeur lui montra du doigt le four crématoire en lui disant négligemment : « Sais-tu, fiston, que ta mère est justement là-dedans, en cet instant ? » Ces paroles assommèrent littéralement Avrham : il ne parvenait absolument pas à admettre que, pendant qu'il était assis sur cette chaise, chez le coiffeur, sa mère, à quelques mètres de là, fût en train de brûler vive.

— Cette même nuit, m'a raconté Avrham, on me tatoua un numéro sur le bras gauche.

C'est à ce moment-là qu'il avait dénudé son avant-bras pour me le montrer. C'étaient de tout petits chiffres bleus, et ils résumaient à eux seuls les souffrances d'Avrham et le martyre des innombrables victimes anonymes du « Nouvel Ordre » nazi. A Avrham comme à d'autres, on avait dit, en les marquant ainsi : « A dater de ce jour, vous n'êtes plus des êtres humains, vous n'êtes plus qu'un numéro. »

Mais la peur qui avait paralysé Avrham sur sa chaise contenait aussi la terreur qu'on ne l'envoyât comme sa mère au four crématoire. Tous les jours, on y conduisait des êtres jeunes, et lui, il était épargné ; il n'en craignait que plus que son tour ne vînt bientôt. Face à ce sort terrible, « Je savais m'a-t-il dit, que le seul salut pour moi était la volonté de vivre et, si possible, de lutter. » Il se rendait parfaitement compte que, tôt ou tard, ceux qui restaient à l'intérieur du camp seraient exécutés. On épargnait ceux qui allaient travailler à l'extérieur — du moins pour le moment. Il se débrouilla donc pour se faufiler parmi les travailleurs qui sortaient tous les matins, et il découvrit que, tant qu'il était au travail, il pensait moins au four crématoire. C'était seulement quand on devenait trop faible pour fournir l'effort physique que l'on savait que son tour était proche. Ce fut pour cela que, un jour, son père fut envoyé non pas au travail, mais au four. En fait, le seul critère de survie était la somme de travail fourni : si elle était insuffisante, c'était automatiquement l'élimination. Si bien qu'Avrham, cet enfant, travailla plus dur qu'un adulte, et ce fut la seule raison de son salut.

A l'approche des armées russes, quatre mille détenus qui tenaient encore debout furent acheminés en colonne et à pied, d'Auschwitz à Buchenwald, plus à l'ouest. Par un froid glacial, ils marchèrent tout le mois de janvier 1945. La moitié d'entre eux périrent en chemin. Avrham était des deux mille qui parvinrent à Buchenwald. C'est là que, quelque mois plus tard, les Américains les délivrèrent.

Avrham avait maintenant quinze ans. Il avait presque vu périr sa mère. Son père, son frère, ses deux sœurs étaient disparus à jamais. Il s'en retourna chez lui, à Uzok, en Hongrie. Mais relever l'héritage de ses parents dans une demeure vide, où le hantaient les fantômes des siens parmi des images atroces de feu et de sang, était au-delà de ses forces. Il décida de fuir le passé pour recommencer sa vie en Israël.

Je lui ai demandé comment les Allemands avaient pu traiter ainsi les juifs, des hommes comme eux, ayant des enfants comme eux, et partageant la même civilisation. Il me répondit :

— C'est une chose que nous avons débattue à n'en plus finir, sans jamais trouver la réponse. Nous avons une seule certitude : c'est un fait.

Sans se comparer à la tragédie d'enfants comme Avrham, qui reste celle de l'holocauste de tout un peuple, l'histoire du petit Arabe que me raconta un ancien combattant d'El Alamein n'en est pas moins bouleversante par son dénouement, qui se perd dans les sentiers du temps.

Le 2e classe Hopkins faisait partie de la 8e armée britannique, victorieuse de Rommel dans la célèbre bataille qui, en 1942, marqua un des tournants décisifs de la guerre. Une nuit où il était de garde en sentinelle, dans l'ombre très noire au pied d'un mur, il eut le sentiment, vers 2 heures du matin, d'être épié par quelqu'un d'invisible.

— J'armai mon fusil et m'avançai dans l'ombre, puis criai : « Sortez de là et montrez-vous, sinon je tire ! » Et, du noir, je vis sortir un jeune Arabe tremblant de peur, les mains en l'air au-dessus de la tête, et qui ne devait pas avoir plus de six ans.

Hopkins ramena sa prise au poste de garde et lui fit boire une tasse de chocolat. Après quoi, l'enfant lui raconta que, le matin de ce jour-là, il était allé mendier comme d'habitude ; mais quand il avait regagné la hutte de terre familiale, il n'y avait plus personne : ses parents étaient partis.

— Entre moi, qui parlais à peine l'arabe, et lui, qui baragouinait l'anglais, ce fut tout de suite l'amitié, dit Hopkins.

Personne ne vint réclamer le gamin, et Hopkins et ses camarades l'adoptèrent. Tous les soirs, après sa journée de mendiant, l'enfant rentrait au camp.

— Je le retrouvais au poste de garde, roulé en boule et dormant à poings fermés.

Un soir, une voiture s'arrêta devant le poste. L'enfant était assis près du seuil. Dans la voiture se trouvait un officier, une brute, ivre de surcroît, qui se pencha et cingla le petit Arabe en pleine figure, de sa badine. L'enfant s'affola, moins du coup que des ennuis qu'il avait peur de créer à ses amis. Mais Hopkins le tranquillisa et, s'avançant vers l'officier, lui demanda son laisser-passer.

— Il n'en avait pas, poursuit Hopkins. Alors j'ai braqué mon fusil sur lui et appelé le sous-officier de garde. L'officier s'emporta et, dans la bagarre, frappa le caporal. Du coup, nous l'avons bouclé. Le lendemain, l'affaire suivit son cours et nous ne le revîmes jamais. Le petit fut rassuré.

Les jours où on payait la solde, Hopkins passait la soirée au Caire. Mais, une fois après avoir réglé quelques dettes, il se retrouva fauché. Il offrit donc à un camarade de prendre la garde à sa place. Rentrant au poste, le gamin fut surpris de le trouver là : « Pourquoi ti pas aller boire un coup comme d'habitude ? — Parce que je n'ai pas le rond. — Tiens, dit l'enfant, prends ça. » Et, saisissant la main de son ami, il y déversa le contenu de sa bourse en peau de bouc, tout ce qu'il possédait au monde — « juste de quoi me payer une cannette de bière », dit Hopkins.

Le soldat refusa les pièces de monnaie et les rendit en y ajoutant les quelques sous qui lui restaient. Le lendemain, le petit rentra, l'air soucieux. De nouveau, il saisit la main de son ami et y déposa cette fois une pièce de dix piastres, en disant : « Personne y m'a jamais donné autant. Toi ti m'as donné hier. — Oui, répliqua Hopkins, mais je suis ton ami, non ? Alors il est naturel qu'on partage. »

Un soir, le jeune Arabe ne revint pas.

— Quand je parle de lui, après tant d'années, à mes petits-enfants, m'a dit Hopkins, chaque fois ils me demandent : « Et qu'est-ce qu'il est devenu ? » Et moi, je leur réponds : « Je n'en ai pas la moindre idée. Je sais seulement que c'était une victime de la guerre et que, jusqu'à la fin de mes jours, je me souviendrai de lui. »

Trois enfants italiens eurent plus de chance. Leur père était colonel. Peut-être est-ce pour cela qu'il s'ingénia à leur dissimuler la guerre.

C'était en juillet 1943, et les Allemands tenaient encore Rome, lorsque la femme du *Colonello* Rodolfo Lodi, qui était espagnole et très belle, donna le jour à son troisième fils, Diego. Les deux autres, Luigi (quatre ans) et Rodolfo (deux ans), étaient à la maison. Le père pédalait frénétiquement à bicyclette entre la clinique et la demeure, pour soutenir le moral de sa famille dispersée. C'était nécessaire, car, en même temps que Diego se préparait à venir au monde, les Américains arrivaient eux aussi dans le ciel de Rome. Les bombes tombaient si près de la clinique que la jeune *Signora* Lodi, alors en plein travail, pensa mourir de terreur, au point que l'on appela le prêtre. Diego naquit donc au milieu du tonnerre des bombes, pendant que son père, à la maison, persuadait ses deux premiers fils que ce n'était pas du tout un bombardement — rien qu'un énorme orage ! Sur quoi, il eut toutes les peines du monde à les retenir : ils voulaient absolument « aller voir dehors ».

Le *Colonello* et son épouse s'étaient, il faut le dire, juré de faire croire à leurs enfants que la guerre n'était qu'une formidable plaisanterie. A Rome, on donnait la chasse aux Juifs, et tous les jours un vieux monsieur venait se cacher dans le réservoir à eau de la maison des Lodi. Comme cela excitait la curiosité des petits, le père leur expliqua : « Ce monsieur vient prendre son bain chez nous chaque jour. D'ailleurs, vous n'avez qu'à voir comme il est propre. — Mais pourquoi est-ce qu'il se baigne tout habillé ? » s'étonnèrent d'une même voix Luigi et Rodolfo.

Cependant, plutôt que de rester à Rome et de continuer à se

battre pour une cause perdue, le *Colonello* obtint l'autorisation de conduire ses enfants et sa femme à l'abri dans le pays de celle-ci, en Espagne. Au premier arrêt du train, juste comme le petit Diego commençait à crier pour réclamer son biberon, les bombes se mirent à pleuvoir sur la gare et ses dépôts. Le convoi repartit et, jusqu'à la frontière française les frères de Diego ne pensèrent qu'à leur joie d'être les maîtres du train, qui était vide. Mais, à Nice, le train se remplit et ils durent alors s'asseoir sur les genoux de leur père jusqu'à Marseille, où la Résistance fit sauter la locomotive. Ordre à tout le monde de descendre. Le *Colonello* refusa, arguant de ses trois petits enfants et de ses neuf valises. On le laissa — « Enfin, m'a-t-il raconté, Diego put prendre pour la première fois son biberon sans être dérangé, tandis que ses deux frères reconquéraient dans le wagon l'espace vital perdu. Et ma femme et moi, qui étions très amoureux l'un de l'autre, nous avons pu nous embrasser commodément. » Ensuite, le train se remit en marche, et tout semblait aller bien, lorsque, le lendemain à l'aube, ouvrant les yeux, la famille Lodi s'aperçut qu'elle était revenue à Nice. Mais là, grâce à un kilo de café, le *Colonello* parvint à se procurer une automobile. Un gazogène, plus exactement. A quinze kilomètres à l'heure ils continuèrent vers Nîmes.

— Personne ne se faisait de souci. Les deux aînés s'amusaient merveilleusement : nous étions parvenus à les convaincre que tout cela n'était qu'un jeu, spécialement organisé pour eux, et le tout petit avait fini par s'habituer à se contenter de prendre son biberon et de dormir.

A l'entrée de Nîmes, trois corps pendaient à un gibet au bord de la route. Les deux aînés demandèrent : « Qu'est-ce qu'ils font, ces hommes ? » Le père répondit pour les rassurer : « Ils s'exercent à grimper à la corde. » A mon intention, des années plus tard, le *Colonello* ajouta : « Ils n'avaient pas l'air très satisfaits de mon explication. » Plus loin, en ville, le jeune Rodolfo repéra dans une vitrine un mannequin revêtu d'une robe rose et d'un chapeau de paille à large bord qu'il aurait voulu à toutes forces emmener.

A Marseille, le consul italien avait reçu l'ordre de ne pas valider le passeport du *Colonello*. Sortant de l'entrevue, le colonel demanda au portier comment s'appelait le consul. Il s'agissait du fils d'un vieil ami de son père, héros de la Première Guerre mondiale, le général Pariani. Grâce à quoi, finalement, le passeport fut validé.

Mais, à la frontière espagnole, les autorités allemandes firent remarquer que les enfants ne figuraient pas sur le document : « Très bien, dit le *Colonello*, je vais les laisser à vos soins, pendant que je poursuivrai sur Madrid, et lorsque l'ambassade d'Italie aura ajouté

106

leurs noms sur le passeport, je reviendrai les chercher. « L'officier allemand regarda le colonel et sa petite famille d'un air féroce et lui cria : « Foutez le camp ! Disparaissez ! » Ce qu'il fit, sans perdre de temps, avec toute sa petite famille.

En conclusion, le colonel Lodi m'a déclaré : « Mes fils n'ont que d'excellents souvenirs de la guerre. Ils se rappellent seulement un long voyage, plein d'aventures amusantes. »

9

Il n'y a pas deux sortes de victimes enfantines

En juin 1944, l'invasion de la France par les armées alliées et la création du second front scellèrent, après cinq ans de lutte, le sort du rêve millénaire d'Hitler. Mais, des mois durant encore, la fureur des combats allait déferler, n'épargnant personne sur son passage, sans égard pour les civils et les enfants.

Hélyette Lemoigne avait dix-neuf ans en juillet 1944, époque où la bataille fit rage autour de la ferme où sa famille s'était réfugiée, près d'Avranches, en Normandie. Tous dormaient dans une étable et y restaient, serrés les uns contre les autres, tout le jour, pendant que bombes et obus pleuvaient autour d'eux :

— Nous étions morts de peur, et ma sœur de onze ans ne cessait de crier et de pleurer dans les bras de notre mère.

Au milieu de cet enfer, une forme humaine — celle d'un enfant ou presque — vêtue du *feldgrau* allemand, couverte de boue, sans casque ni fusil, surgit un jour sur le seuil. Puis, se précipitant vers la

109

mère d'Hélyette en criant : « *Mutti, mutti !* », se jeta à ses pieds. Quelques instants plus tard, trois soldats allemands, adultes et armés ceux-là, pénétrèrent dans l'étable, s'emparèrent de l'adolescent et l'entraînèrent. La bataille fit de plus en plus rage et se rapprocha au point que, dans la cour même de la ferme, dit Hélyette, « Américains et Allemands se déchiraient entre eux comme des bêtes féroces ». Des amis de la famille, mère, père et cinq enfants, qui s'abritaient dans une tranchée creusée dans le jardin, furent volatilisés par une bombe. Peu à peu cependant, les combats cessèrent et, soudain, l'adolescent en uniforme réapparut en annonçant : « *Soldaten Kaput.* » Son escorte avait été annihilée. Pendant deux jours, avant de le remettre à l'armée américaine, Hélyette et ses parents s'occupèrent de lui.

Tant bien que mal, il parvint à leur expliquer qu'il avait été enrôlé de force dans la *Wehrmacht :* il avait seize ans, il était russe et s'appelait Nicolai Kondratiev !

Les souffrances endurées pendant la guerre ont laissé à Hélyette une amertume et des sentiments très arrêtés :

— Pour éviter le genre de massacres auxquels j'ai assisté à cette époque, le mieux serait sûrement de commencer par le commencement, c'est-à-dire d'abolir tous les armements et toutes les fabriques de munitions, m'a-t-elle dit. Les chefs d'Etat boivent ensemble le champagne, laissent fabriquer des armes et dorment en paix. Ce sont eux, les grands responsables des atrocités de la guerre, du seul fait qu'ils permettent au commerce des armes d'exister et de se poursuivre.

Raphaëlle L. aussi, à cause des choses terribles qui frappèrent ses amis d'enfance au moment de la libération de la France, demeure pénétrée de l'horreur de la guerre et de ses conséquences. C'est une conversation au cours d'un dîner qui l'incita à me faire part de ce qu'elle avait vécu. Les autres invités, gens pourtant intelligents et cultivés, prédisaient une troisième guerre mondiale pour 1985.

— Tout en les écoutant débiter leurs insanités sans fin, m'avoua-t-elle, mon esprit revenait à août 1944.

Un jour du mois d'août, sur la route de Grenoble à Lyon, au milieu d'un convoi d'ambulances allemandes, se trouvaient deux voitures particulières où avaient pris place les membres d'une famille française : deux femmes et sept enfants. Le convoi fut attaqué à la mitrailleuse... par des Français. De cette famille, une petite fille de huit ans mourut après avoir agonisé plusieurs jours ; une autre, âgée de cinq ans, dut être amputée du bras droit ; un jeune garçon de onze ans, le cerveau gravement atteint, dut être trépané.

110

Quant à leur mère. les médecins parvinrent à éviter l'amputation de son bras gauche.

Parvenue à l'âge de dix-huit ans, la petite fille amputée du bras droit devint, à cause des remarques faites en sa présence sur son infirmité, profondément et maladivement consciente de celle-ci. Et elle, que Raphaëlle avait connue si pleine de vie et d'intelligence, passait maintenant d'une dépression nerveuse à une autre.

Tandis que, à table, la conversation en était à la question de savoir si les enfants des personnes présentes seraient en âge de se battre dans une troisième guerre mondiale, les pensées de Raphaëlle restaient attachées à ces deux petites filles qu'elle avait connues, enfant elle-même. Et elle se demandait : celle qui avait huit ans alors, était-elle « en âge » de mourir dans une guerre ? Et l'autre : cinq ans était-il un âge pour être amputée d'un bras, à cause d'une balle tirée par un de ses compatriotes ? Et tous ces millions d'enfants qui continuent, aujourd'hui même, à être victimes des violences de la guerre, sont-ils « en âge » de souffrir et de mourir ?

— Bien que, me dit Raphaëlle, je n'aie personnellement jamais souffert, j'éprouve pour la guerre une répulsion jusqu'au plus profond de mon être, et je ferai tout en mon pouvoir pour empêcher mes enfants d'être pris dans une guerre, parce que, de toutes les stupidités humaines, c'est la plus abominable.

Dans leur longue et gigantesque lutte pour libérer de l'occupation les nations européennes, il arrivait aux Alliés de ne pas faire de distinction entre amis et ennemis et entre combattants et non-combattants. Jeannine, qui avait quatre ans, habitait Argenteuil, faubourg ouest de Paris, lorsque des bombardiers britanniques, français et canadiens attaquèrent une usine proche. Jeannine était dans les bras de sa mère quand une bombe toucha la maison. Des éclats arrachèrent net une jambe de l'enfant et ouvrirent la cuisse de sa mère. D'autres éclats atteignirent le frère de Jeannine (quinze ans) aux yeux, l'aveuglant à vie.

— Les médecins ont fait tout ce qu'ils ont pu pour moi, m'a dit Jeannine. Jusqu'à douze ans j'ai porté une jambe de bois. Après, on m'a mis une jambe artificielle.

Ainsi, un pilote de bombardier anonyme, probablement jeune et plein de bonnes intentions, en poussant dans la nuit un levier, à quelques kilomètres dans les airs au-dessus d'une grande ville et de milliers de vies humaines, avait-il grièvement blessé une enfant de quatre ans, la condamnant à souffrir tout le reste de ses jours — sans même parler de son frère devenu aveugle à quinze ans.

Lorsque, durant la terrible « Semaine rouge », Rouen fut bombardé, les équipes de sauveteurs parcoururent les ruines à la recherche de survivants. L'une d'elles trouva, adossée à un mur, une femme, morte, avec, dans ses bras, un bébé, une fille, encore en vie. Des jours durant, personne ne la réclama. Puis, par chance, elle tomba malade et fut admise à l'hôpital, où beaucoup d'autres enfants, victimes aussi des bombardements, se trouvaient déjà. L'un d'eux, passant un jour devant le berceau du bébé, s'exclama soudain : « Mais c'est ma petite sœur ! » Et le bébé se mit à gazouiller de joie.

Une nuit de juin 1944, d'autres bombardiers alliés attaquèrent la gare de triage du Mans. A 2 heures du matin, Mme Crenn, dont la maison était pourtant loin de l'objectif, fut réveillée par les explosions. Elle se précipita pour réveiller sa fille de sept ans, Andrée, puis pour gagner la cave avec son mari et l'enfant. Avant qu'ils aient eu le temps d'y arriver, une bombe les ensevelit tous sous les ruines de la maison. Une poutre écrasait le dos de la fillette qui ne cessait de répéter : « Papa, papa, j'étouffe ! » Ses cris s'affaiblirent, puis cessèrent. C'était, m'a dit sa mère, une petite fille très affectueuse, très intelligente et très jolie.

Pendant que mourait Andrée, le bombardier qui l'avait tuée sans le savoir, regagnait sa base en Angleterre et les membres de son équipage rêvaient probablement d'une bière bien fraîche et bien méritée. Car les missions de bombardement étaient très périlleuses et les hommes qui y participaient faisaient preuve de courage extrême et indéniable.

Cependant, je ne peux m'empêcher de me rappeler l'un d'eux, parmi les plus braves et les plus décorés, un jour où nous parlions des victimes civiles — c'était pendant la guerre, et j'étais moi-même dans la R.A.F. Il avança soudain vers moi son petit visage de fox-terrier agressif et me dit, d'une voix pleine de conviction passionnée : « Il faut tout bombarder, les hommes, les femmes, et même les enfants, ces graines de tueurs ! »

Parmi ces « graines de tueurs », se trouvait un jeune Italien, Giovanni Sferra, aujourd'hui conseiller à la Cour des Comptes italienne, mais qui avait quatre ans en 1944, lorsqu'il fut mitraillé par un avion américain.

Sa famille s'était enfuie de la ville d'Avezzano, à cause des bombardements alliés, qui avaient tué cent dix civils. Les Allemands de leur côté, lorsque la population se souleva à la fin contre eux, en tuèrent onze autres : les Martyrs de Capistrello, dont la tombe porte cette inscription : *En mémoire de onze victimes de la barbarie allemande.*

Giovanni ne peut s'empêcher de trouver bizarre que, dans le même cimetière, aucune pierre ne dise : *Aux cent dix victimes de la barbarie américaine.*

10

A Hiroshima et à Nagasaki des enfants meurent encore de la bombe

C'était maintenant à ceux qui s'étaient crus, pendant près de cinq ans, les maîtres de l'Europe de voir leurs frontières forcées, à l'est par les Russes, à l'ouest par les Anglo-Américains et leurs alliés. Le crépuscule des dieux nazis approchait et le peuple allemand devait maintenant payer cruellement les crimes abominables de ses chefs.

Mais, sans attendre que les forces de terre aient envahi le *Vaterland* germanique, les raids de l'aviation anglo-américaine avaient exercé leurs ravages sur les villes allemandes, les écrasant et les incendiant sans égard pour la population civile. En juillet 1943, après une série de raids contre Hambourg, la ville était plus ou moins en feu sur une superficie de quarante-deux kilomètres carrés, dont un secteur de douze kilomètres carrés n'était qu'une masse de flammes. On compta trois cent mille immeubles détruits, sept cent cinquante mille sans abri et — comment les dénombrer exactement dans cette mer de feu ? — environ cent mille morts, dont plusieurs dizaines de milliers d'enfants.

Berlin, à mesure que le cercle se refermait sur elle, fut également écrasée sans merci. Un soir, tard, le pasteur d'un village des environs immédiats de la capitale entendit frapper à sa porte. Il ouvrit et trouva sur le seuil un jeune garçon effroyablement maigre et échevelé, portant sur son dos un sac évidemment très lourd pour lui. Le pasteur le fit entrer. Avec de grandes précautions, l'enfant posa le sac sur le plancher, puis répondit aux questions du pasteur :

— Quel âge as-tu ?

— Six ans, et j'ai un frère qui a trois ans. Mais, hier, les bombes ont détruit notre maison et nos parents ont été tués. Alors, j'ai mis mon frère dans ce sac et je suis parti à pied, aussi loin que je pouvais de Berlin.

Le pasteur se hâta d'ouvrir le sac. A l'intérieur, le petit frère de trois ans était déjà mort.

Bien que le prétexte du raid sur Dresde, le 13 février 1945, ait été à peu près le même que celui invoqué pour le bombardement de Guernica — raison stratégique : la ville était un « centre de communications et de chemin de fer important » — cent trente-cinq mille personnes, essentiellement des civils, périrent dans le gigantesque incendie qui engloutit la cité.

Combien d'enfants massacrés en quelques heures cela signifie-t-il ? Vingt mille, trente mille, cinquante mille ? Tel ce bébé identifié uniquement grâce aux papiers retrouvés dans le sac de sa mère morte, ou tels ces centaines de jeunes évacués de douze ans à quatorze ans surpris à bord de deux trains, ou comme les deux frères de huit et dix ans, que l'on retrouva cramponnés étroitement l'un à l'autre, entièrement nus, leurs jambes roides et tordues sortant du sol où ils étaient à demi enterrés, ou comme ces petits corps empilés en monceaux devant la gare centrale de Dresde. La plupart de ces cadavres d'enfants étaient revêtus de costumes de carnaval qu'ils avaient mis pour aller attendre leurs parents à la gare. Et presque tous ces enfants morts étaient victimes des six cent cinquante mille bombes incendiaires lâchées sur la ville — comme si les bombes incendiaires étaient l'arme idéale pour détruire des routes et un nœud ferroviaire ! Tous étaient morts asphyxiés par la fumée et les gaz brûlants, empoisonnés par les vapeurs d'oxyde de carbone.

Mais qu'importaient alors ces détails ? Ils étaient devenus la banalité même : depuis cinq ans dans toute l'Europe sous les ruines de villes et de villes, des enfants mouraient ainsi, par milliers, sur les ordres des seigneurs de la guerre de Whitehall, de Washington et de la chancellerie du Reich.

Les enfants japonais ne connurent pas un meilleur sort. Avec leurs B-29 chargés de bombes incendiaires, les Américains avaient brûlé le cœur des plus grandes cités nippones. En mars 1945, ils réduisirent en cendres quarante-cinq kilomètres carrés de Tokyo, brûlant à mort quatre-vingt-cinq mille personnes — presque uniquement civils et enfants, bien entendu. Et l'apogée de cette destruction fut atteint le 6 août 1945, lorsque, à 8 h 15 du matin, un seul bombardier lâcha une seule bombe : le premier engin nucléaire qui, en quelques secondes, immola plus de cent mille habitants de Hiroshima.

Le colonel Paul Tibbets, pilote courageux et très expérimenté, était aux commandes du B-29 en question. Il avait baptisé son appareil du nom de sa mère, qu'il avait fait peindre à l'avant : *Enola Gay*.

Tout en bas et au-dessous de lui, à Hiroshima, il y avait une petite fille de cinq ans, qui s'appelait Sachiko Habu. Sa mère fut, selon ses propres termes, « toute changée en une grande brûlure blanche » par la chaleur que dégagea la bombe du colonel Tibbets.

Une autre fillette de cinq ans, Ikuko Wakasa, entendit ronronner très haut le B-29. Puis, il y eut un éclair blanc : « Au bout de quelques instants, un flot de sang m'est sorti par les oreilles. » Ikuko regarda sa mère : « Elle était toute en sang au-dessous des hanches. »

Une autre fillette encore, Kikuko Yamashiro, raconte que, le lendemain de l'explosion, son frère lui dit : « Maman est morte. » Kikuko se mit à crier : « Maman ! Maman ! » Mais la mère ne répondit pas. « Je me suis jetée en travers de son corps, dit Kikuko, et j'ai pleuré, pleuré... »

Une autre mère, celle de Keiko Sasaki, petite fille de six ans, vivait à Hiroshima, tandis que Keiko elle-même se trouvait chez sa grand-mère, à la campagne. Après la bombe, la vieille dame se mit en route pour la ville. Une semaine plus tard, elle revint, un sac sur le dos. Du sac, elle sortit une petite boîte qui contenait une dent en or et un fragment d'os — tout ce qui restait de la mère de Keiko.

Kumiko Tamesada, seize ans, se retrouva elle aussi orpheline, ce matin d'août. On l'avait envoyée également chez sa grand-mère, à la campagne. Son père, qui avait miraculeusement échappé à la bombe sans une égratignure, lui raconta « l'enfer sur terre » qu'avait apporté l'*Enola Gay* à Hiroshima : « Les mères couvertes de sang, serrant dans leurs bras les corps froids de leur enfant. Les gens dont la peau des bras était arrachée depuis l'épaule et leur pendait au bout des doigts. D'autres, couchés par terre et si terriblement brûlés qu'on ne reconnaissait plus la poitrine du dos. Les écolières qui pleuraient, le dos truffé d'éclats de verre. Le spectacle pitoyable d'un père avec un bébé en pleurs qui essayait désespérément de téter sa mère morte... »

Le nom de la mère du colonel Tibbets restera à jamais associé aux mères d'Hiroshima qui perdirent leurs enfants ce jour-là, comme aux enfants qui perdirent leur mère et aux familles entières qui furent tuées par la bombe lâchée du haut du ciel, de l'*Enola Gay*.

Aujourd'hui, Hiroshima est redevenue une grande ville prospère, aux artères larges et affairées, aux jardins publics pleins de pelouses ombragées de sapins et d'érables. J'y ai rencontré deux personnes qui étaient encore à l'âge où l'on va à l'école, le jour où Hiroshima fut réduite en cendres et en poussière.

L'une de ces personnes, Hiroshi Yoshioka, était un adolescent de quinze ans à l'époque. Il en a aujourd'hui quarante-huit, qu'il ne paraît pas. L'*Enola Gay* apporta une mort lente et douloureuse à sa mère ainsi qu'à sa jeune sœur. Lui-même en réchappa par chance. Il était bon élève et adorait l'école. Mais, en ce temps-là, l'école passait presque en second : les enfants étaient organisés en groupes qui nettoyaient les rues et cultivaient la terre. Hiroshi et ses camarades avaient reçu mission de déterrer des pommes de terre dans un champ proche de la gare. Le matin de la bombe, il devait être au travail à 8 h 20. Il arriva en avance, sur le coup de 8 heures, vêtu de toile kaki, tenue que les lycéens avaient troquée contre l'uniforme habituel.

— Comme nous avions un peu de temps devant nous, m'a-t-il raconté, nous l'avons passé à faire les fous.

Puis, Hiroshi entendit un bruit de moteur d'avion. Il leva le nez et aperçut non pas un, mais trois appareils, dont deux (celui chargé de prendre des photos et celui qui portait les instruments de mesures) volaient plus haut que le troisième (l'*Enola Gay*). Ce dernier, plus nettement visible, Hiroshi le reconnut comme étant un B-29. Il cria à ses amis en le montrant du doigt : « Regardez, les gars, un de leurs vieux B-29, et il vole bien plus bas que les deux autres ! »

Il n'avait pas fini de montrer l'appareil du doigt, qu'il y eut soudain un éclair aveuglant — on eût plutôt dit une boule de feu.

Hiroshi fut projeté en l'air et la gamelle de son déjeuner lui fut arrachée. Il retomba à plusieurs mètres de là. Gisant dans l'herbe, il eut l'impression d'être noyé sous une mer de flammes.

— Je ne me souviens pas d'avoir senti le moindre souffle de bombe, mais j'avais l'impression que l'explosion avait eu lieu tout à côté de moi.

En réalité, il était à deux kilomètres de l'épicentre, ce qui n'empêchait que les maisons alentour flambaient. Par chance, ses vêtements n'avaient pas été arrachés, mais sa manche gauche était grillée et la brûlure avait atteint le bras qui, de même que sa joue gauche, étaient tout boursouflés de cloques. Pendant qu'il regardait son bras, il put voir la chair gonfler et se mettre à suppurer. Après l'éclair de feu, tout parut sombre pendant quelques minutes. Ensuite, il y eut les retombées : « Débris de toute sorte, bouts de papier et de bois tombant du ciel » — et il se mit à pleuvoir — une pluie noire, qui ne dura pas.

Hiroshi se releva tant bien que mal et se mit à courir vers sa maison.

— Mais, venant à ma rencontre, il y avait une gigantesque ruée de gens, presque tous des civils, si bien que je n'ai pas pu passer.

La plupart de ces gens avaient les vêtements en lambeaux ; la chair, dessous, était rouge, « de la couleur d'une pieuvre bouillie », précise Hiroshi. La peau, arrachée, pendait. Il y avait aussi des soldats au visage si brûlé qu'ils étaient aveugles. Ils s'étaient formés en cordée que l'un d'entre eux, qui voyait encore, menait. Et il y avait beaucoup d'enfants, atrocement brûlés également. Un adolescent sans jambes essayait de ramper. Une mère traînait un cadavre si brûlé qu'on ne pouvait en reconnaître le sexe.

— Ce fleuve compact d'êtres humains, dit Hiroshi, est le spectacle le plus horrible que j'ai jamais vu.

La ville entière était « enveloppée de feu », de sorte qu'il ne put rentrer chez lui ce jour-là. Le lendemain matin, il se remit en chemin avec deux amis. Ils marchèrent en suivant les rails de tramway. De part et d'autre de la rue, les maisons incendiées fumaient encore et les cadavres s'amoncelaient en tas.

— Nous avons continué tous les trois, passant devant des bras et des jambes qui pendaient aux fenêtres d'un tram incendié et devant les corps des élèves de l'école préparatoire, empilés dans les citernes à eau. Des cadavres calcinés flottaient comme des bûches de bois sur la rivière Ohta.

Quant à sa maison, quand il y arriva, « elle avait complètement brûlé et disparu sans laisser de traces ».

Nulle trace non plus de sa mère ni de sa sœur. Des jours durant,

Hiroshi chercha, « acceptant les marches sans fin, l'odeur horrible, et la désolation », dans l'espoir de la joie de retrouver les siens. Et puis, tout à trac, il tomba sur son père, rentré d'Osaka où il travaillait, et qui lui dit que sa mère n'était que légèrement blessée : « Jamais de ma vie je ne me suis senti aussi heureux. »

La joie de Hiroshi fut de courte durée. Sa mère guérit de ses blessures, mais son corps dépérit complètement : au bout de trois semaines, elle mourut. C'étaient les radiations.

— Cela montre à quel point cette diablerie nous tenait ferme ; elle suçait jusqu'à la moelle de nos os.

Quant à la jeune sœur d'Hiroshi, néant — à croire que jamais elle n'avait existé...

Miyoko Matubura, elle, pouvait à peine me parler, tant le souvenir de l'atroce journée l'étouffait encore. Ce 6 août, à 8 h 15 du matin, elle ne perdit pas sa mère ; ce fut celle-ci qui perdit la joie d'avoir une fille belle, heureuse et bien portante.

Miyoko avait douze ans et travaillait ce matin-là avec un « bataillon de lycéennes » à un kilomètre et demi de l'épicentre. Les sirènes avaient sonné comme tant d'autres fois, la fin d'alerte, quand elle eut la sensation d'un « éclair violent » et fut renversée. Lorsqu'elle reprit ses esprits, elle se releva et courut droit à la maison. Au pont Tsurumi, elle vit une femme qui se frappait à grandes claques de ses mains pour éteindre ses vêtements en feu. Miyoko aussi avait été gravement brûlée et, comme des dizaines et des centaines de gens dans le même cas, elle sauta dans la rivière. On entendait partout des appels au secours. Des trois cent vingt lycéennes de son « bataillon », cinquante-cinq seulement parvinrent à traverser à la nage ; toutes les autres se noyèrent.

Pendant des mois, Miyoko fut soignée pour ses brûlures, mais elle en conserva des cicatrices chéloïdes aux jambes, aux bras et au visage. Elle perdit en outre momentanément l'usage des bras, mais ne cessa de se rééduquer pour les empêcher de se raidir définitivement. Chaque fois qu'elle les bougeait, ils saignaient aux articulations. Elle réclamait souvent un miroir à sa mère, qui le lui refusait. Quand enfin elle put se regarder dans une glace, elle fut horrifiée :

— J'ai pleuré quand je me suis rendu compte que je n'avais pas le courage d'aller en classe. J'ai pleuré quand j'ai vu que personne ne voulait me donner de travail, à cause des cicatrices sur mon visage. J'ai pleuré quand j'ai compris que je ne me marierais jamais.

Sa mère aussi pleurait souvent. Elle disait à sa fille : « C'est moi qui aurais dû être brûlée à ta place, parce que je suis plus vieille et qu'il m'est plus facile de mourir. » Ou bien encore : « Il aurait mieux valu pour toi mourir tout de suite de tes brûlures. »

Cela faisait trente-trois ans, quand je l'ai vue, que Miyoko subissait courageusement son atroce martyre. Elle m'a dit :

— Nous autres, les survivants, nous ne voulons pas que, dans le monde entier, des millions de gens connaissent la même tragédie que nous... Je vous en supplie, criez bien haut que nous ne voulons plus de guerre, et PLUS JAMAIS D'AUTRE HIROSHIMA !

Le président des Etats-Unis, Harry Truman, qui avait donné l'ordre de lâcher la bombe atomique sur Hiroshima, s'exclama en apprenant que la mission avait été dûment accomplie :

— C'est le plus grand des événements historiques !

Plus grand, sans doute, aux yeux du président, que tous les enseignements du Christ, de Krishna, de Confucius, de Moïse ou de Mahomet — plus grand que la Bible ou que le Bouddha ? Plus grand pourquoi ? Parce que, tandis que les actes et la leçon de ces hommes ont mis des siècles à imprégner de leur influence l'humanité et sont encore bien loin d'y être entièrement parvenus, la bombe A, elle, n'a pris que quelques secondes pour anéantir les années, voire les siècles de labeur, de ténacité, de souffrances que représentent une grande ville et ses milliers d'habitants ? Grand, parce qu'il suffirait de secondes aussi à d'autres bombes pour anéantir l'espèce humaine tout entière ? Grande, en réalité, la bombe atomique le sera, et grande incontestablement comme « le plus grand des événements historiques », le jour où elle aura en effet supprimé l'humanité de la surface du globe — car, ce jour-là, l'Histoire elle-même sera effacée.

En tout cas, l'on est en droit de supposer que « le plus grand des événements historiques » après la destruction de Hiroshima fut, dans l'esprit du président Truman, la seconde bombe qui, trois jours plus tard, le 9 août, rasa la ville de Nagasaki et tua plus de soixante-dix mille de ses habitants.

Nagasaki est actuellement redevenue une très belle ville. Mais elle était déjà avant la bombe un centre de culture, de sciences et d'industries humaines et, depuis des siècles, la seule grande ville japonaise ouverte à l'Occident. Tout ce passé historique fut pulvérisé en quelques secondes, en même temps que ses habitants passaient au four crématoire de la bombe.

Cette fois, ce n'était pas l'*Enola Gay* ; c'était un autre B-29, le *Bockscar*, piloté par le commandant Sweeney. Mais cette fois encore, les mères et les enfants payèrent un lourd tribut à l'Histoire telle que la concevait le président Truman.

Trois de ces mères appartenaient à la famille de Sakue Shimo-hira. L'une était sa mère, l'autre sa sœur, la troisième sa tante. Sakue avait onze ans à l'époque de l'explosion. J'ai fait sa connaissance à la préfecture de Nagaski, trente-trois ans après. Elle me conduisit à une fenêtre et me montra l'endroit où s'était dressée la maison de sa famille, une demeure en bois de deux étages, à façade en ciment, qui se situait à cinq cents mètres de l'épicentre.

Celui-ci, marqué par une colonne de marbre noir, était à égale distance — un kilomètre et demi — des aciéries de la ville, au nord, et de l'arsenal, au sud — les unes comme l'autre pouvant être considérés comme des objectifs militaires légitimes. Mais la bombe ne pouvait s'arrêter à de telles nuances. Elle anéantit ces deux cibles et, en même temps, des dizaines de milliers de vies humaines.

Sakue était la cinquième de six enfants, au sein d'une famille heureuse. Son père avait un emploi civil dans l'armée. Son frère aîné était étudiant en médecine et elle avait deux autres frères — tous deux appartenant à une unité de pilotes kamikazes et ayant trouvé la mort au début des hostilités. Elle avait aussi une sœur aînée qui venait d'être mère, et une sœur cadette.

A mesure que s'étaient multipliés les raids aériens sur Nagasaki, Sakue ne vivait plus à la maison. Elle était réfugiée dans un abri — une grotte aménagée, à un kilomètre environ de là, dans la montagne, et qui servait à une trentaine de personnes.

Ce matin du 9 août 1945, seize d'entre elles quittèrent la grotte après que les sirènes eurent sonné la fin d'alerte. Parmi elles, la sœur aînée de Sakue, pour faire un saut jusqu'à la maison et y prendre de quoi nourrir son bébé et ses deux plus jeunes sœurs. Ne restaient que des enfants. Sakue, pour sa part, avait si peur des bombardements qu'elle ne s'éloignait jamais de l'abri.

A 11 h 2 du matin exactement, la bombe atomique explosa sur la ville. (A la préfecture, on peut voir une horloge démantelée qui fut retirée des décombres dont les aiguilles s'étaient arrêtées à cette heure précise.) Un éclair jaune aveuglant illumina l'intérieur de la grotte-abri où se tenait Sakue.

— Tout de suite après l'éclair, m'a-t-elle dit, il y eut une explosion et un souffle fantastiques, et le sol fut soudain jonché de *tatami*, de nattes de roseau retombées après s'être envolées. Moi-même, je fus jetée à terre.

Reprenant ses esprits et son équilibre, elle vit partout autour d'elle des brûlés, dont certains avaient été projetés hors de l'abri et, quand ils le pouvaient, cherchaient à le regagner en rampant. Sakue me décrivit l'horreur des brûlures qui couvraient les corps de cloques énormes. Les chairs gonflaient immédiatement ; il y avait des visages où les yeux pendaient hors des orbites, des bustes sans bras, des ventres ouverts répandant les entrailles.

Parmi les cadavres gisant hors de la grotte, elle vit celui d'une jeune femme, face contre terre, le visage encore enfoui dans les deux mains : le corps était carbonisé et, seul, le visage était intact sous la protection des mains. C'est ainsi que Sakue put reconnaître qu'il s'agissait de sa sœur aînée, surprise par l'explosion à son retour de la ville. Un peu plus loin, une autre femme, morte, serrait un bébé dans ses bras, mort lui aussi. C'était la tante de Sakue. Plus tard, elle apprit que sa tante était en ville, chez elle, quand la maison s'était écroulée sur elle. Tout le corps noirci par les brûlures, elle s'était en outre ouvert la gorge en se débattant pour se dégager des décombres et c'était dans cet état qu'elle avait réussi pourtant à se traîner jusqu'à l'abri avec le corps de son bébé, pour mourir là.

Sakue demeura pendant sept heures sans sortir de l'abri. Autour d'elle, ce n'était que désolation effroyable. Des gens criaient : « Allez en enfer, sales Américains ! » (Très exactement, le mot qu'ils employaient : *bakayoro*, signifie « imbécile, sot », ce qui me paraît être un reproche bien modéré en la circonstance ; mais on m'assure que, en japonais, c'est une grave insulte.) Les blessés réclamaient à grands cris des secours et de l'eau.

— Nous étions forcés de refuser l'eau, m'a expliqué Sakue, en leur disant que ce n'était pas possible, que, si nous cédions à leurs prières, ils en mourraient. Mais ils ne nous en imploraient que plus désespérément, en criant : « Cela ne fait rien ! Plutôt boire un peu d'eau et mourir ! »

Sakue, qui tenait une petite bouteille d'eau à la main, fut agrippée aux jambes par un homme méconnaissable sous ses brûlures, qui tenta de la jeter à terre pour lui arracher la bouteille. D'autres brûlés rampaient sur le sol, écartant les cadavres, pour se traîner jusqu'à une petite mare d'eau boueuse, où ils buvaient avidement et trempaient leur visage.

Vers le soir, le père de Sakue arriva à l'abri. D'Isahaya où il travaillait, il était venu à pied — cela faisait trente-cinq kilomètres. Bien que l'odeur dans l'abri et alentour fût devenue intolérable, il ordonna à sa fille d'attendre encore, pendant qu'il irait jusqu'à la maison. Il revint un peu plus tard et ce fut pour dire à Sakue qu'il avait retrouvé trace de sa mère : de reconnaissable, il ne restait d'elle que ses dents en or...

La mère d'une autre fillette, Michiko, appartenait à ces « petites gens », comme on dit, parmi lesquelles on trouve infiniment plus de héros anonymes que dans tous les palmarès de l'héroïsme officiel.

C'est à la préfecture de Nagasaki aussi que Michiko me fit le récit de ce qui arriva à sa mère, alors qu'elle-même était âgée de neuf ans.

La famille — père, mère et sept frères et sœurs — habitait une maison de bois de deux étages, dans un groupe de quatre demeures du même type et comptant chacune deux pièces par étage. Des quatre habitations, celle-là était la plus proche de l'épicentre, qui se situait à un kilomètre et demi de là. Les Seto — c'était leur nom — devaient déménager ; la malchance voulut que la bombe explosât dix jours trop tôt pour eux, car ils devaient s'installer à la campagne. Michiko et ses sœurs étaient des petites filles heureuses. Si elles n'avaient pas de jouets, du moins passaient-elles des heures à jouer à la ménagère avec la vaisselle que leur prêtait leur mère. Michiko allait à l'école communale ; mais c'étaient les vacances d'été.

Le matin du 9 août, tous les enfants se trouvaient à la maison. Le père faisait des livraisons avec sa voiture à cheval. Après le petit déjeuner — riz et *miso shiru* — la mère dit aux fillettes d'être bien sages pendant qu'elle irait aux champs pour cueillir des aubergines. Elle recommanda à Michiko de ne pas oublier d'allumer le *shichirin*, le réchaud à cuisine mobile, pour son retour, à 11 heures. Mais Michicko jouait si bien avec sa sœur qu'elle mangea la consigne.

— Votre mère vous a grondée à son retour ? demandai-je à Michiko.

Elle me regarda et répondit doucement :

— Elle n'a pas eu le loisir de se mettre en colère.

A 11 h 2, Michiko était dans la maison, le visage tourné vers la véranda, quand elle vit un éclair jaune éblouissant — elle crut d'abord que c'était l'orage. Puis vint une terrible explosion et elle eut la sensation que la maison s'envolait. Elle dut perdre connaissance, car, lorsqu'elle rouvrit les yeux, elle gisait parmi des décombres, sous les supports de bambou et un monceau de tuiles. Elle saignait abondamment d'une profonde entaille au crâne. (L'extraordinaire est que Michiko me racontait cela avec le sourire — mais cela allait changer.)

Ses deux sœurs étaient parvenues à se dégager et, l'entendant appeler au secours, finirent par la sortir aussi de là. Mais la toute petite Itsko, qui avait deux ans, continuait à crier, toujours prise sous les décombres. Personne ne parvenant à la délivrer, les sœurs coururent chercher du renfort et revinrent avec six marins, qui déblayèrent tout ce qu'ils purent. Pourtant, ils restèrent impuissants devant une énorme poutre sous laquelle Itsko demeurait coincée, apparemment indemne.

A cet instant, Michiko vit s'approcher de la maison en ruine une apparition terrifiante : une forme humaine titubante, complètement dépouillée de tout vêtement, entièrement méconnaissable sous ses brûlures. Ce fut uniquement à la voix qui demanda péniblement : « Est-ce que tout va bien ? » que Michiko reconnut sa mère, dont les cheveux étaient entièrement grillés et les bras réduits à l'état de chairs carbonisées, violet foncé. Malgré ses terribles blessures, la malheureuse ne pensa aussitôt qu'à Itsko : « Impossible de soulever cette poutre, lui expliquèrent les marins. Il faudrait la scier. » Et il n'y avait pas de scie. Sur quoi, la mère, rampant sous la poutre, s'arc-bouta et réussit, à la stupéfaction de tous, à la déplacer. Itsko était sauvée !

— Et votre mère ? demandai-je à Michiko.

Le sourire avait disparu de son visage. Elle se mit à sangloter, les yeux baissés vers le sol et essuyant ses larmes avec ses mains. Puis, se ressaisissant, elle me répondit :

— Mon père et mes frères la transportèrent dans un abri où ils l'allongèrent sur le sol. Elle ne cessait pas de crier : « J'ai mal, trop mal ! » Elle souffrait horriblement quand, malgré tout, malgré moi, j'ai fini par m'endormir. Le lendemain matin, à mon réveil, je suis allé tout de suite la voir. Elle était morte... Elle était tout gonflée comme un cochon grillé, acheva Michiko entre ses sanglots.

Voilà ce qu'avait fait de cette courageuse mère « le plus grand événement historique ».

Michiko m'a dit que, lorsqu'elle raconta la mort de sa mère à sa propre fille parvenue à l'adolescence, celle-ci se contenta de lui répondre :

— C'était sûrement une personne pleine de force et de courage, et au cœur extrêmement tendre. Le monde serait meilleur qu'il n'est, s'il y avait plus de gens comme elle.

Le président Truman eût mieux fait de parler du « plus grand des massacres historiques ». N'avait-il pas trouvé la formule du carnage parfait : un seul avion, une seule bombe, cent mille morts ? Et il ne faut pas oublier les enfants et même les petits-enfants des victimes immédiates qui continuent à mourir, jusqu'à ce jour, des séquelles de la bombe.

Oui, la fille de Michiko a raison : il faudrait plus de personnes comme sa grand-mère en ce monde, surtout à la place de ceux qui le mènent et le gouvernent.

Trois jours après la bombe de Nagasaki et (savourons l'atroce ironie du mot) grâce à elle, la Deuxième Guerre mondiale prenait fin.

TROISIÈME PARTIE

11

« *La liberté c'est quand on rentre à la maison et qu'on mange des cerises* »

Ces cinquante millions de victimes, écrasées par le char barbare et monstrueux de la guerre et auxquelles on dressait maintenant des monuments parmi les discours, en jurant en leur nom que la paix, la justice et la liberté régneraient sur le monde, ne suffisaient pas. La Seconde Guerre mondiale portait en elle les graines de futurs conflits qu'y avait laissées le formidable affrontement. Les résistants, les partisans, les insurgés qui avaient lutté contre « l'Ordre nouveau » des puissances de l'Axe, les combattants de la liberté qui s'étaient dressés contre les régimes d'oppression et d'impérialisme, entendaient maintenant installer, par la force s'il le fallait, à leur tour, leurs propres « Ordres nouveaux ». Tandis que les ruines de Hiroshima et de Nagasaki fumaient encore, d'autres incendies, moins formidables, certes, mais d'une violence extrême, s'allumaient ici et là.

La Grèce, entre autres, était déjà en flammes.

La guerre civile y avait éclaté, en fait, dès mars 1944, le jour où les chefs communistes de l'E.L.A.S. (l'Armée de libération nationale du peuple) avaient créé un comité politique face au gouvernement grec en exil. A la suite du retour de celui-ci à Athènes, en août 1944, et après quelques mois de lutte ouverte, la paix semblait restaurée avec la monarchie au début de 1945. Mais, à l'automne de 1946, le général Markos, ralliait les forces communistes et rallumait la guerre civile, terrorisant villes et villages qui avaient accueilli les troupes du gouvernement royal et incendiant, pillant, enlevant des otages.

Des milliers d'enfants grecs se retrouvèrent bientôt orphelins, tandis que des milliers d'autres étaient entraînés dans des Etats communistes voisins.

Les Grecs avaient un terme spécial, *pédomasme*, pour cette forme d'enlèvement, dont l'initiative fut prise lors d'un congrès de la jeunesse balkanique, réuni à Belgrade. Il fut arrêté à ce congrès que tous les enfants de trois à quatorze ans habitant la Grèce « libre » (c'est-à-dire aux mains des rebelles) seraient conduits dans les pays socialistes voisins, qui prendraient soin d'eux. Pas plus les enfants eux-mêmes que les parents n'eurent voix au chapitre en la circonstance. Deux petits garçons partis à la pêche furent ainsi saisis par deux hommes armés qui leur déclarèrent : « Il faut que vous nous suiviez. On vous enverra en Yougoslavie, où vous aurez à manger en abondance, et où vous pourrez apprendre, si vous le voulez, à piloter les avions ou à conduire les autos. » En chemin, les deux enfants parvinrent à s'échapper. Mais tous n'avaient pas cette chance. Que pouvait bien un enfant de trois ans ou sa mère contre un groupe d'hommes armés ? Rien. L'enfant fut arraché aux bras de la mère.

A défaut de chance, c'est en revanche un courage extraordinaire qui caractérise la tragique histoire d'une orpheline de seize ans dont le nom, Félicité, restera sans doute immortel.

Dans une chaumière des montagnes de l'Eurytanie, elle était seule pour veiller sur ses deux jeunes frères. Un soir, entendant dehors des voix d'hommes et devinant ce que cela signifiait, elle réveilla les deux petits garçons, les habilla en hâte et s'enfuit dans la neige. Par les sentiers de chevriers qu'elle connaissait, elle gagna la montagne au-dessus du village. Mais la neige était profonde et, en pleine nuit, pendant des heures, Félicité dut se frayer un passage à travers les congères et les broussailles épineuses, en entraînant les deux petits derrière elle. La neige tachée de son sang marquait son passage. Finalement, toujours mi tirant, mi portant ses frères, elle atteignit un avant-poste de l'armée régulière, à Karpenisi, aux abords duquel des soldats la recueillirent à demi nue. Tout le devant de son corps n'était qu'une plaie ensanglantée. Elle mourut le jour même. Mais ses frères vécurent.

Cent mille enfants d'âge scolaire fuirent les villages montagnards pour échapper à ce mouvement d'évacuation délibérée et se rabattirent sur les villes, où l'on installa des « cités d'enfants » pour les recevoir. Cet exode prit la forme d'une véritable migration vers le sud. Les enfants, portant une étiquette au cou, chantaient en chœur : « A tous ceux qui ne veulent pas de Dieu, du Roi et de la Famille, nous sommes prêts à payer leur billet pour la Bulgarie. »

Un livre (*Souvenirs de la Grèce montagnarde en guerre, 1944-49,* de Kenneth Matthews) décrit l'autre face de ce phénomène, à l'occasion de la visite d'un foyer d'enfants à Plovdiv, en Bulgarie. Matthews y trouva cent soixante-dix enfants grecs qui chantaient : « Nous portons le coup de grâce au fascisme. Nous marchons vers la civilisation. » Seule, Stathoula, une petite fille de quatre ans, ne chantait pas avec les autres. Elle pleurait sans arrêt en réclamant sa mère, restée en Grèce. A la question : « Pourquoi aimez-vous le général Markos ? » le chœur enfantin répondait : « Parce qu'il nous donne la liberté. — Et qu'est-ce que la liberté ? » A cette seconde question la voix claire d'une petite fille fit écho en lançant innocemment : « C'est quand on rentre à la maison et qu'on mange des cerises. »

A l'autre bout du monde, mais dans le même temps, en Chine, l'hostilité, proche de la guerre civile, entre communistes et nationalistes avait fait momentanément place à un front uni, si précaire fût-il, contre l'envahisseur japonais. Mais avec la fin de la Deuxième Guerre mondiale et la défaite du Japon, la guerre fratricide éclata en 1946 entre les deux factions.

L'Armée rouge communiste comptait dans ses rangs les Jeunes Avant-gardistes, tous garçons de douze à dix-sept ans, surnommés « les Petits Diables rouges ». Formés et disciplinés par la Ligue des jeunes communistes, ils recevaient une instruction obligatoire : lecture, écriture, arithmétique, athlétisme et politique. Edgar Snow, dans son livre sur la Chine, a tracé de l'un d'eux ce portrait (il s'agissait d'un adolescent de quinze ans, au teint rose et aux yeux vivants, qui était clairon). Il portait des chaussures de tennis, un short gris, une casquette grise fanée, à l'étoile rouge. Sa famille vivait près de Chang-Tchéou dans la province de Fou-Kien (Chine du Sud), ne possédait pas de terre et était très pauvre. En été, le jeune garçon coupait du bois dans la montagne ; l'hiver, il allait y écorcer des arbres. De ces écorces, la famille faisait de la soupe, faute d'autre nourriture. A l'entrée de l'Armée rouge à Chang-Tchéou, il s'engagea. Il put manger à sa faim et s'asseoir sur un banc d'école et, quand l'Armée rouge chassa de son village les gros propriétaires terriens, les usuriers et les fonctionnaires, pour distribuer la terre et en donner entre autres à ses parents, il déborda d'amour pour elle.

La plupart des Petits Diables rouges avaient des uniformes trop grands dont les manches leur pendaient jusqu'aux genoux, avec des capotes qui traînaient par terre. Ils remplissaient toutes sortes de fonctions : ordonnances, serveurs de mess, clairons, radios, porteurs d'eau, espions. Beaucoup s'étaient battus et avaient chargé à la baïonnette. Malheureusement, ils étaient encore si petits et si légers que, souvent, les soldats ennemis se contentaient d'empoigner la baïonnette et de les traîner ainsi jusqu'à une tranchée. Deux cents d'entre eux, faits prisonniers, croupirent dans la crasse d'une geôle de Sian-Fu, où ils témoignèrent d'un courage stupéfiant.

L'un de ces Petits Diables (douze ans) avait été vendu tout jeune à un boutiquier d'une ville du Chan-Si ; il avait un visage d'angelot et on l'appelait « le bébé du Chan-Si ». Il s'était enrôlé parce que, disait-il, « l'Armée rouge se battait pour les pauvres ». Un autre (quatorze ans), qui apprenait la radio, s'était enfui d'une fabrique de Changhai où il était apprenti. Il ne regrettait pas Changhai, parce qu'il n'avait d'autre amusement, là-bas, que de regarder dans les vitrines les bonnes choses à manger, qu'il ne pourrait jamais se payer.

Le commandant de leur brigade était un garçon de onze ans, toujours souriant : Chu Ling-Wei, « le petit Colonel rouge ». L'esprit de ses hommes était superbe. Ils étaient gais, durs au travail, héroïques.

Aux yeux d'Edgar Snow, ils étaient sans conteste une garantie d'avenir pour la Chine, déchirée qu'elle était alors par la guerre civile. Selon lui, ils offraient la preuve que « le désespoir d'une nation se mesure à celui de sa jeunesse ».

Non loin de la Chine, cette fois, et toujours dans le même temps — l'immédiate après-guerre — la Grande-Bretagne, après avoir largement contribué à la défaite de l'impérialisme japonais, s'employait maintenant au démembrement de son propre empire.

En Inde, elle s'apprêtait à remettre le pouvoir, qu'elle détenait depuis près de deux siècles, aux mains de deux Etats souverains : l'Inde proprement dite et le Pakistan. Mais ce processus allait s'accompagner d'un conflit féroce entre les communautés hindoue et musulmane, qui, dans l'ensemble, jusqu'alors, avaient vécu en paix.

En août 1946, un an avant l'indépendance, il y eut soudain, à Calcutta, une orgie de tueries, qui gagna Noakhali, au Bengale oriental. Devant les *goondas* (voyous) musulmans, les hindous de Calcutta fuirent vers l'ouest, poursuivis par des tueurs assoiffés de sang, en une cohue terrorisée de femmes serrant contre elles un bébé et d'hommes qui, souvent, dans la panique, avaient abandonné derrière eux femme et enfants. La fureur du carnage s'étendit au Bihar. Là, au cours de « la journée de Noakhali », ce furent les hindous qui se vengèrent des musulmans, en égorgeant ou en brûlant vifs plus de sept mille, et taillant en pièces mères et enfants. A Paigambarpar, une femme vit son petit enfant tranché en deux ; une autre donna tout ce qu'elle possédait en échange de la vie des siens : les assassins prirent l'argent et les bijoux, puis tuèrent les deux petits. Des bébés furent égorgés sur les genoux de leur mère. Dans un village proche de Bikatpur, des mères et leurs enfants furent entièrement dévêtus, puis jetés nus dans le feu.

Quelques semaines plus tard, près de Delhi, sur un terrain de foire, des *Jats* (de religion hindoue) assaillirent dans la foule les musulmans, les perçant à coups de lance, les étranglant, éventrant les femmes enceintes et arrachant les enfants encore à naître pour leur écraser la tête, violant les jeunes filles, puis leur disloquant reins et jambes, aux encouragements de leurs épouses.

A l'arrivée du train de Johore en gare de Jullundur, Kanda, un jeune hindou de dix-sept ans, ouvrit des yeux épouvantés devant le spectacle du convoi : il était plein de morts. Kanda m'a raconté que, dans le petit village du Pendjab où il vivait, il assista au défilé interminable des réfugiés déroulant le récit, également interminable, des atrocités musulmanes — bébés enlevés à leur mère et jetés dans les airs sous leurs yeux pour être recueillis au bout des lances ; enfants dont on tranchait les pieds qu'on lançait ensuite, encore chaussés, aux parents.

Visitant ce même Pendjab, le pandit Nehru, le grand chef politique de l'Inde, déclara qu'il avait vu « des êtres humains se comporter de façon qui eût fait honte à une brute sauvage ». Lord Louis Mountbatten, le vice-roi, parla lui-même de cas de sadisme inimaginable, de parents et d'enfants ligotés ensemble, puis arrosés de pétrole que l'on enflammait. Et l'on n'en était qu'à la veille du jour de gloire de cette indépendance dont hindous et musulmans rêvaient depuis si longtemps !

L'indépendance enfin proclamée en août 1947, les massacres continuèrent, surtout au Pendjab. Les officiers britanniques allaient répétant que, même pendant la Deuxième Guerre mondiale, ils n'avaient pas vu de boucheries aussi atroces. L'un d'eux, dans un village qui avait été attaqué par des Sikhs, découvrit quatre nourrissons musulmans encore sur les broches où on les avait rôtis.

D'ailleurs les Sikhs se révélèrent être parmi les tueurs les plus cruels. Dans une rue de Delhi, l'un d'eux arracha de ses mains nues la porte d'une habitation. De la maison sortit en courant une petite fille portant dans ses bras son frère encore dans les langes. D'autres Sikhs se jetèrent sur elle, armés de crosses de hockey, de longs bâtons, de hachettes, de piques et de sabres. Sous les coups elle tomba, s'efforçant encore de protéger de son corps celui de son frère. Les sabres et les haches des Sikhs les taillèrent tous deux en pièces. Puis les assassins s'emparèrent des parents, d'un autre frère de douze ans et d'une sœur et, après les avoir battus comme plâtre et leur avoir tranché les membres, les laissèrent morts sur le terrain.

Les musulmans, de leur côté, n'avaient rien à envier aux Sikhs ni aux hindous sur le plan de la bestialité. Dans un village proche de Sialkot la populace musulmane se lance contre les portes de la demeure de Sardar Pren Singh, un prêteur à gages sikh. Sa femme, certaine du sort qui les attend, s'inonde de pétrole avec ses six filles et, pressant celles-ci de l'imiter, se transforme en torche vivante. Trois des fillettes meurent avec elle. Un sort pire que la mort attendait les survivantes.

Du haut d'un toit, un jeune Sikh de quatorze ans voit aussi d'autres femmes de sa secte s'immoler dans l'incendie avec leurs enfants, plutôt que d'être violées. Elles avaient vu leurs maris traînés dehors et tués. Elles s'étaient alors réfugiées sur le toit d'une maison à laquelle la foule musulmane mit aussitôt le feu. Tandis que la maison brûlait sous elles, les mères sikhs donnèrent une dernière fois le sein à leur bébé, puis elles précipitèrent leurs enfants dans la fournaise et sautèrent à leur suite.

Après la séparation du Pendjab et du Bengale, musulmans et hindous (y compris les Sikhs) se trouvant pris du mauvais côté de la ligne de démarcation, n'eurent qu'une idée : fuir du bon côté. Des trains bondés jusqu'sur le toit des wagons faisaient une navette incessante. Ils constituaient une proie facile pour les bandes de

tueurs des deux camps, et nombreux furent les convois qui n'arrivèrent à bon port qu'avec quelques rares survivants.

Des millions d'autres réfugiés s'enfuirent à pied. Sur des
centaines de kilomètres, par colonnes longues elles-mêmes de
plusieurs kilomètres, ils allaient péniblement, dans la chaleur
torride, desséchés par la soif et l'estomac vide. Des parents qui
n'avaient plus la force de porter leurs enfants les abandonnaient
simplement à la mort au bord de la route. Et l'on vit un petit garçon,
parmi tant d'autres, assis à côté du corps inerte de sa mère, et qui la
secouait par les bras, sans comprendre pourquoi ils ne se tendaient
plus vers lui pour l'étreindre et le porter.

Derrière une de ces colonnes, d'une centaine de milliers de
réfugiés, suivait une camionnette pour ramasser les enfants mourants et les femmes en gésine. Une sage-femme s'y tenait. Le véhicule
s'arrêtait juste le temps de la délivrance pour les femmes. A peine
quelques heures plus tard, la mère et le bébé libéraient cette fruste
maternité pour reprendre la route à pied.

Ainsi vit le jour la première génération d'Indiens libres et de
Pakistanais libres, les uns hindous, les autres musulmans. L'appartenance religieuse était l'unique différence entre eux. Etait-il si
difficile de leur ouvrir la conscience à la réalité autrement plus
profonde de leur communauté humaine ? Mais non, les chefs préféraient attiser la discorde de la différence. Et cela n'a pas discontinué.
Et c'est dans l'âme et dans le cœur des enfants que l'on commence
par souffler sur le feu.

A la même époque, le 29 novembre 1947, l'assemblée générale de
l'O.N.U. vota le partage de la Palestine. Le mandat britannique
devait prendre fin, après vingt-cinq ans d'exercice, le 15 mai 1948.
Mais, suivant presque aussitôt le vote de l'O.N.U., une lutte féroce
s'engagea entre Arabes et Juifs.

Parmi les collines à l'ouest de Jérusalem se trouvait un village
arabe de tailleurs de pierres, portant le nom de Dir Yassin. A 4 h 30
du matin, le 9 avril 1948, il fut assailli par un groupe de l'organisation paramilitaire juive, L'Irgoun Zvai Leumi, aidé d'une unité d'un
autre groupe paramilitaire, le « Groupe Stern » — en tout, cent
trente hommes, se qualifiant eux-mêmes de « combattants de la
liberté ». Ben Gourion, le leader politique juif et le chef de l'organisation officielle de l'Agence juive et de son armée privée, la Haganah,

les qualifiait de son côté de « dissidents ». L'Irgoun, pour sa part, avait à sa tête un homme du nom de Menachem Begin.

Les versions de l'attaque de Dir Yassin varient considérablement. Dans son livre, *la Révolte*, Menachem Begin lui-même explique que Dir Yassin était une position stratégique, que la Haganah, et donc Ben Gourion, étaient au courant de l'attaque projetée, et que, avant le début de celle-ci, les habitants du village avaient été avertis par haut-parleur d'avoir à l'évacuer. Il ajoute que les jeunes hommes de l'Irgoun étaient formés sur la base des lois traditionnelles de la guerre. Il affirme sa conviction que ses officiers et ses hommes « avaient le désir d'éviter toute mort inutile ».

Cela dit, il y a eu des témoins oculaires, tant juifs que britanniques ou appartenant à la Croix-Rouge. Pour commencer, le commandant en chef de la Haganah, David Shaltiel, a fait observer que le plan de Begin n'offrait aucun avantage militaire. S'il en a eu lui-même connaissance, il a exprimé son désaccord au chef du Groupe Stern qui, en revanche, insista sur la nécessité de l'attaque. Quant aux avertissements aux villageois, ce fut seulement après une violente discussion que les chefs de l'Irgoun et du Stern convinrent de les diffuser. Mais ils ne furent pas entendus des habitants de Dir Yassin : l'automitrailleuse équipée avec un haut-parleur versa dans un fossé, à quelque distance des premières maisons et les avertissements se perdirent dans la nuit.

Les récits des témoins oculaires coïncident d'autre part avec les fiches médicales d'un médecin et d'une infirmière à l'hôpital gouvernemental de Jérusalem. Fahimi Zeidan, qui avait alors douze ans, raconta comment, après que toute sa famille eut reçu l'ordre de s'aligner contre un mur, « *Ils* se mirent à tirer sur nous. Je fus atteint au côté, mais la plupart des enfants furent sauvés parce que nous étions cachés derrière nos parents. Les balles touchèrent ma sœur de quatre ans, Kadri, à la tête, mon autre sœur Sameh, qui avait huit ans, à la joue, et mon petit frère Mohammed à la poitrine. » Tous les autres qui se trouvaient contre le mur furent tués : le père et la mère de Fahimi, sa grand-mère, son grand-père, ses oncles et ses tantes, et certains de leurs enfants.

Haleem Eid vit un des hommes de Begin tirer une balle dans le cou de sa sœur Saliyeh, enceinte de neuf mois, puis l'éventrer avec un coutelas de boucher. Une autre femme, Aiesch Radwas, qui voulut dégager le bébé du ventre de Saliyeh, fut tuée net d'une balle.

De dessous le lit où il se cachait, un adolescent, Mohammed Jaber, put voir aussi les hommes de l'Irgoun faire sortir tout le monde, aligner les gens contre un mur, puis les fusiller tous, y compris une femme avec un bébé dans les bras.

136

Le lendemain, le délégué de la Croix-Rouge internationale, Jacques Reynier, escorté par un membre de l'Irgoun, se rendit à Dir Yassin. Il vit des gens armés de mitraillettes, de pistolets, de fusils, de couteaux, courir d'une maison arabe à une autre. « Les corps jonchaient le sol », écrivit-il dans son rapport — les corps de deux cent cinquante-quatre hommes, femmes et enfants, parmi lesquels il vit bouger quelque chose : « un petit pied, encore chaud ». Ce pied appartenait à une fillette de dix ans. L'homme de l'Irgoun expliqua à Reynier : « Nous achevons le nettoyage. »

Le rapport rédigé par Richard Catling, inspecteur général adjoint du service des Enquêtes criminelles de la police de Palestine, signale entre autres : « Il ne fait aucun doute que nombre d'atrocités d'ordre sexuel furent commises... Beaucoup de jeunes écolières furent violées et massacrées... Une fillette était littéralement déchirée en deux... Beaucoup de tout petits enfants furent également tués comme des bêtes... »

Lorsque l'armée juive officielle, la Haganah, reprit le contrôle de Dir Yassin aux « dissidents » de Begin, un de ses chefs, qui commandait la *Gadna*, l'organisation de la jeunesse, décrivit la scène comme étant « d'une barbarie totale ». Les villageois arabes morts étaient, presque sans exception, des vieillards, des femmes et des enfants — « victimes d'une injustice et dont pas un seul n'était mort une arme à la main ».

Dans les quartiers arabes de Jérusalem, des jeeps et des automitrailleuses munies de haut-parleurs avertirent les habitants qu'ils connaîtraient le sort de ceux de Dir Yassin s'ils ne fuyaient pas. Et le fait est que la panique se répandit parmi les Arabes d'*Eretz Israel*. Panique due, à en croire Menachem Begin, non pas à l'événement lui-même, mais aux inventions d'une « propagande mensongère », qui parla d'atrocités juives.

Que dire, pourtant, du témoignage d'une juive américaine, Mme Vester, directrice de l'hôpital pour enfants Anna Spafford, qui recueillit cinquante enfants en bas âge de Dir Yassin. Tandis qu'elle remplissait les fiches des petits rescapés tout en écoutant « les terribles monologues et litanies » des mères, un jeune garçon de six ans environ s'approcha d'elle : « En s'apercevant que je n'étais pas une Arabe, il poussa un cri perçant, demanda : " Est-ce qu'elle fait partie des autres ? " et s'évanouit. » Quelques instants plus tard, son cœur avait cessé de battre.

Quelle que puisse être la différence entre ce qui se passa vraiment à Dir Yassin et les « inventions » dont parle Menachem Begin, on ne saurait contester les conséquences du massacre. Dans

12

Hong Pae
le petit marchand
d'allumettes coréen

A des milliers de kilomètres de la Palestine, la défaite du Japon avait entraîné la libération de la péninsule coréenne, puis sa division, de part et d'autre du 38e parallèle, en Corée du Sud et Corée du Nord, placées sous l'influence respective des Etats-Unis et de l'U.R.S.S. Et l'affrontement entre communisme et capitalisme arriva à son point culminant lorsque, en juin 1950, les forces nord-coréennes envahirent la Corée du Sud et convergèrent sur sa capitale : Séoul.

La première indication qu'eut An Yong Cha (seize ans) de l'offensive nord-coréenne contre Séoul, où elle vivait avec ses parents, trois sœurs et un frère, fut lorsque des soldats sud-coréens passèrent en courant devant la maison en criant que le quartier était dans la zone des combats. Ces soldats battaient en retraite. Mais Yong Cha, malgré le tumulte qui régnait en ville, se rendit comme d'habitude à l'école. Ce fut pour y entendre le professeur dire aux élèves de rentrer chez eux. Et Yong Cha dut bien admettre que tout n'était pas comme à l'ordinaire.

A l'origine, elle avait vécu à Puiong Yang, en Corée du Nord, où son père possédait une savonnerie. Non sans naïveté, elle m'a raconté :

— Il collabora avec les Japonais, le temps qu'ils occupèrent le pays et, comme tout le monde les détestait, il fut chassé en même temps qu'eux.

C'est ainsi que cette Nord-Coréenne en était venue à habiter le Sud et Séoul. Jusqu'à l'offensive de ses compatriotes du Nord, elle avait toujours eu le sentiment d'une existence très stable et très agréable à l'intérieur du cercle familial et avec ses amis. Elle était d'autant plus désolée d'avoir été renvoyée de l'école chez elle à cause de la guerre, ce jour-là, qu'elle était bonne élève et adorait particulièrement la classe de danse : son grand rêve était de devenir une danseuse célèbre. La guerre vint détruire tout cela. Quelques jours après le passage des soldats en déroute, les chars communistes dévalèrent les rues de la capitale et d'autres soldats frappèrent à la porte de la maison en demandant : « Vous n'avez pas vu de fuyards sud-coréens ? » Question qui mettait la famille de Yong Cha dans une situation délicate, car les Nord-Coréens ont un accent très marqué, et Yong Cha, ses parents et ses frères et sœurs étaient terrifiés à la pensée de se trahir ainsi. Son père en particulier évita dès lors de se montrer à la maison, et il ne fit plus que de brèves apparitions.

Bientôt, ils se retrouvèrent sans rien à manger. Ils décidèrent alors d'aller s'installer dans une ferme des abords immédiats de Séoul. La route était jonchée de cadavres. Pour Yong Cha, dont la jeune tête n'était pleine que d'idées de beauté, ce spectacle de désolation était un choc affreux. La danse est un art où le corps entier trouve sa forme d'expression la plus gracieuse et la plus sublime ; à la vue de ces corps inertes et gonflés par la putréfaction, elle fut frappée, me dit-elle, par le fait que « dès l'instant que l'âme l'a quitté, l'être humain n'est plus que laideur ».

Lorsque la famille apprit que les bombes avaient écrasé la demeure de Séoul, tout le monde partit pour Pusan, tout au sud — c'est là que j'ai rencontré Yong Cha.

Là, me dit-elle, eux qui avaient été riches, découvrirent soudain la pauvreté. Yong Cha suivit les cours d'une école de secrétariat et devint excellente dactylographe. Elle obtint une bonne place auprès des services de l'armée américaine. Ce qui, joint au fait qu'ils étaient tous sortis intacts de l'aventure, lui donnait à penser qu'elle était probablement l'une des filles les plus chanceuses de Corée. Pourtant

140

elle était pleine de tristesse. Pourquoi ? Parce que fini tous les grands rêves de beauté. N'en reste plus que le regret de la danse frustrée.

— Et puis aussi, nous autres Coréens, nous aimons la stabilité, la paix et nous sommes terriblement attachés au foyer.

Or, non seulement son travail l'entraînait loin de chez elle, mais bien que la famille ait fini par s'installer à Pusan, Yong Cha gardait la nostalgie de la Corée du Nord.

— C'était un endroit très agréable à vivre. Si le Nord et le Sud pouvaient finir par se réunir, je retournerais tout de suite là-bas. C'est mon vrai pays.

Je lui demandai ce qu'elle pensait du fait d'avoir été chassée de chez elle par des gens de son peuple.

— Oh, me répondit-elle, c'est tout simple : je n'aime pas la politique. C'est elle qui nous a chassés, et non pas les Nord-Coréens, auxquels je me sens toujours attachée par des liens ancestraux très intimes.

Lorsque, à l'été de 1950, les Nord-Coréens prirent Séoul, Chin Sok Yang avait neuf ans. Il était le fils d'une famille bourgeoise comprenant six garçons et une fille, et c'était non pas le père, mais le grand-père qui en était le chef. — « Ainsi que vous le savez peut-être, m'a-t-il dit, en Corée nous avons un système qui consiste à ne pas compter les filles et à compter uniquement les garçons. »

Le père lui-même étant fils unique, autant dire que ses sept enfants étaient littéralement pourris par le grand-père. De leur côté, ils l'adoraient.

Les premiers rapports de Chin avec les communistes ne furent « pas si mauvais que cela ». Les soldats lui lançaient, comme aux autres enfants, des biscuits et des bonbons — « moins bons que ceux des G.I. ensuite, mais, tout de même pas trop mauvais ».

— Autrement dit, vous n'aviez pas peur des soldats communistes ?

— Pas le moins du monde. Jusqu'au jour où ils ont emmené mon grand-père.

Chin était présent ce jour-là. Quatre hommes entrèrent brutalement dans la maison.

— A quoi ressemblaient-ils ? demandai-je.

Et Chin me les décrivit, tels qu'ils s'étaient inscrits dans sa mémoire d'enfant de neuf ans :

— Le genre dur et très sérieux. Vêtus en civil, mais d'une façon tellement particulière qu'ils ne pouvaient être que des membres du parti. Ils portaient des pistolets. Cette fois-là, j'ai eu très peur.

Chin est certain que son grand-père avait été dénoncé, car les quatre hommes descendirent tout droit au sous-sol, où le vieil homme se cachait et d'où ils lui ordonnèrent de sortir.

— L'avez-vous jamais revu ?

— Non, me répondit-il. Ce fut le point final.

Néanmoins, le petit Chin eut d'abord du mal à croire que son grand-père ne reviendrait pas. Mais son anxiété et sa tristesse allèrent croissant avec le temps.

— Une énorme question sans réponse dans ma tête : « Pourquoi ? Qu'avait-il fait pour qu'on nous l'ait arraché comme cela ? » Je suis certain que mes sentiments anticommunistes sont uniquement dus à cette expérience dramatique, qui m'a marqué dès l'enfance.

Dès lors en tout cas, la vie devint très dure pour le petit Chin. L'argent n'avait plus de valeur ; sa mère et sa grand-mère remirent au père tout ce qu'elles avaient de précieux : bijoux, objets, vêtements de soie, et il les troqua au fur et à mesure contre de la nourriture. Les gens qui n'avaient rien à échanger crevaient de faim. Et, finalement, c'est ce qui arriva aussi à Chin et aux siens. Vint le jour où il n'y eut plus rien à troquer et où, pendant que le père était parti désespérément à la recherche de quelque chose à manger, Chin, naguère si bien nourri, éprouva pendant soixante-douze heures les affres de la faim :

— Le premier jour, cela pouvait encore aller. Mais à partir du second, j'avais la sensation que tout mon estomac se froissait et se ratatinait comme une boule de papier. J'ai essayé de boire de l'eau, mais je rendais tout. Le troisième jour, j'ai clairement vu devant mes yeux ce qu'on appelle la mort.

— Et cela vous a fait peur ?

— Non, répondit-il. Je n'avais même plus la force d'avoir peur. Tout cela semblait tellement naturel et inévitable que je savais parfaitement comment cela allait se passer, comment j'atteindrais ce qu'on appelle la mort.

Assis par terre (à la manière orientale) et adossé à un mur, incapable de rien faire, il était là avec le reste de la famille, condamné à attendre le retour du père. C'était, m'a-t-il dit, « quelque chose de puissant » — sans doute voulait-il dire : « d'écrasant ». Il était écrasé de faiblesse, de toute évidence. Car, lorsque je lui demandai : « Vous ne songiez même pas à vous allonger sur le sol, au lieu de rester assis ? », il me répondit :

— Je n'avais vraiment pas la force de déplacer mon corps pour l'étendre dans une position plus confortable.

Il parvint tout juste à se laisser aller de biais et à glisser sur le côté le long du mur, puis à demeurer là, la pointe de l'épaule touchant le sol. Après quoi, cette position devenant intolérable, il arriva à se redresser péniblement pour revenir à la position assise.

Le troisième jour, enfin, la nuit déjà tombée, le père rentra et Chin entendit vaguement sa mère dire : « Pas de nourriture solide pour le petit, mais une bonne petite soupe. » Hélas! le ventre du pauvre Chin ne put même pas garder cela. Quoi qu'il en fût, la famille parvint ensuite tant bien que mal à survivre, quoique l'élément de base de la nourriture — le riz — fût extrêmement rare. On y suppléait autant que possible par un peu d'orge, de blé, de haricots et surtout de maïs.

— Pendant que je vous parle, me dit Chin, le goût et l'odeur du maïs me reviennent et j'en ai la nausée.

Séoul reprise par l'armée américaine, la situation alimentaire s'améliora. On vivait des reliefs de la troupe, m'expliqua Chin. On jetait tout dans une marmite et on faisait bouillir. Le goût était celui d'une soupe de légumes. Je demandai à Chin ce qu'il ressentait, de voir les Américains se gaver à volonté pendant qu'il mourait à demi de faim. Réponse :

— Oh! j'avais bien trop faim pour ressentir autre chose que cela. Mais ce qui est sûr, en tout cas, c'est que je n'étais que trop heureux de pouvoir manger ce qu'ils jetaient aux ordures.

Les soldats lançaient aussi des barres de chewing-gum et des sucreries aux petits Coréens, et Chin se demandait comment les Américains pouvaient bien être assez riches pour distribuer ainsi des choses à pleines poignées dans la rue.

— Je les enviais de pouvoir se permettre cela, voilà tout, m'a-t-il dit.

Sa famille ne quitta jamais Séoul, même au retour des Nord-Coréens. Son père tint le raisonnement suivant : les communistes sont partout; où que nous soyons, ils nous mettront la main dessus s'ils en ont envie; donc, autant ne pas bouger. Ainsi Chin se trouva-t-il mêlé aux combats de rues, juste sous ses fenêtres. Les communistes furent les maîtres du secteur toute une nuit. A l'aube, les forces des Nations Unies eurent le dessus. Pour Chin, ce fut « une expérience assez intéressante ». Assez horrible aussi, car, en sortant ce matin-là, les enfants se trouvèrent nez à nez avec un cadavre.

— C'était, raconte Chin, un corps énorme, gigantesque, gisant là, devant chez nous. Un gros homme, mais fantastiquement gros...

Ce qui signifiait vraisemblablement que le cadavre avait dû

séjourner dans la rue. Les enfants étaient terrifiés et, comme personne ne se souciait d'enlever le cadavre, la mère de Chin, « qui était très religieuse », le recouvrit d'une couverture. Durant la nuit qui suivit, la famille resta blottie et couchée sur le ventre, dans une pièce de la maison, à cause de la fusillade qui continuait.

Le lendemain, quand ils osèrent mettre le nez dehors, le spectacle qui les attendait était encore plus atroce : non seulement on avait volé la couverture qui recouvrait le géant mort, mais on l'avait dépouillé de tous ses vêtements, excepté le gilet de corps et le slip. Chin vit des larmes dans les yeux de sa mère, cependant qu'elle disait en sanglotant : « Comment des hommes peuvent-ils faire une chose pareille à un être humain comme eux ? » Et Chin lui-même, si jeune encore qu'il fût « et ne sachant pas ce que c'était qu'un mort, mais comprenant qu'il y a une différence entre la vie et la mort », partageait, me dit-il, les sentiments de sa mère. Toujours est-il que la vision macabre de ce cadavre — qui était, selon les mots mêmes de Chin, « celui d'un homme blanc par la race » — frappa l'enfant avec infiniment plus de force que celle des corps d'enfants de sa propre race qui jonchaient les ruines des maisons bombardées.

Mais l'expérience vécue de Chin enfant ne se limita pas au spectacle de cadavres. La disparition de son grand-père n'avait été que la première tragédie au sein de la famille. Un de ses frères, qui avait dix-sept ans, quitta la maison un jour, à midi, pour aller voir un ami. Il ne revint jamais : « Il fut sans doute ramassé dans la rue, forcé de monter dans un camion et conduit dans un camp de " formation de base ", comme on appelle ça. Et voilà tout », suppose Chin.

Ensuite, ce fut son petit frère qui « commença une drôle de maladie », cette définition vague signifiant que l'on n'avait plus de médecin sous la main pour porter un diagnostic.

— Il avait l'estomac tout gonflé... comme une baudruche. Avant la guerre, dit Chin, mon grand-père aurait fait l'impossible pour le sauver. Mais maintenant, c'était la guerre et il n'y avait plus de grand-père, plus de docteur, plus rien. Cela me tourmentait plus que tout au monde, poursuit-il pathétiquement, de voir qu'on était ainsi forcé de laisser mourir mon petit frère, sans rien pouvoir faire. Je suis resté près de lui jusqu'à la fin. C'était un de mes préférés. Quand il est mort, j'ai pleuré, pleuré tellement que je ne pouvais plus manger.

Et Dieu sait pourtant que la faim était là : « Nous vivions très pauvrement et nous sautions souvent des repas. Moi, je vendais dans les rues le chewing-gum, les bonbons et les cigarettes que nous jetaient les Américains. » Cela aidait à tuer le temps, mais le profit

144

était maigre. Chin devint donc cireur de chaussures et, un jour, où il astiquait les brodequins de quelques soldats britanniques, ceux-ci le ramenèrent à leur campement et firent de lui leur mascotte.

Ces enfants mascottes — véritables orphelins, ô combien abusés entre tous ! — étaient souvent retrouvés abandonnés, étreignant la photo de quelque brave « Tommy » ou GI qui les avait laissés là lorsque son unité avait été déplacée. Mais Chin eut plus de chance. Les « Tommies » l'avaient surnommé « James » et le sergent, dont il se rappelle le nom : Butler, « était vraiment gentil, très ami avec moi ». Il se rappelle aussi que « tout ce qu'ils recevaient de chez eux par le courrier, les gâteaux par exemple, ils me le donnaient ». Et chaque fois qu'il voulait aller voir ses parents, les soldats s'arrangeaient toujours pour trouver un véhicule de l'armée qui le déposerait et le reprendrait en passant.

— Pouvez-vous m'expliquer, demandai-je à Chin, pourquoi les soldats, en général si gentils pour les enfants, sont également capables de les tuer sans pitié ?

— Pour commencer, permettez-moi de vous dire, répondit-il après un long moment de réflexion, que les enfants sont une joie pour moi et que je ne puis m'empêcher de les aimer, bien que je n'en aie pas moi-même. Je ne puis fonder ma réponse à votre question que sur ma propre expérience, d'enfant moi-même d'abord, puis de délégué à la liberté surveillée des jeunes délinquants. Je ne crois pas que les soldats aient véritablement l'envie ou l'intention de tuer les enfants. En temps de guerre, ceux-ci sont victimes des circonstances. Je songe à ce fameux et tragique massacre commis par des soldats américains dans un village vietnamien. Et y songeant, je me demande : si ces soldats avaient été sains d'esprit et avaient eu toute leur raison à ce moment-là, auraient-ils été capables de massacrer ces enfants ? De tuer les adultes, oui, peut-être. Car, face à une situation qui pose une question de vie ou de mort, le soldat n'a qu'une pensée : si je ne te tue pas le premier, c'est toi qui me tueras. Mais cela ne s'applique pas aux enfants. Les hommes en question devaient avoir perdu la tête, pour une raison ou pour une autre.

— Et les bombardements aériens au hasard ? Croyez-vous que ce soit là un fait de guerre justifiable ?

— Oui et non, répliqua Chin sans se troubler. Le cas, est le même que le précédent, pour moi. Les bombardiers ne visent pas spécialement les enfants ; ceux-ci sont toujours victimes des circonstances, chaque fois qu'éclate un conflit. D'après ce que j'ai pu voir pendant la guerre de Corée, les envahisseurs de ce pays étaient prêts à sacrifier des vies d'enfants s'il le fallait pour gagner *leur* guerre et satisfaire leur *ego*.

145

En août 1950, l'armée nord-coréenne s'empara, entre autres, du port de Samtcheon-Po dans le sud-ouest du pays. L'un des nombreux restaurants du port était tenu par un certain Si-Hong et, grâce à sa proximité du quai, était toujours bondé. Si-Hong et sa femme formaient un jeune couple heureux, ayant deux petites filles. Yung-Soon, six ans, Yeong-Ee, deux ans, et un petit garçon de quatre ans, Yeong-Kap. Leur commerce marchait si fort qu'ils ne prenaient jamais de congé : leur restaurant était toute leur vie, et Si-Hong mettait de l'argent de côté.

La guerre allait ruiner le bonheur durement gagné de cette petite famille. Lorsque je les ai rencontrés à Pusan, Si-Hong et Yung-Soon m'ont raconté comment. Si-Hong est aujourd'hui un homme mince, beau, de cinquante-neuf ans, et qui parvient à garder un air d'élégance malgré un bras atrocement déformé qu'il ne tente nullement de cacher. Une longue et laide cicatrice bleuâtre court tout le long de l'avant-bras, jusqu'à la main qui dessine un angle droit, rigide, par rapport au poignet. Il me tendit cette sorte de griffe difforme avec tant de naturel que je la serrai sans même y penser. Sa fille, Yung-Soon, petite et douce, parlait de leur malheur avec la même simplicité désarmante que son père.

Quand le port tomba aux mains des Nord-Coréens, Si-Hong s'enfuit avec toute sa famille et beaucoup d'autres jusqu'à une plage, à cinq kilomètres de là. Yung-Soon, serrant dans ses petites mains un sac de vivres, était junchée sur les épaules de son père, qui portait aussi sous un bras la petite Yeong-Ee, tandis que la mère s'était chargée du garçon, Yeong-Kap. Pourquoi fuir les communistes ? demandai-je à Si-Hong. Il me répondit que c'était par crainte pure ; le bruit s'était répandu que, lorsqu'ils s'emparaient d'une ville, il y avait de nombreuses exécutions.

Yung-Soon se rappelle parfaitement que, si jeune qu'elle fût, elle aussi avait très peur, mais que, sitôt la plage atteinte, cette peur s'en alla. En fait, elle s'amusa beaucoup, même si, durant la journée, la famille devait se cacher parmi les rochers. Yung-Soon n'en trouvait pas moins le temps de jouer dans le sable et, la nuit, tout le monde dormait à la belle étoile. Le jour, il faisait très chaud et il n'y avait pas d'ombre, mais sa seule inquiétude était les communistes.

Pour ses parents, les deux semaines qu'ils passèrent à camper sur la plage furent loin d'être insouciantes. La nourriture était rare. La mère devait aller ramasser dans les collines des feuilles et des racines, que l'on faisait bouillir. Le père, malgré les bombardements continuels, se faufilait jusqu'à la ville, au petit matin, pour en rapporter ce qu'il pouvait. Mais, au bout de quinze jours, la pénurie fut totale, et Si-Song décida de gagner le village de montagne de Seokae-Ri, où il avait de la parenté. Cela signifiait dix kilomètres de pente abrupte à gravir, père et mère portant les enfants. En chemin, il fallait constamment se mettre à l'abri, à la fois des blindés communistes, à couvert dans les bois, et des bombardiers américains, friands des blindés. Yung-Soon se rappelle comme la terre tremblait sous les bombes et comme le souffle déracinait presque les arbres.

Un jour où ils étaient tous blottis parmi les broussailles, un éclat s'enfonça dans le bras de Si-Hong. Le tourniquet qu'il confectionna avec un lambeau de chemise ne servit à rien ; mais un second, fait avec sa ceinture, parvint à arrêter la terrible hémorragie, et Si-Hong se contraignit à reprendre péniblement la marche, jusqu'à ce que, à mi-chemin du village, il s'effondrât. Pauvre Si-Hong ! Lui, le chef de famille, était maintenant trop faible pour conduire les siens à l'abri. Il envoya sa femme avec Yeong-Ee, la toute petite, tandis que, avec Yung-Soon et son frère, il attendrait du secours. Au bout d'une heure, la mère revint avec de l'aide et l'on soutint Si-Hong tout le reste du chemin. Au village, sans rien d'autre qu'une boîte de baume, le bras guérit, pour prendre la forme grotesque qu'il garderait.

Deux mois plus tard, Si-Hong retourna seul à Samtcheon-Po, repris aux Nord-Coréens. Il alla droit à son restaurant, et ne trouva que ruines calcinées. Il s'installa sous une tente parmi ces ruines, et se débrouilla pour faire plus ou moins le commerce du grain. Mais il ne gagnait pas assez d'argent pour faire vivre sa famille restée dans les montagnes, de sorte qu'ils partirent tous pour Pusan, la grande ville. Là, un moine qui dirigeait un monastère bouddhiste les prit en pitié et leur offrit asile dans une resserre, où ils vécurent six mois. Mais Si-Hong était si pauvre que le riz était un luxe trop grand : il ne pouvait nourrir sa famille que de brouet clair. Les enfants commencèrent à dépérir. La petite Yung-Soon, qui avait maintenant sept ans, allait tous les jours sur le port pour y recueillir les quelques grains de riz tombés des sacs déchargés des cargos :

— La vie était très dure, me dit-elle. Non contente de glaner ce que je pouvais sur le port, j'allais aussi dans les champs ; pour y cueillir des feuilles de chou, et je mendiais également dans les rues.

Soudain très émue, elle baissa la tête en parlant, comme sur le point de pleurer, puis la releva et sourit en me priant de l'excuser : le souvenir lui faisait mal.

Elle était si jeune encore que les gens s'apitoyaient sur elle et se montraient pleins de bonté. Elle n'éprouvait jamais la moindre honte à mendier : il ne restait que cela à faire, à cause de la faim. Dans la resserre, sa mère faisait cuire des gâteaux de farine de maïs, que la petite allaït vendre en ville, un plateau sur la tête : huit kilomètres aller et retour pour une enfant de sept ans ! Yung-Soon m'a dit l'étrange impression que cela lui faisait de vendre à d'autres toute cette nourriture, pendant que son petit frère, sa sœur et elle devaient se contenter de soupe claire. Comme je lui demandais si elle était consciente, à l'époque, du contraste entre leur ancienne vie heureuse et la misère du présent, elle répliqua :

— Oh ! le souvenir des jours heureux s'effaçait devant le terrible besoin de survivre.

Malgré tous les efforts et les restes de galettes de maïs donnés aux enfants, la faim gagnait et commença à dévorer la petite famille. Yeong-Ee, la toute petite, mourut la première. Yung-Soon était à son chevet :

— Elle n'a pas trop souffert, me confia-t-elle.

Il en alla autrement avec Yeong-Kap, le petit frère. Si-Hong resta près de son fils mourant jusqu'au moment où il ne put plus supporter de le voir souffrir. Alors, il quitta la maison et ne revint qu'après avoir appris sa mort. Yung-Soon veilla son frère pendant des jours, tandis qu'il gisait, le corps couvert de plaies qu'il grattait, si bien que sa mère devait lui attacher les mains.

— Il a enduré un martyre atroce, me dit Yung-Soon, éclatant en pleurs à ce souvenir. Après la mort de mon frère et de ma sœur, poursuivit-elle au bout d'un moment, j'avais l'impression que le monde était vide, et tout cela me semblait, et continue à me sembler, effroyablement injuste pour ma famille, naguère si heureuse, puis accablée de tant de malheurs.

J'ai demandé à Si-Hong ce qu'il pensait des hommes qui avaient apporté toutes ces souffrances à sa famille et à lui.

— Ma foi, répondit-il, quand je pense à mes deux enfants morts et à l'autre qui est né ensuite, et qui a eu de son côté une moitié de main emportée par un objet ramassé pendant la guerre ; quand je regarde mon propre bras et que je songe à tout ce qu'ont souffert les miens, je crois que je ne pourrai jamais pardonner aux responsables. Sans eux, avec des milliers d'autres je vivrais encore heureux dans ma maison.

Quand j'ai demandé à Yung-Soon si, à son avis, le monde se trouverait mieux d'être dirigé par des femmes, pour la première fois elle a ri :

— Je ne saurais dire, car en Orient ce sont les hommes qui dirigent tout et les femmes ne comptent absolument pas. Mais si les

148

hommes et les femmes parvenaient un jour à se mettre d'accord pour mener ensemble notre monde, alors peut-être serait-il un peu meilleur.

Pour Yung-Soon, la lutte n'est pas finie. Sans la guerre entre les deux Corée, dit-elle, elle aurait eu une éducation normale. Telle quelle, elle n'est jamais allée à l'école. Elle a épousé un camionneur, brave homme, et ils ont eu cinq enfants. Mais il est tombé malade et est mort. Depuis, elle travaille en usine. Veuve, elle n'en est pas moins résolue à donner à ses enfants la nourriture et l'instruction qui lui ont si terriblement manqué. Elle gagne à peine trois cents francs par mois, heures supplémentaires comprises. Elle est prête à travailler plus dur encore, pourvu qu'on la paye.

— Je veux vouer ma vie entière à mes enfants, m'a déclaré cette courageuse femme.

A ce qu'elle m'a dit, ils ignorent encore tout ce qu'elle a souffert ; s'ils le savent un jour, cela leur fera-t-il quelque chose ? Oui, peut-être ; ou peut-être pas. Car la logique irréfutable de tout enfant veut que ce soient ses parents et non lui qui portent la responsabilité de sa naissance. Quant à Yung-Soon, le seul reproche qu'elle fasse à son père est qu'il rabâche tout le temps à ses amis les histoires de l'époque où il la portait sur ses épaules, au cours de leur fuite éperdue vers la plage, puis dans les montagnes. Car Yung-Soon, elle, n'a qu'un désir : oublier.

Infiniment plus nombreux que les envahisseurs du Nord, il y avait les réfugiés. Au bout de trois ans de guerre, ils étaient au total quelque quatre millions !

Au cours de l'exode, des milliers d'enfants perdirent leurs parents qui, souvent, ne se donnaient même pas la peine de les rechercher — quand ils ne les avaient pas tout simplement abandonnés volontairement : à Pusan, on en ramassait en moyenne quatre par nuit.

Yi Hong Pae était l'un de ces réfugiés nord-coréens. A Pusan, dans le Sud, jusque très tard dans la nuit, il m'a conté son histoire. Il vivait à Sinuiju, près de l'embouchure du fleuve Yalu, dans le Nord, avec sa mère et ses grands-parents. Son père était dans les affaires à Pékin et ne revenait à la maison que deux fois par an. En 1941, juste après la naissance d'un second garçon, sa mère mourut. Hong Pae avait alors sept ans, et ce furent les grands-parents qui les élevèrent, son petit frère et lui. Ce fut aussi à ce moment-là que Hong Pae éprouva le grand désir de voir son père — mieux, d'être avec lui.

Quand, en 1947, le père revint s'installer en Corée du Sud, à Séoul, il fit passer un message aux grands-parents pour les prier de lui envoyer les deux enfants. Les grands-parents refusèrent d'y satisfaire entièrement : ils laissèrent partir Hong Pae, mais gardèrent son frère. Par la suite, Hong Pae devait apprendre que c'était la tradition pour le chef de famille (en l'occurrence son grand-père) de garder l'un des fils pour que la succession fût assurée. Mais, sur le moment, Hong Pae fut tout triste et lui en voulut de le séparer de son petit frère qu'il adorait. Le départ donna lieu à une scène à fendre le cœur. Les grands-parents étaient en larmes, mais Hong Pae n'eut même pas le droit d'embrasser une dernière fois son frère qui dormait.

La Corée du Nord étant sous contrôle communiste, il dut partir clandestinement, accompagné d'un de ses oncles. Ils atteignirent sans encombre Haeju, non loin du fameux 38e parallèle ; mais, là, un officier de police monta dans le train et ordonna à l'oncle et à quelques autres voyageurs de le suivre. Hong Pae suivit aussi. Ils parvinrent à un pont, et l'oncle fit au neveu un clin d'œil comme pour dire : « Attends-moi ici, je reviens tout de suite. » Hong Pae attendit donc, dans une anxiété croissante au fur et à mesure des heures. A un moment, pour tuer l'attente, il alla faire un tour en ville. Passant devant une boutique, il vit des femmes soldats russes qui, par signes, essayaient d'indiquer ce qu'elles voulaient acheter. Une petite foule s'était agglutinée autour d'elles, et une de ces femmes, fatiguée, finit par se percher sur un haut tabouret. Hong Pae rit encore au souvenir : « D'où j'étais, m'a-t-il dit, je pouvais voir qu'elle ne portait rien du tout sous sa jupe. » Malgré cette diversion qui lui fit oublier un instant son anxiété, au bout de cinq heures, le désespoir le prit. Enfin, l'oncle réapparut, indemne.

Le problème suivant était de trouver un bateau pour traverser le 38e parallèle. Au bord de l'eau, l'oncle passa marché avec un pêcheur. Ils se cachèrent pendant deux jours chez cet homme — l'oncle n'avait aucune envie d'avoir encore maille à partir avec la police ou quoi que ce soit d'autre. Incidemment, il apparut manifestement à Hong Pae que beaucoup d'autres Nord-Coréens cherchaient à s'évader ; mais ils n'osaient pas se parler entre eux, de peur d'une trahison. Finalement, le neveu et l'oncle mirent à la voile à bord du bateau de pêche (un neuf mètres). Des heures durant, ils tournèrent ici et là, le pêcheur expliquant que les gardes-côtes l'avaient sûrement à l'œil et qu'il lui fallait faire semblant de pêcher. Ce ne fut que

150

la nuit tombée qu'il mirent le cap sur la côte sud-coréenne, pour accoster à un village, de pêcheurs aussi.

La police enferma les deux évadés dans un camp de réfugiés, parmi des dizaines de milliers d'autres. Après bien des jours, Hong Pae retrouva son père à Séoul. Il y avait trois ans qu'ils ne s'étaient vus et ils tombèrent dans les bras l'un de l'autre. Mais, tout de suite, Hong Pae s'aperçut que sa « nouvelle mère » (son père s'était remarié) s'interposait entre eux. Il se sentit bientôt tout seul, déprimé, avec un seul désir : retourner en Corée du Nord, vers la tendresse de ses grands-parents et vers son petit frère qu'il adorait.

Les choses allèrent de mal en pis : le père fit faillite et en fut réduit, pour nourrir sa famille, à aller faire la queue chaque jour pour toucher la ration gratuite accordée par le gouvernement militaire : deux ou trois livres de farine, du sucre, des bonbons, et voilà tout. Ni viande, ni poisson, ni œufs. Il finit par divorcer d'avec sa seconde femme, puis tomba malade. Faute d'argent pour payer le médecin, il s'en fut vivre chez un ami, dans l'espoir de se remettre. Des mois plus tard, Hong Pae devait apprendre sa mort.

En attendant, l'enfant devenu adolescent (seize ans), était livré à lui-même. Il entreprit de vendre des journaux. C'était dur, pendant de longues heures, et il gagnait à peine de quoi s'offrir deux maigres repas par jour. Alors, il se mit à vendre des produits de beauté, ce qui l'entraîna à faire la tournée des cafés et des boîtes de nuit, et la connaissance des entraîneuses.

— N'allez pas vous figurer que je m'amusais le moins du monde. Je n'avais qu'une idée : survivre. Je ne pensais pas aux filles.

En mai 1950, juste à la veille de la guerre, Hong Pae n'avait pas de quoi louer une chambre. Sans endroit où dormir, une nuit, il poussa jusqu'à l'église presbytérienne de Séoul. Les paroissiens aidaient tous à la restauration de l'église. Il se joignit à eux. Après les prières, il s'approcha du pasteur et lui dit : « Je ne sais pas où dormir. » Le pasteur l'envoya à un orphelinat. Tout sauvé qu'il était, Hong Pae ne s'en trouvait que plus misérable et n'en éprouvait que plus le mal du pays.

Séoul ne tarda pas à tomber aux mains des Nord-Coréens, et la directrice de l'orphelinat fut remplacée par un commissaire communiste, qui convoqua devant lui les « grands », dont Hong Pae, pour leur expliquer qu'il comptait sur leur aide ; en échange de quoi, il leur dit de passer au bureau de l'administration où on leur remit des sacs de riz. Affamé qu'il était, Hong Pae se souciait assez peu de se convertir au communisme du jour au lendemain. D'ailleurs, il ne resta pas longtemps communiste : quelques mois plus tard, les

Américains reprenaient Séoul avec les forces sud-coréennes, le commissaire disparut de l'horizon et la directrice reprit sa place.

Cette femme supplia Hong Pae de rester : « Tu fais de l'excellent travail », lui déclara-t-elle, ce qui lui remonta le moral, sans pourtant atténuer son sentiment de solitude. Son père lui manquait ; son frère encore plus. Il brûlait de retourner auprès de ce dernier et de la maison de Sinuiju. D'esprit aventureux, il avait suivi les soldats américains pendant les combats pour reprendre Séoul, et vu tomber beaucoup d'entre eux. Maintenant, plutôt que de rester à l'orphelinat, il décida de les suivre dans leur marche vers le nord, avec l'espoir de rentrer chez lui.

— Seulement, ça n'a pas marché, dit-il.

L'offensive américaine ralentit : l'hiver arrivait. La nourriture comme le logement devinrent difficiles à trouver. Hong Pae cessa donc de suivre la troupe, regagna Séoul et se métamorphosa en commerçant. Cette fois, il s'occupa d'allumettes — il avait entendu dire que, dans les campagnes, c'était une excellente monnaie d'échange contre du riz. Et c'est ainsi que, avec vingt boîtes d'allumettes enveloppées dans un bout de toile, il sauta dans un train de marchandises en marche, qui le conduisit de Séoul à Cho Chi Won, deux cents kilomètres plus loin. De là, il fit encore à pied quarante kilomètres, jusqu'à un petit village. Aussitôt, problème : avec son accent nord-coréen, il avait beaucoup de mal à se faire comprendre. Cependant, les villageois se montrèrent gentils, l'acceptèrent et répandirent la nouvelle qu'il y avait des allumettes à vendre.

A la fin du jour suivant, Hong Pae avait troqué ses vingt boîtes d'allumettes contre soixante kilos de riz. Chargeant le lourd sac sur son dos, il refit à pied les quarante kilomètres jusqu'à Cho Chi Won — douze heures d'un trajet dangereux, car bon nombre de bandits de grands chemins sud-coréens et de partisans nord-coréens auraient été ravis de mettre la main sur son riz. Mais Hong Pae s'en tira sain et sauf, et, parvenu à Cho Chi Won, vendit son riz.

— Vous avez fait une bonne affaire ?

— Et comment ! me répliqua-t-il avec un large sourire.

De Cho Chi Won, il rentra à Séoul, racheta vingt boîtes d'allumettes et recommença toute l'opération. Deux fois de suite. Il ne faut pas oublier qu'il n'avait que seize ans.

C'était maintenant novembre 1950, et Hong Pae s'efforçait désespérément de trouver du travail. Mais il n'y avait pas d'emplois. En décembre, toutes ses économies y étaient passées. Il était devenu une épave — et les Américains battaient en retraite. Il se rendit au bureau américain de la circulation ferroviaire et demanda l'autorisation de suivre l'armée dans son repli. Pas question, répondit un sergent en lui faisant cadeau d'une boîte de conserve et en lui souhaitant bonne chance.

Trois jours plus tard, les Nord-Coréens entraient à Séoul une fois de plus. Mais Hong Pae fuyait déjà avec des milliers d'autres vers le sud-est et Taegu, par le train.

De Taegu, il continua à pied, revenant sur ses pas pour rejoindre les Américains. Il marcha toute une semaine. Février était là, avec un froid cruel : − 10°. Il parvint à survivre en se nourrissant de racines et d'eau. Une nuit, il arriva à une ferme déserte, alluma un feu de brindilles et dormit, dormit... Puis il marcha toute une autre semaine et rallia enfin le front, à Yang Suri. A demi mort de faim, il se présenta à une unité de l'armée. Un sergent lui donna à manger. Hong Pae lui expliqua qu'il était à bout de tout, ressources et forces : « J'ai besoin de travail », dit-il. Quand le sergent lui répondit : « O.K. », il faillit fondre en larmes. Il se récura — quinze jours de crasse ! — et échangea ses loques contre un treillis de l'armée que lui tendit le sergent. Puis il travailla aux cuisines, comme aide.

— A partir de ce moment-là, dit-il, j'ai commencé à m'épanouir comme une fleur. La vie a pris les couleurs de la santé et le moral a remonté.

Depuis, ce garçon d'une résistance et d'une volonté incroyables n'a pas cessé de travailler chez les Américains. Le malheureux orphelin qui avait enduré la solitude totale, le danger, la crasse, la misère, était, quand je lui ai parlé, impeccablement vêtu, chemise blanche à impressions jaunes et noires, pantalon au pli rectiligne. Je lui ai demandé s'il regrettait d'avoir subi tant d'épreuves et de souffrances :

— Pas le moins du monde, m'a-t-il répondu. La route a été dure, mais aujourd'hui ça va très bien.

— Et vous ne gardez pas de rancœur pour les hommes qui vous ont causé ces souffrances ?

— En Corée, nous avons un proverbe, qui dit, en gros, que les épreuves sont nécessaires à la jeunesse, car, alors, elles ne coûtent rien. Plus on vieillit, plus elles coûtent cher à l'homme.

Il ajouta que, lorsque ses enfants, un garçon et une fille, seront assez grands pour comprendre, il n'hésitera pas à les exposer aux duretés de la vie, tout en les gardant sous son aile protectrice. Mais les faire souffrir délibérément, non — personne, m'a-t-il déclaré avec force, n'a le droit de faire souffrir un enfant.

Il n'en reste pas moins que Hong Pae et son jeune frère, autrefois si étroitement proches, sont à présent séparés par l'abime infranchissable de la ligne imaginaire et de l'opposition idéologique qui coupent la Corée en deux, dressant le Nord contre le Sud, et selon lesquelles Hong Pae est un capitaliste, tandis que son frère est un communiste.

13

Quand « le vent du changement » devient tempête et déracine les jeunes roseaux

Au cours d'un tour du monde en voiture que j'avais entrepris il y a une vingtaine d'années, je passai par Bogota, capitale de la Colombie. Et dans cette ville on me mit en garde contre *la Violencia* qui, depuis une décennie, tachait de sang le visage charmant du pays. Surtout, m'avertissait-on, pas de voyage de nuit et, le jour, attention et prudence !

La raison fondamentale de l'effusion de sang et du brigandage constants était la rivalité entre *conservadores* et *liberales*. Pourtant, si l'on s'enquérait de leurs buts respectifs, la réponse laissait confondu : ils étaient identiques ou peu s'en fallait. Pris dans le contexte local, les rivaux demeuraient amis ; dans un contexte plus large, ils s'entretuaient de la façon la plus bestiale du monde.

Quand en 1971, deux cents *bandoleros* libéraux, conduits par Tulio Bautista, firent leur entrée dans un village perdu des Andes, San Pedro de Jagua, le chef des libéraux locaux, Carlos Londoño,

155

réclama lui-même grâce pour ses amis conservateurs. Les trois jeunes garçons d'un certain Francisco Luiz avaient été traînés devant Bautista : « Ce sont presque encore des enfants, plaida Londoño. — Ce sont des *godos*, des conservateurs, rétorqua sèchement Bautista. Et ils grandiront ! » On les fusilla donc. Comme un autre jeune garçon sortait d'une maison en brandissant sa carte d'identité et un billet de cinq *pesos*, un *bandolero* l'abattit net, puis, se penchant sur le corps avec un grand sourire, arracha le billet de banque de la main du petit mort.

Cette fois-là, par exception, les *bandoleros* réservèrent leur cruauté à la population mâle. Philip Payne, témoin oculaire de ces incidents, cité par Carl et Shelley Mydans dans leur livre *la Paix violente*, rapporte que, le moment venu de mettre à sac le village, la fille de Bautista, Edelmira, très brune et mince dans ses vêtements masculins, et deux pistolets et le couteau à la ceinture, prit le commandement et veilla à ce qu'aucune femme ou jeune fille ou adolescente de San Pedro ne fût violée, voire molestée — ce qui valut au village une réputation unique et singulière dans les annales du banditisme colombien.

Au Kenya — sur ce continent africain qui semble faire pendant à l'Amérique du Sud et où se levait alors « le vent du changement » — les Mau Mau, ces membres d'une secte secrète de la tribu des Kikouyou, dont la révolte contre les Blancs, possesseurs des meilleures terres, culmina vers la même époque, en 1952, en d'atroces tueries, ne firent, eux, pas de quartier à femmes ni enfants. Les fermes blanches isolées furent attaquées ; les fermiers et leur famille, massacrés, parfois par leurs domestiques.

Les Ruck, couple de jeunes Blancs très aimé de tous, se défendirent désespérément dans leur jardin contre une bande de Mau Mau. L'homme et la femme furent taillés en pièces. De l'intérieur de la ferme, leur fils (six ans) put entendre leurs cris et assister à la boucherie. La suite se reconstitue sans peine. L'enfant se réfugiant dans un coin de sa chambre — celui où on le retrouva — et écoutant, pétrifié, les meurtriers pénétrer dans la maison. Les pas, les voix, les exclamations qui se rapprochent. Puis, la porte qui s'ouvre violemment et de grands hommes tout noirs qui se jettent sur lui. Les lames des sabres et des couteaux qui se lèvent, s'abaissent. La douleur fulgurante qui se multiplie dans la chair —

ultime sensation qu'un petit garçon emporterait de ce monde, après quelques brèves années de tendresse, de bonheur et de jeux..

Mais partout en Afrique le « vent du changement » se levait et commençait à souffler en tempête, en ces années 1950. Quand, en 1956, le Soudan proclama son indépendance, ce fut pour plonger dans dix-sept années de guerre civile : Nord contre Sud. Vers la fin de quoi, le général Joseph Lagu écrivit au pape : *Déjà, plus de cinq cent mille hommes, femmes et enfants ont péri.* Comme si le sang des adultes n'avaient pas suffi à l'horreur, il fallait y ajouter celui des enfants, torturés, égorgés, hachés avec leurs parents ou séparément !

D'après le rapport de la commission qui enquêta à la suite du soulèvement du Sud, les gens du Nord, y compris des enfants, furent « fouettés, écorchés vifs et pendus à des arbres ». Ce genre de phrase, dans le langage du long martyre de notre temps et des siècles passés, est presque la banalité même.

Et pourtant — rapprochez-vous en esprit du lieu de l'exécution : que voyez-vous ? Un jeune garçon, une fille, dont le corps est un printemps de vie, traîné, hurlant de terreur, jusqu'à un poteau auquel on l'attache. Une brute qui lève haut le fouet à lanière de cuir, puis l'abat, le relève, l'abat encore, furieusement, sans relâche. La peau qui éclate et saigne. Puis encore la même brute — à moins que ce ne soit le tour d'une autre — qui saisit un couteau, incise, arrache ce qui reste de peau. Maintenant la chair de l'enfant est à vif ; tout le dos n'est plus qu'une seule et large plaie ; la douleur consume le corps entier, dépasse toute sensation imaginable. Et là-haut, il y a le soleil impitoyable, les vautours qui tournent dans la lumière. L'enfant — ce pourrait être le vôtre, ou un jeune frère, une jeune sœur — est déjà à demi mort, quand on lui passe la corde au cou pendant qu'une autre main lance l'autre bout par-dessus une branche haute. Un instant encore, et le corps mutilé se balance dans la mort, les vautours descendent en spirale...

Oui, votre enfant, l'imaginez-vous à la place de ce corps martyrisé ?

Ou bien mettez-vous à la place du père de cet autre petit Soudanais de six ans. Il assiste, ce père — ou bien est-ce vous ? — au procès d'un sergent qui explique au président du tribunal, le commissaire de district, qu'il a tué le petit par erreur, alors qu'il jouait avec d'autres — il les a pris pour des singes ! Et le commissaire de district se tourne vers vous et dit : « C'est clair comme le jour. Le sergent a tiré sans pouvoir distinguer exactement la cible. » Puis il arrache les galons du sergent et vous dit encore : « Là ! Vous voilà content maintenant ? Je l'ai dégradé. » Et il vous remet un bon de caisse de vingt livres soudanaises en guise de dommages et intérêts...

Le martyre du jeune Etat soudanais peut se résumer dans le massacre du village de Banja. La population était à l'église, en prière, quand un groupe de soldats « nordistes » fit irruption dans l'église. Les paroissiens — dont la moitié était des enfants — furent ligotés aux sièges avec de grosses cordes. Après quoi, l'officier qui commandait la patrouille cria en ricanant : « On va vous fusiller dans votre maison de culte ! Dites à votre Dieu de vous sauver ! »

Et, au nom de la liberté et de l'indépendance, mitraillettes et grenades violèrent l'une des lois reconnues depuis l'aube des temps historiques, même par les civilisations et les tribus les plus barbares : le droit d'asile dans un sanctuaire.

Mais n'est-ce pas aussi au nom de la liberté que, dans ces mêmes années, et dans notre beau XXe siècle « de lumières » et de démocratie, les Russes, en 1956, écrasèrent sous leurs tanks, leurs bazookas et leur mortiers la volonté du peuple hongrois d'avoir un gouvernement libre et de son choix ?

Combien d'adolescents et d'enfants payèrent-ils de leur sang, cette fois encore, le prix de l'illusion la plus chère au cœur de l'homme, et plus encore de l'enfance : le sentiment du bon droit inaliénable de la justice ? Combien d'autres accompagnèrent-ils leurs parents dans l'exil ?

L'exil... Le Tibet prit la suite pour grossir la multitude croissante des réfugiés de ces années troubles et troublées qui firent suite à la Deuxième Guerre mondiale, et au cours desquelles des millions de morts et de persécutés sont venus sans relâche s'ajouter aux cinquante millions de tués dans les combats ou sous les bombes.

Après l'annexion du « Toit du Monde » par la Chine communiste, en 1951, la rancœur des Tibétains contre l'occupant grandit jusqu'au jour où elle se transforma en révolte ouverte, en 1959. Le roi-dieu du Tibet, le dalaï-lama, qui avait vingt-quatre ans, fut invité à lancer son armée contre les rebelles. Il s'y refusa. Sur quoi, le 10 mars 1959, nouvelle invitation des autorités militaires chinoises — cette fois, à une représentation dramatique à leur Q.G. Mais le peuple, soupçonnant le piège, organisa une manifestation monstre pour empêcher le dalaï-lama d'accepter. On se battit dans les rues de Lhassa et le roi-dieu s'enfuit vers les passes des Himalaya, suivi par des milliers de ses sujets.

A Delhi, trois de ceux-ci, tout jeunes à l'époque, et survivants des épreuves de ce terrible exode, m'ont raconté leur histoire : Caisang (il avait alors dix ans), Yuda (neuf ans) et Dashi (treize ans).

Caisang et Dashi sont d'accord sur le fait que les Chinois, à leur entrée au Tibet au début des années 50, étaient la gentillesse et la politesse mêmes :

— Surtout avec les enfants. Ils nous donnaient des friandises, des biscuits et des livres d'images, me dit Dashi.

Et Caisang :

— Tout petit, j'aimais bien leurs soldats. Ils me donnaient des bonbons et venaient souvent bavarder à la maison. Ils se montraient très amicaux — *loshang*, comme ils disaient. Mais mes parents ne les croyaient ni ne les aimaient.

Tous deux devaient s'apercevoir ensuite que leurs parents avaient raison. Caisang se rappelle le jour où un soldat chinois se présenta chez lui et annonça que tous les enfants allaient être envoyés à Pékin, où on leur apprendrait « toutes les bonnes choses », selon ses propres termes. Alors, un soir, « les vieux du village se réunirent pour discuter. De quoi ? Personne ne me le dit, j'étais trop petit, dit Caisang. Mais, quelques jours plus tard, les hommes firent des préparatifs et, le lendemain ou le surlendemain, à la nuit, on nous dit à tous de quitter le village ».

Dashi, lui, vivait dans le sud du Tibet, à Sangakcholing. Ses parents l'avaient envoyé à l'école à Lhassa, la capitale, où il habitait chez un oncle. Trois mois avant le soulèvement général, cet oncle le conduisit dans un monastère perché dans la montagne, à quelque distance de Lhassa. « La guerre semblait très active dans la région, selon Dashi. Un matin, très tôt, le bruit de la fusillade monta de la vallée — des partisans attaquant sans doute la garnison chinoise, en bas. »

— Cela ne vous faisait pas peur, la fusillade ? demandai-je. Vous n'aviez que treize ans, après tout.

— Peur ? Non, pas précisément. Nous étions très haut au-dessus. C'était plutôt excitant.

Ce disant, il rit, imité par ses amis autour de lui. Ce n'était, il est vrai, que le début.

Quant à Yuda (neuf ans alors, je le rappelle), il était sur place lorsqu'éclata la révolte. Il vivait au centre du Tibet, à Dejong, mais sa famille l'avait emmené à Lhassa pour « une grande cérémonie » — ce sont ses mots. C'était le fameux jour où les Chinois avaient dressé leurs plans pour prendre au piège le dalaï-lama.

— Tout le monde se précipita dans les rues pour le protéger, dit Yuda.

— On a tiré ?

— Oui. Les Chinois ont tiré avec beaucoup de canons. On ne voyait pas les canons devant nous. Ils tiraient de loin.

— Sur le palais du dalaï-lama ?

— Oui, sur le palais, avec beaucoup de canons, beaucoup. J'avais très peur. Cela faisait un bruit terrible, et beaucoup de fumée et de poussière.

— Il y a eu beaucoup de victimes ?

— Oui, beaucoup, beaucoup. Partout sur le chemin. Des blessés, des morts et des mourants.

— Vous étiez très jeune, Yuda. Dites-moi encore ce que vous ressentiez.

— J'avais très peur. Si peur que je crois bien avoir perdu connaissance, ou conscience. Je ne me rappelle plus rien.

— Vous avez couru ?

— Oui, je me suis enfui avec mes parents. Beaucoup de Tibétains couraient aussi, beaucoup.

Pauvre petit Yuda... Avant ces événements terribles, il avait connu le bonheur dans la maison de Dejong — une maison de deux étages, en pierre sous son toit d'ardoises. Le père était fermier : il gardait le bétail et les moutons dans la montagne et cultivait le grain, le blé et les pois dans ses champs de la vallée.

— Nous étions à la fois nomades et agriculteurs, me dit Yuda

— On prétendait, avant, que les Tibétains étaient le peuple le plus heureux du monde. C'est vrai ?

— Oui, c'est bien possible. J'étais très heureux.

Il avait d'autres ambitions que de prendre la suite de son père : au fond du cœur, il voulait être moine. Le père était d'accord. Cette vocation à un âge si tendre n'empêchait pas Yuda de s'amuser. Il avait deux frères et deux sœurs, plus jeunes et des tas d'amis.

— Vous étiez sages ?

— Oh, non, pas du tout !

— Quelles sottises faisiez-vous ?

— On courait et on sautait partout. Et parfois on montait à cheval.

— Tout le monde sait monter à cheval, au Tibet ?

160

— Oui. A cheval, on s'amusait comme des fous. On montait sans selle et on faisait la course. Et aussi on nageait dans un étang.

Les canons chinois avaient mis fin à cette vie idyllique, chassant Yuda de son beau pays. La famille laissa tout derrière elle en fuyant. D'abord, ils allèrent à pied. Puis ils trouvèrent des chevaux et prirent le chemin des Himalaya, poursuivis par les Chinois.

— On les voyait, très loin, dit Yuda. Eux aussi nous voyaient, mais ils ne pouvaient pas nous attraper. Nous courions trop vite.

Ils cheminèrent toute une semaine dans les montagnes, jusqu'au Sikkim, et Yuda avait très peur et très faim.

De son côté, Caisang mit une année entière à trouver un asile sûr. Son village — celui où les anciens avaient décidé l'exode général, un soir — s'appelait Akhong et était situé dans le nord-est du Tibet. Il y vivait avec sa famille au grand complet, y compris oncles, tantes, cousins, cousines — vingt personnes au total — dans un parfait bonheur. Le père était marchand de yaks et de chevaux. L'existence était « plutôt nomade », dit Caisang.

En fuyant, ils n'emportèrent rien. A dos de cheval ou de yak, Caisang, ses parents et quatre de ses frères s'enfoncèrent dans les gorges profondes des Himalaya, en évitant les pistes trop familières, par peur des Chinois. Mais ceux-ci, au bout de quatre ou cinq semaines, les rattrapèrent et attaquèrent le campement, fort d'une vingtaine de familles. Ce fut la grande dispersion.

— Je ne savais pas où les miens étaient passés, dit Caisang. Je ne les ai retrouvés que le lendemain, dans un autre village.

Dès lors, pour éviter les Chinois, les femmes et les enfants campèrent en pleine montagne, loin des sentiers battus, tandis que les hommes partaient à la recherche de nourriture. Au cours d'une de ces expéditions, le père de Caisang fut tué.

— Mon cœur en fut plein de tristesse. Aujourd'hui encore, je pense à mon père, qui était la bonté et la douceur mêmes. Jamais il ne s'était battu avec personne.

Pendant douze mois, donc, les fuyards se déplacèrent constamment dans la montagne, grimpant souvent à des altitudes de cinq mille mètres et plus — sans que Caisang en souffrît, car c'était l'altitude à laquelle s'était passée toute son enfance au village. Le grand problème était la nourriture. A ces altitudes, elle manquait ; la faim les torturait, les affaiblissait. Mais camper dans les vallées, c'était se jeter dans la gueule du loup.

Neuf mois après leur départ d'Akhong, un soir, on signala des Chinois se dirigeant vers le campement. La nuit fut tranquille, mais, à l'aube, les Chinois se mirent à tirer.

— Notre chance, dit Caisang, a été que nous étions dans une

161

vallée étroite. Pendant qu'ils tiraient, nous avons escaladé en courant la pente de la montagne, si bien que ce sont les nôtres qui ont fini par avoir l'avantage de la position. Mais les Chinois nous ont poursuivis tout le jour. J'étais en tête, parce que j'étais petit. Les hommes fermaient toujours la marche, pour protéger le troupeau. C'est égal, j'avais très peur d'être pris par les Chinois. C'étaient de bons soldats, très disciplinés.

Enfin, après une année de tribulations sans relâche, ils atteignirent le Népal, puis l'Inde. Ensuite, pour Caisang, ce fut la Norvège ! Avant de revenir en Inde !...

C'est la séparation qu'a représentée le séjour en Norvège qui a le plus pesé sur Caisang. Pourtant, il a bien aimé le climat froid, la neige, les montagnes, qui compensaient un peu le Tibet perdu.

— Mais il n'y a pas de yaks en Norvège ? fis-je observer.

— C'est vrai. D'abord, ils m'ont manqué. Ensuite, je me suis habitué.

A l'en croire, il aurait pu finir ses jours en Norvège.

— La vie des gens là-bas ressemble plus à la nôtre que celle des Indiens, dit-il. Les Indiens sont très gentils, mais le caractère est différent.

Surtout, c'est le climat de l'Inde, la chaleur, que Caisang, après être né et avoir vécu à cinq mille mètres d'altitude, trouve presque intolérables. (Et je le comprends : quand je l'ai vu à Delhi, nous venions d'entrer dans la période de la mousson, l'air était un marécage d'humidité et de sueur.) Néanmoins, et même si rien ne l'empêche de retourner en Norvège, Caisang préfère étouffer au milieu de ses amis. Et puis, faute de respirer, il a l'impression d'être plus près des deux frères et de la grand-mère dont il est sans nouvelles depuis des années, mais qu'il espère toujours voir arriver un jour.

Dashi, pendant ce temps, poursuivait avec les siens une fuite qui devait durer trois mois cruels.

A Sangakcholing, où il habitait une belle demeure de trois étages (grain et outils au rez-de-chaussée, cuisine et salle de séjour au premier, chambres au troisième), son père avait un haut poste dans l'administration locale, mais, au lieu de toucher un salaire, il recevait, selon la coutume tibétaine, des terres. C'était un bureaucrate fermier.

La famille apprit la nouvelle du soulèvement de Lhassa à la radio. Il y eu un temps d'hésitation : fuir ou ne pas fuir ? Puis la décision fut prise et tous partirent à dos de cheval ou de yak. Mais, bientôt, évitant les routes et les pistes commerciales, qui étaient aussi celles de la police et de l'armée, ils abandonnèrent les animaux pour

162

continuer à pied, à travers une jungle où vivent des tribus primitives.

Dashi me les a décrites — le souvenir vivait encore dans sa mémoire : « Des gens qui vont complètement nus, sans rien sur le corps. Ils mangent de la chair humaine et sont très farouches. Avec eux, pas de merci ni de compassion ou de sentiment. Quand ils se mettent en colère, ils prennent tous simplement leur sabre et ils tuent le premier venu, même s'il est de la tribu. »

— Vous n'aviez pas peur d'être mangé, surtout jeune comme vous étiez ? Vous aviez treize ans, non ?

— Oh ! si, j'avais très peur. Particulièrement une fois, où j'avais les pieds blessés à la fin d'une journée de marche, et où des sangsues s'étaient accrochées à moi. J'ai commencé à traîner derrière les autres. D'autant que j'étais faible, à cause de la faim.

Car les provisions qu'ils avaient emportées étaient épuisées. Pendant des jours, ils restèrent sans manger. Heureusement, ils finirent par arriver dans une belle contrée avec des champs de maïs et de pommes de terre et des rizières. Et ils purent enfin se rassasier. Mais un danger, plus menaçant que celui des tribus anthropophages, continuait à les harceler : les Chinois ne quittaient pas leur trace. Ils les traquaient de si près que, à certains moments, on les entendait s'appeler entre eux, dit Dashi, et que, lorsque les malheureux Tibétains atteignirent finalement la frontière indienne, les gardes-frontière ouvrirent le feu sur leurs poursuivants.

De très hautes altitudes où ils avaient franchi la frontière de l'Inde, Dashi et les autres furent transférés dans un camp de transit, à Missamari, dans la plaine — « un des endroits les plus brûlants de toute l'Inde, malheureusement ». Et les Tibétains, « venus d'une planète plus froide », selon les mots de Dashi, périrent comme des mouches — les enfants notamment — malgré tous les efforts du gouvernement indien pour alléger leurs souffrances. Encore les enfants avaient-ils un avantage : ils pouvaient patauger et jouer dans l'eau. Mais les anciens « étaient pleins d'inhibitions et ne voulaient pas troquer leurs vêtements épais et chauds de montagnards contre des effets plus légers ». Et l'on ne comptait pas ceux qui mouraient pour cette simple raison, dans la chaleur torride de cette vallée.

Les trois jeunes garçons, Dashi, Caisang et Yuda, arrivés en Inde, eurent très vite l'occasion de voir de très près le roi-dieu qu'ils révéraient naguère de loin : le dalaï-lama, réincarnation de Bouddha *Chenrezi*, le Miséricordieux, à l'école qu'il avait créée à Mussoorie, à quelques trois cents kilomètres au nord de Delhi. J'ai demandé à

Dashi si cette rencontre l'avait impressionné. A treize ans, rencontrer son Dieu !

— C'était très émouvant. J'ai du mal à le décrire. J'avais le cœur qui battait, c'était plus fort que moi.

Et Yuda :

— Le dalaï-lama avait les yeux tout éclairés par une lumière intérieure, et son visage aussi rayonnait. Moi, j'étais très heureux... et tout triste en même temps.

Après cette rencontre, Yuda retourna dans un monastère pour y poursuivre ses études. Aujourd'hui, il est moine — bien qu'il n'en ait pas l'air : quand je l'ai vu, il était vêtu d'un gilet de corps et d'un pantalon de toile, mais, m'a-t-il dit, « cela ne pose pas de problème, au contraire ; on est mieux ainsi pour rencontrer les pauvres gens ». Au monastère, cependant, il porte la robe jaune.

Quant à Caisang, il m'a dit, en me montrant une photographie du dalaï-lama.

— J'étais tout jeune alors, et quand je l'ai vu pour la première fois j'ai seulement pleuré. Mais il faut dire que nous étions tellement d'enfants à pleurer qu'il aurait eu du mal à nous consoler et à nous tapoter la tête à chacun. Mais on voyait bien à son visage qu'il pensait tout le temps à nous et qu'il nous accordait toute sa compassion.

Caisang a raté sa vocation : à cinq ans, on s'en souvient, il avait commencé ses études pour devenir moine.

— C'est ce que je serais aujourd'hui, si nous étions restés au Tibet. Les Chinois ont changé le cours de ma jeunesse. Pour le moment, m'a-t-il dit en souriant, je suis dans le commerce des tapis, et ça marche très fort.

Dashi, lui, est entré dans l'administration tibétaine en exil, à Dharamsala, où vit le dalaï-lama. Je lui ai demandé s'il y avait un mouvement de résistance organisé et si le terrorisme lui apparaissait comme un moyen justifiable d'attirer l'attention du monde sur la tragédie tibétaine.

— Il y a, m'a-t-il avoué, des tas de jeunes Tibétains qui prônent le terrorisme. Ils prétendent que nous avons eu tort de rester trop pacifiques depuis dix-neuf ans. Ils citent en exemple les Palestiniens qui ont réussi à se faire entendre aux Nations Unies grâce à la violence. Notre cause n'est pas moins juste que la leur, et beaucoup d'entre nous éprouvent un sentiment de frustration à voir qu'on y prête moins attention. Mais, comme Sa Sainteté, est opposée à toute violence et à toute forme de terrorisme elle se refuserait à encourager ou à soutenir ce genre d'activité de la part de Tibétains.

Dashi a eu l'occasion de passer deux années en Angleterre, qu'il a trouvée « très verte et très propre ». Il a réussi brillamment dans ses études et travaillé dans une équipe d'aide aux réfugiés bien connue : la « Ockenden Venture ». Ce qui prédomine en lui, c'est un sentiment d'injustice, partagé entre la tristesse et la colère : « Le Tibet n'avait rien fait pour mériter ce désastre pour lui-même et pour ses enfants. » Son frère aîné, Jigme, est resté là-bas.

— Je doute qu'il soit encore en vie, m'a dit Dashi avec résignation.

Je lui demandai s'il considérait vraiment la mort avec philosophie.

— Vous savez, je ne suis pas moine ! répondit-il en riant, imité en cela par ses compagnons. Mais, oui, au fond, je suis philosophe. Ce qui arrive, arrive.

Ces trois garçons devenus de jeunes hommes m'ont dit en tout cas n'avoir qu'un rêve : revoir leur pays. Yuda garde la vision très claire de la maison de son enfance, avec le village, les champs, la vallée, les hautes montagnes coiffées de neiges éternelles. Les deux autres aussi.

— Et vos compagnons que vous avez laissés là-bas, avez-vous une idée de ce qu'ils sont devenus ?

— S'ils y sont toujours, j'imagine qu'ils sont maintenant des coolies chinois, travaillant dur pour une poignée de nourriture.

L'évocation de ce passé et du bonheur qu'il signifiait réveille en Yuda toute sa tristesse. Mais il se secoue :

— Cela ne fait rien, je suis fort et je retournerai là-bas.

J'ai eu l'impression qu'il parlait pour tous les enfants du Tibet exilés aujourd'hui comme lui, et devenus des hommes.

de l'autre. A Bujumbura, capitale du Burundi, pareille à une corbeille de fleurs, j'ai entendu, de la bouche même de Tutsis, et également de Hutus, le récit terrifiant de leur enfance.

Les premiers signes de guerre tribale apparurent dès 1959. Bertrand, tutsi et chrétien, qui avait seize ans à cette date, me raconta que son école dut fermer à cause des troubles. Puis, un soir, à la maison, la nuit tombée, il entendit le cri d'alarme qu'il connaissait bien — une sorte de long hurlement suraigu (il le poussa devant moi) — venant des collines proches. Déjà des maisons flambaient dans la nuit. Et Marie, jeune épouse tutsi (je raconterai plus loin l'histoire de ses cinq fils), entendit des voix crier : « Tutsi, Tutsi, sauvez-vous ! Les Hutus brûlent nos maisons ! » Sur quoi, abandonnant tout, Marie et son mari prirent la fuite.

De son côté, Nkusi m'a raconté comment, bizarrement (il avait cinq ans, alors), ayant entendu parler d'une mort dans le voisinage, il se mit dans le crâne qu'il s'agissait d'une hyène — ce qu'il trouva « formidable », car les hyènes tuaient et dévoraient les moutons de son père. Il courut donc mettre sa mère au courant. Celle-ci, qui savait à quoi s'en tenir, ne dit mot — chose étrange pour Nkusi, car la mort d'une hyène réjouissait en général tout le monde.

En 1960, Nkusi habitait au versant d'une colline en pays ruandais. Tant au Ruanda qu'au Burundi, il n'y a pas de villages à proprement parler : les maisons sont semées au flanc des hauteurs, et chaque colline forme une communauté, analogue à une paroisse. En contrebas de la maison de Nkusi coulait une rivière. Malgré son jeune âge, l'enfant nourrissait déjà un profond amour pour sa colline et la beauté de la campagne alentour.

Les journées passaient dans le bonheur. Nkusi se levait à 6 heures, mangeait une assiettée de haricots (on mange rarement de la viande au Ruanda, où la nourriture consiste principalement, en dehors des haricots, en céréales, pommes de terre, bananes vertes et fruits sauvages). Tout le matin, il jouait avec ses amis et sa petite sœur. Il adorait sa mère, toute bonté et douceur, et son père, excellent homme, qui était fermier et avait une demi-douzaine de têtes de bétail et un assez fort troupeau de moutons et de chèvres. A midi, quand le soleil tapait dur, Nkusi ramenait le bétail à la maison, puis, après avoir mangé « un bout » et bu un grand verre de lait, il partait avec les chèvres sur la colline. Veiller sur les chèvres était son principal devoir. Il rentrait avec elles à la chute du jour. Quant au coucher, pas de règle : on s'allongeait quand on avait sommeil. « C'était vraiment le paradis », m'a dit Nkusi.

Là-dessus, il y eut l'étrange mort violente que Nkusi prit pour celle d'une hyène. Mais il n'y pensait plus, lorsque, une nuit, une année plus tard, il fut réveillé par de grands cris appelant à l'aide. Il vit son père empoigner sa lance et se précipiter dehors dans le noir. Mais, lorsqu'il rentra, beaucoup plus tard, il déclara n'avoir rien vu ni trouvé. Cependant, par la suite, Nkusi entendit souvent dire qu'on tuait beaucoup dans la région. Il avait beau savoir, cette fois, qu'il ne s'agissait pas d'hyènes, il ne comprenait pas de quoi il retournait. Ce ne fut que lorsqu'il vit brûler des maisons du voisinage qu'il commença à avoir peur — d'autant que des gens proches quittaient les parages, poussant leurs bêtes devant eux. Toutefois, en dehors de la peur, et malgré les explications de ses parents, il continuait à ne pas saisir le sens des événements.

Et puis, un jour, il vit surgir des formes à peine humaines, des sortes de monstres au visage peint en rouge et blanc, et qui vociféraient en brandissant des lances. Terrifié, pétrifié, il regardait ces apparitions de cauchemar courir vers leur maison. Sa mère accourut, le saisit par la main et, tenant sa petite sœur de l'autre main, les entraîna précipitamment. Le père, roué de coups, parvint à fuir lui aussi. De l'endroit où ils s'étaient cachés, tous quatre virent les flammes détruire leur foyer : la grande hutte, qu'ils habitaient, et les deux plus petites, qui servaient au bétail et aux chèvres.

— C'était affreux, m'a dit Nkusi, d'entendre mes chèvres crier et de savoir qu'elles étaient en train de brûler vives avec les autres bêtes.

Mais, même alors, quelque chose échappait à l'esprit du petit Nkusi : les auteurs de cette atrocité étaient des voisins, des Hutus, — oui, bien sûr, d'une autre tribu, mais des amis quand même, que ses parents connaissaient, et lui aussi.

Le lendemain, ce fut pire. Un hélicoptère tourna dans le ciel, lâchant une pluie de tracts. Puis il se posa et en sortirent des Africains conduits par un Européen, un petit homme vêtu de noir et de blanc, que Nkusi prit d'abord pour un prêtre (d'ailleurs, quelqu'un le lui dit), mais qui devait être de la police. En tout cas, Nkusi s'enfuit et se cacha juste à temps, car le Blanc se mit à tirer autour de lui.

— Il tira sur tout le monde, sur les gens des deux tribus, parce qu'ils s'étaient battus entre eux. Il y eut trois tués net et une douzaine de blessés qui restèrent sur le terrain. J'en vis d'autres, touchés, qui sautaient dans la rivière. C'était la première fois de ma vie que je voyais des morts, et je compris que c'était très grave.

Nkusi n'avait vu aussi jusqu'alors qu'un Blanc, me dit-il : le prêtre de l'endroit, qui était un homme bon. Mais celui qui venait de tirer le remplit de la peur des hommes blancs. Bien plus . après le massacre, il eut peur de tout le monde.

169

A cela s'ajouta la pauvreté :

— Nous n'avions plus rien. Plus de haricots, plus de pommes de terre, plus une seule bête, ni mouton, ni chèvre. Et moi, je n'avais plus rien à faire.

Nkusi approchait maintenant de ses huit ans. Tant bien que mal, il s'arrangea pour occuper une partie de son temps en gardant ce qui restait de bétail aux voisins, qu'il menait paître au bord de la rivière. Mais cela lui valut de connaître un autre aspect de l'horreur :

— Flottant au fil de l'eau, je vis passer un jour des corps, des cadavres, ceux de gens de notre tribu. J'en étais malade.

L'école lui offrait un moyen de résoudre ce qu'il appelait son « problème de chômage ». Pourtant, il y gagna un sentiment de frustration plus grand encore. On le persécutait. Sur le chemin de l'école, des petits Hutus, encouragés par de plus grands et même par leurs parents, l'attendaient pour le rosser.

— Les gens disaient aux petits de nous battre parce que nous étions des Tutsis.

Peu à peu, il vit tous ses amis quitter le pays avec leurs familles pour fuir au Burundi. Il finit par être tout seul pour aller à l'école et affronter les petits Hutus. Tant et si bien qu'il n'osa plus y aller.

— J'avais huit ans, et c'était la première fois de ma vie que j'étais persécuté.

Et cependant il tint bon avec ses parents — dix ans encore ! Jusqu'en 1973 où — il était alors pensionnaire dans une école secondaire — l'agression hutu contre les Tutsis atteignit son sommet.

— Tous, même les enfants, nous devions dormir en gardant un bâton ou un couteau à portée de la main. J'ai été souvent roué de coups de gourdin, et j'ai eu des amis blessés à coups de couteau. C'était un vrai martyre que nous devions endurer... et sans raison que nous puissions voir. Nous étions innocents : mon père n'était qu'un paysan... pas un chef, ni un docteur ni un fonctionnaire — rien qu'un simple et honnête paysan. Mais ce qui m'intriguait le plus et m'écœurait, c'était de penser que mes amis hutus eux-mêmes me battaient. Je suis certain qu'ils ignoraient pourquoi. On leur commandait de nous donner la chasse et de nous faire courir comme des lapins.

Un jour, ce fut trop. Nkusi dit tristement au revoir à ses parents, jeta un dernier regard sur le beau paysage de collines qui était sa petite patrie et dont il n'oublierait jamais la leçon de douceur ; puis, secrètement, avec quelques amis, il s'en fut.

La frontière du Burundi n'était qu'à trois heures de marche, mais il ne leur fallut pas moins de deux jours et deux nuits, sous une pluie battante, pour y parvenir, en se cachant le jour et cherchant à tâtons leur chemin dans le noir, l'obscurité venue. Cela dit, ils se retrouvèrent parmi des milliers d'autres réfugiés comme eux, généreusement accueillis par le Burundi. Et Nkusi put reprendre bientôt ses études et se refaire d'autres amis, tant hutus que tutsis.

— Tutsi ou Hutu, pour moi c'est la même chose, m'a dit Nkusi.

— Mais les jeunes Hutus qui vous brutalisaient là-bas, chez vous ?

— Oh! ce n'est pas qu'ils nous haïssaient d'eux-mêmes. On les poussait. Ils ne savaient pas, c'est tout. Ce sont toujours ceux qui ne savent pas qui font le plus de mal.

— On dirait que le problème le plus grave pour les hommes est qu'ils ne cessent de rêver de paix, mais qu'ils ne cessent pas non plus de se battre. Voyez-vous une solution ? insistai-je.

Les épreuves n'ont pas rendu Nkusi optimiste. Il ne croit pas que l'on trouve jamais de solution autour des tables de conférence.

— Je crois, m'a-t-il dit, que la persécution de l'homme par l'homme est une loi universelle.

— Et éternelle ?

— Franchement, oui, je pense. Eternelle, parce qu'elle a pour raison profonde l'égoïsme des hommes, leur avidité, mais surtout leur égoïsme. L'égoïste en veut toujours plus et, s'il peut prendre quelque chose à un autre, même si c'est à un ami, il n'hésitera pas. Arriver à persuader les forts d'oublier leur intérêt, sincèrement, non, je ne vois pas comment ce serait possible.

Nkusi reconnaît que l'épreuve l'a marqué au sceau de l'amertume. De son enfance idyllique dans ce paysage de collines paradisiaque, où la vie aurait dû demeurer ce qu'elle était « avant » : toute douceur et paix, il garde la terrible nostalgie. De toute façon, pour lui, la civilisation occidentale a déjà gâché les choses.

— Non que je sois contre la civilisation, m'a-t-il déclaré. Européenne ou africaine, toute civilisation a ses attraits. Chez nous, par exemple, la vache, avec ses cornes longues et courbes, est un symbole de beauté, de bonheur — un symbole de culture, pourrait-on dire. Et je ne prétends pas qu'on devrait empêcher le paysan d'aujourd'hui d'élever des vaches pour en tirer profit. Mais je maintiens que, pour moi, la vache reste une image de beauté et le rappel de jours heureux et bénis. Et j'en ai du chagrin, parce qu'elle me rappelle également mon pays et le foyer qui sont probablement à jamais perdus pour moi, puisqu'ils ne veulent plus de moi.

Il y avait du poète chez Nkusi — « tous les Ruandais rêvent de devenir poète », m'avait-il d'ailleurs confié. Bertrand, lui, était d'un autre bois. Grand et beau gaillard, portant moustache et fine barbe, il parlait avec un débit rapide et d'une belle voix de basse. Lui aussi vivait naguère à flanc de colline, dans une maison de brique à toit de chaume. Son père, sévère mais juste, était chef adjoint « de colline », donc notable, et possédait une ferme de quatre hectares, cinquante têtes de bétail, des moutons, des chèvres, et récoltait sur ses terres haricots, pois, pommes de terre, maïs et sorgho. Bertrand — ils étaient onze enfants — adorait ses parents.

En 1959, au début des troubles, à seize ans, il dut renoncer à aller à l'école où il comptait de nombreux amis tutsis et hutus. Le lendemain de la fameuse nuit où retentirent sur les collines les cris d'alarme et où brûlèrent un peu partout des maisons, un ami de la famille — un Hutu — vint prévenir le père que, dans la nuit, on massacrerait des Tutsis. Et ce même Hutu offrit d'abriter chez lui, à ses risques et périls, ses amis tutsis. La nuit venue, les bandes de Hutus, armés de lances, de machettes et de hachettes, trouvèrent donc la maison de Bertrand vide et, pour cette raison, l'épargnèrent. Ensuite, les choses se calmèrent, et la famille réintégra son foyer. Mais, quand Bertrand essaya de trouver du travail à la ville, impossible : pas d'emploi pour les Tutsis. Il revint travailler la terre familiale et, comme il aimait sa petite patrie et qu'il découvrit très vite une très jolie fille appartenant à une « colline » voisine, il coula des jours bucoliques et heureux — jusqu'en 1963 où les troubles reprirent et où ses deux frères aînés furent jetés en prison.

Cette fois, ce n'étaient plus les Hutus du lieu qui s'en prenaient aux Tutsis ; c'étaient des bandes d'un autre district, d'autant plus dangereuses à ce titre et aussi parce que, les nouvelles allant vite, on savait que la famille avait échappé aux premières violences. Mais, cette fois encore, l'ami hutu avertit le père qui, pourtant, refusa de bouger : « C'est inutile, déclara-t-il à ses enfants. Ils ne feront pas plus de mal que la dernière fois. » La mère de Bertrand resta donc, ainsi que sa sœur aînée qui était enceinte. Bertrand, inquiet, conduisit ses petits frères et sœurs chez le Hutu ami.

Sur le coup de 8 heures du soir, il s'en retourna chez lui. Ce qu'il vit était horrible : ses parents gisaient morts, le corps percé de coups de lance. Le feu avait rasé la maison. Non loin, il trouva sa sœur enceinte qui saignait d'une blessure au cou et d'une autre au ventre.

— Ce doit être cela qu'on appelle la barbarie, m'a dit Bertrand, de sa voix basse qu'il forçait au calme. Car on avait délibérément frappé au ventre, laissant ma sœur pour morte.

Elle eut pourtant la force de raconter à Bertrand la scène. Elle avait tout vu. Les « barbares » — Bertrand tenait à ce mot — avaient dit à ses parents : « L'autre fois, vous n'étiez pas là. Aujourd'hui, vous y êtes et nous allons vous tuer. Vous pouvez dire adieu à tout et choisir qui mourra le premier. — Ce sera moi, » dit la mère. On la tailla en pièces, puis on cribla le père de coups de lance. Comme la fille criait, un Hutu la frappa au cou de sa machette, puis réitéra au ventre. Heureusement, le second coup n'était pas profond et, la voyant gisante et saignant, les meurtriers s'en furent.

Soutenue par son frère, la courageuse jeune femme parvint à gagner la maison de l'ami hutu. Mais quand Bertrand déclara à celui-ci qu'il voulait aller enterrer ses parents, le voisin l'en empêcha : « Laisse, frère. S'ils te voient, ils t'enterront avec eux. »

Trois jours plus tard, la sœur aînée se plaignit de violentes douleurs. Au dispensaire où on la conduisit presque subrepticement, elle accoucha d'un beau garçon et put se remettre lentement.

Une semaine plus tard, cependant, Bertrand, désormais chef de famille — une famille de six enfants (cinq petits frères et une sœur plus petite encore) — décida de fuir en emmenant tout son monde. Trois autres voisins hutus s'offrirent courageusement à les accompagner jusqu'à la frontière du Burundi. En retour, à chacun Bertrand donna deux vaches du troupeau paternel. Puis, comme Nkusi, la mort dans l'âme et le cœur brisé, il dit adieu au beau paysage de collines, aux ruines calcinées de ce qui avait été son foyer, à la jeune fille qui aurait pu devenir sa femme — tout son passé.

Après avoir marché trois nuits, la petite troupe, Bertrand portant sur les épaules sa sœur et les fidèles Hutus le guidant, atteignit la frontière. La police du Burundi, émue par leur jeune âge à tous, les accueillit chaleureusement. Et comme Bertrand, à la ferme de son père, avait appris à conduire une vieille camionnette Ford, il trouva très vite un emploi de chauffeur.

L'année suivante, un Hutu de sa colline, en visite, lui fit un récit qui lui porta un dernier coup. Après son départ, les quarante-quatre vaches restantes du troupeau de son père, symboles de bonheur et de beauté, avaient été massacrées à leur tour et vendues à la boucherie, ainsi que les moutons et les chèvres. La terre était confisquée. Seule bonne nouvelle : les deux frères aînés de Bertrand, libérés de prison, avaient pu se réfugier en Ouganda.

Un jour, m'a raconté Bertrand, il a eu l'occasion de conduire en voiture son patron au Ruanda. Ayant eu un bref congé, il est retourné, seul, sur sa colline. De loin, il a pu vérifier le récit du visiteur hutu. La bonne terre de ses ancêtres, que son père, ses frères et lui avaient travaillée dans le bonheur, et d'où on les avait chassés dans le sang, appartenait maintenant à d'autres.

Plein de chagrin et de dégoût, Bertrand s'est juré ce jour-là de ne plus jamais remettre les pieds au Ruanda. Mais il n'en veut pas aux meurtriers hutus : « Ce sont, dit-il, leurs chefs qui leur ont mis la haine au cœur. C'est toujours comme cela. Sans ces semeurs de haine et de mal, les Tutsis et les Hutus seraient restés ce qu'ils étaient : amis. »

Et maintenant, j'en reviens à Marie, la jeune épouse qui avait entendu le cri dans la nuit des collines : « Tutsis, sauvez-vous !... » Depuis cette nuit-là, Marie a traversé l'enfer. Quand je l'ai vue, grande, magnifique d'allure sous le flot de cotonnade blanche à fleurs bleues qui l'habillait, elle avait trente-huit ans et sa beauté était frappante. Son fils, Joseph Ndoli, quinze ans maintenant, beau lui aussi, l'accompagnait. C'était le seul survivant de ses enfants.

Marie et son mari, tous deux catholiques, vivaient dans une maison de bois entourée de bananiers et d'eucalyptus, sur une colline proche de la frontière ougandaise. Comme le père de Bertrand, son mari était chef adjoint de la « colline » et possédait une vingtaine de bêtes — mais pas de chèvres (c'est une région où il est au-dessous de la dignité d'un chef adjoint d'avoir des chèvres). En 1959, fuyant les Hutus, avec d'autres Tutsis, ils passèrent en Ouganda, où naquirent Joseph Ndoli et deux frères plus jeunes. De là, en 1963, la famille gagna le Zaïre, dans l'espoir que la terre y serait meilleure. Mais le mari ne put obtenir qu'un maigre emploi de gratte-papier. Malgré la dureté de la vie, deux autres fils naquirent.

En 1972, les autorités zaïroises informent les parents que, avec leurs cinq enfants, on va les renvoyer au Ruanda. Convaincu que c'est pour lui, étant donné son ancienne position, un arrêt de mort certain, le mari décide de partir pour le Kenya, tandis que sa femme et les petits, en attendant de le rejoindre, retourneront au Ruanda. Sous la garde de soldats armés, Marie et ses enfants s'entassent donc dans un camion avec d'autres « rapatriés » tutsis. A la frontière, on les remet aux autorités du Ruanda, qui les enferment dans un entrepôt, toujours gardés par des soldats — lesquels s'empressent de rosser les hommes tutsis, au grand effroi du petit Joseph Ndoli, alors âgé de dix ans. Puis, Marie et ses cinq garçonnets remontent en camion sous escorte armée et roulent toute une nuit, jusqu'à un camp de réfugiés. Là, sans être rossés, ils sont brutalisés et couverts d'insultes : « On nous reprochait d'être des Tutsis », se rappelle Joseph Ndoli. Par bonheur, au bout de deux semaines, des parents, prévenus, viennent les chercher et les emmènent sur une colline proche de Butari, où ils les logent dans une hutte.

Marie et sa petite famille y couleront pendant un an des jours à peu près tranquilles, à part les agressions des jeunes Hutus contre les trois aînés sur le chemin de l'école. Puis, au début de 1973, la violence flambe de nouveau et, un soir d'avril, des voisins viennent prévenir Marie : le lendemain, il y aura massacre. Alors, dans la nuit, avec ses cinq garçons et d'autres familles tutsies, elle s'enfuit dans la brousse. Sous la conduite de guides, tous atteignent la frontière du Burundi. Reste à traverser une rivière. Ils passent sans encombre sur l'autre rive — mais, dans le noir, Marie s'égare, perd les autres réfugiés...

Portant le plus jeune de ses fils et suivie des quatre autres, elle avance, trébuchant dans la vase, qui s'épaissit peu à peu, devient plus profonde. Dans les ténèbres, Marie et sa couvée s'enfoncent sans le savoir dans des marécages qui s'étendent sur des kilomètres. Tout un jour, toute une nuit, ils pataugent péniblement. Puis un autre jour, une autre nuit. Ils n'ont plus rien à manger et ils sont à bout de force, après ces quarante-huit heures épuisantes.

— Mes frères et moi, m'a raconté Joseph Ndoli (devenu un adolescent qui doit probablement à ces épreuves un léger bégaiement), nous ne cessions de répéter : « Où est-ce qu'on est, maman, dis ? Où est-ce qu'on va ? On a faim, donne-nous à manger. On est si fatigués, maman... »

Quant à Marie, le souvenir de ces heures abominables l'a contrainte à interrompre un long moment son récit. Puis elle se domine et reprend :

— Le marais était plein d'arbres qui poussaient, un genre de papyrus aux longues branches minces avec lesquelles il fallait se battre, inutilement car on ne voyait rien. On entendait seulement le coassement incessant des crapauds et, parfois, les grognements des hippopotames. Tout baignait dans la brume et l'humidité et les petits ne cessaient pas de tousser. De plus, ils étaient couverts de sangsues, jusque sur le visage.

Elle savait que ses enfants ne pourraient y résister. L'un après l'autre, n'en pouvant plus, incapables même de se traîner, ils tombèrent — le second fils d'abord, puis le troisième, puis le quatrième. Le cinquième, le plus petit, qu'elle portait, succomba le dernier : il rendit l'âme dans ses bras. Seul, restait avec elle Joseph Ndoli. A eux deux, ils avaient recouvert de feuilles et de branchages,

175

du mieux qu'ils pouvaient, le corps de chacun des autres, au fur et à mesure qu'ils tombaient, morts d'épuisement.

Deux jours encore, ils luttèrent tous les deux jusqu'à ce que, enfin, ils sortissent de cet enfer humide et visqueux. Des villageois les trouvèrent, vêtements en loques, corps couvert de sangsues et de boue, n'ayant plus la force de prononcer un mot. Ces villageois les soignèrent. Puis arriva un camion qui transporta la mère et le fils à Bujumbura. Pendant des semaines, on crut Marie devenue folle. Mais les gens autour d'elle multiplièrent les bontés, les soins, l'aide.

Aujourd'hui, elle a récupéré toute sa volonté de vivre et n'attend plus que le retour de son mari. Quand j'ai demandé à cette femme, qui n'avait pas cessé de m'étonner, si son obéissance à Dieu allait jusqu'à accepter son quadruple deuil et ses souffrances, elle m'a répondu que oui — « Je suis croyante et je sais que Dieu nous inflige ce genre d'épreuves terribles. J'accepte avec joie toutes mes souffrances. »

Pour sa part, Joseph Ndoli, remarquablement calme et silencieux, donne l'impression de l'indifférence à l'horreur qui, un soir, envahit soudain son enfance. Il m'a déclaré que sa passion était le football et qu'il veut devenir un grand joueur. Peut-être est-ce sa façon d'oublier.

Tandis que le Burundi ouvrait les bras aux Tutsis persécutés par les Hutus, en revanche une révolte des membres de cette dernière ethnie sur son territoire, coïncidant avec les troubles du Ruanda, fut sauvagement réprimée.

Un autre Joseph, hutu celui-là, m'a dit comment il échappa de justesse au massacre. Il était le plus jeune de cinq enfants au sein d'une famille très unie (bien que la mère eût un fort penchant pour la bière — « mais cela ne m'empêchait pas de l'aimer, ni elle de me le rendre », dit-il). Il avait dix-huit ans, quand, à la fin d'avril 1972, éclata la révolte. Il était heureux. Il était allé à l'école des Frères de la Charité. Il trouvait les Belges plutôt gentils : ils lui donnaient tout ce qu'il fallait pour la classe, livres, cahiers, crayons, gommes, etc. Tout de même, les Blancs lui inspiraient une certaine frayeur — « à cause de la peau blanche ». Et il leur en voulait d'être forcé, lui, Noir, de vivre à part dans une bourgade, pendant qu'eux avaient le droit de vivre en ville. Mais cela ne l'empêchait pas de trouver la vie belle. Il adorait la maison familiale où il avait sa chambre à lui, aux murs orange décorés de ses vedettes favorites, blanches ou noires (la préférée de toutes étant Sylvie Vartan). Il apprenait le métier de mécanicien à l'école artisanale ; élèves hutus et tutsis s'y côtoyaient amicalement.

Un soir de mai 1972, ils étaient au dortoir, quand le directeur entra, accompagné de quatre soldats. Consultant une liste, il fit sortir des rangs quatre élèves, que les soldats emmenèrent aussitôt. Après cela, au dortoir, les langues allèrent bon train : il y avait des rumeurs d'un soulèvement hutu contre les Tutsis — était-ce la raison de l'étrange visite ?

Le lendemain, rassemblement général des élèves, pour leur notifier l'interdiction de se réunir à plus de quatre ou cinq. Le soir même, avec un ami, hutu comme lui, Joseph décida de fuir. Après un bref repas, ils se dirigèrent vers la demeure de Joseph pour prendre congé de ses parents. En route, un voisin qu'ils croisèrent dit à Joseph : « Il s'est passé des choses chez toi. On a emmené ton père et ta mère. » Pris de panique, d'autant que personne ne savait exactement ce qui arrivait, les deux garçons se séparèrent et Joseph alla se cacher chez un ami — lequel lui dit : « Tu sais, les soldats recherchent deux de tes camarades qui se sont enfuis vers le Zaïre. »

— Cela acheva de me couper l'appétit, m'a précisé Joseph.

Pourtant, sans désemparer, il alla trouver un Zaïrois de sa connaissance, Laurent, un camionneur qui faisait souvent la navette Bujumbura-Bukavu — c'est-à-dire entre le Burundi et le Zaïre. Rendez-vous fut pris sur le port (Bujumbura est au bord du lac Tanganyika) où Laurent devait charger des sacs de maïs. Joseph s'installa au milieu de la cargaison, avec l'épaisseur de deux sacs au-dessus de lui. Le camion démarra. Quarante-cinq minutes, et c'était la douane. Contrôle sans problème. Il était temps : sous ses sacs, Joseph était à demi asphyxié.

A Bukavu, on lui donna une carte de réfugié et asile au collège de Notre-Dame-de-la-Victoire, où, pendant deux mois, dévoré par une faim de loup, il dut se contenter d'un repas de haricots et de pommes de terre par jour, le soir — trop heureux malgré cela d'être libre et en vie. Car, des nouvelles apportées par d'autres, il ressortait que l'on n'avait jamais revu les quatre élèves emmenés par les soldats et que beaucoup d'autres jeunes Hutus étaient arrêtés. Par contre, pas de nouvelles de son père — mort, pensait-il, sur-le-champ, car on savait d'expérience que toute personne arrêtée qui ne rentrait pas chez elle dans les trois jours ne pouvait qu'avoir été exécutée. Et trois jours avaient passé avant le départ de Joseph de Bujumbura. Le fait est qu'il n'a jamais revu son père. Quant à sa mère, il ne la retrouva qu'au bout de trois années.

Et quelles années ! D'abord, « un vague *job* vaguement payé, dans un garage ». Et faim, toujours faim : un jus de soupe pour petit déjeuner, du riz et des haricots à midi et, le soir, un coca-cola ou, grand luxe, une bière. Puis un autre garage, qui payait un peu mieux. De quoi louer une misérable chambre, partagée avec un ami, dans l'affreux et interminable bidonville qui était, et demeure sans doute, la honte de Bukavu. Autre luxe suprême : un lit, partagé aussi avec l'ami — « mais ça ne collait pas, dit Joseph. Je prends trop de place, je suis trop grand et trop fort ». Enfin, l'ami parti, nouvelle amélioration : deux chaises en bois, un tabouret. Mais pas de place pour une table. Et les cabinets dehors, en commun avec six voisins.

Seules, les nouvelles de « là-bas », de temps à autre, l'aidaient à soutenir sa misère, entretenant en lui l'espoir de revoir son pays. Mais la prudence était d'attendre encore, lui écrivait-on. Alors, il travaillait plus dur.

Puis, un jour, la maladie. La malaria. L'hôpital et sa solitude. Et la faim, encore et toujours. Mais il remarque une jeune Zaïroise qui apporte chaque jour à manger à sa mère. Il ose lui demander : « Auriez-vous la gentillesse de m'apporter aussi quelque chose ? Je vous donnerais de l'argent. » La fille avait quatorze ans et poussa la grâce jusqu'à lui mijoter des petits plats. Naturellement, ils tombèrent amoureux l'un de l'autre et, en 1974, se marièrent à la cathédrale catholique de Bukavu.

Finalement, en août 1975, Joseph reçut le feu vert pour rentrer. Fou de joie, il partit avec sa femme pour Bujumbura.

Il y a retrouvé sa mère et des parents ; il a deux enfants ; il mange à sa faim ; il est heureux ; il a pardonné aux Tutsis :

— Tout cela, dit-il, n'est plus que du passé.

A l'époque où Joseph s'enfuyait sous ses sacs de maïs au Zaïre, une jeune Hutu de seize ans, mariée et mère, donnait un soir le sein à son bébé de quelques mois. Son nom était Jeannette, celui du bébé, Edmond. Quand j'ai vu Jeannette, des années plus tard, à Bujumbura, tout en parlant elle donnait aussi le sein à un bébé — un autre : André. Mais, tandis que ce merveilleux rapport entre mère et enfant se poursuivait durant notre entretien, seulement interrompu lorsque Jeannette changeait le bébé de sein, elle me confia que c'était son unique fils : Edmond était mort, assassiné en même temps que son père.

Et cependant, cette jeune femme, ravissante, ne cessait de sourire en parlant. Par souci de discrétion et par pudeur, elle ne voulait pas qu'on la vît me parler et n'accepta ma compagnie que dans la voiture qui m'emmenait à l'aéroport, pendant que le chauffeur zaïrois nous servait d'interprète et que, comme je l'ai dit, elle donnait un sein, puis l'autre au petit André.

— Je vous montrerai l'endroit où sont enterrés Charlie, mon mari, et mon premier fils, Edmond, me dit-elle en route.

Sur quoi, quittant la route, nous empruntâmes une piste rudimentaire, des deux côtés de laquelle se dressait une succession de monticules, pareils à des tumuli.

— C'est ici, me dit Jeannette. L'endroit s'appelle Butelele. Mon mari et mon petit garçon ont été poussés dans un trou creusé au bulldozer. Ils étaient plusieurs milliers de Hutus, avec des enfants. Ils sont une cinquantaine par tombe. Les bulldozers ont ramené la terre et comblé le tout. C'est cela qui fait ces monticules.

Nous étions dans une vaste et belle plaine, parsemée d'arbres et rattrapant au loin les collines, au-delà de Bujumbura. Mais l'étrange cimetière n'offrait plus, en surface, que l'aspect d'une décharge publique où s'amoncelaient ferrailles tordues, boîtes de fer-blanc vides, débris de bouteilles et de matières plastiques. Et cependant, encore une fois, tandis que Jeannette, tout en allaitant André, me parlait de Charlie et d'Edmond, pas un instant le sourire ne quitta son visage.

Elle avait, me dit-elle, rencontré Charlie pour la première fois un jour où elle allait à l'école. Il attendait son passage.

— Au bout d'une semaine, nous étions amoureux, commenta-t-elle avec un grand rire.

Et une année plus tard ils étaient mariés. Edmond naquit ; il avait cinq mois au début des troubles, en avril 1972. Jeannette et Charlie étaient amoureux comme au premier jour et leur bonheur était complet ; mais Jeannette était inquiète : on avait demandé à Charlie de signer une pétition protestataire hutue. Il avait eu beau refuser, elle était pleine de sombres pressentiments.

Un jour, donc, où elle donnait la tétée à Edmond, Charlie, qui travaillait dans un service officiel, rentra. Peu après, il était assis gaiement, tenant à son tour le petit Edmond dans les bras, quand on frappa à la porte : c'était un ami tutsi qui venait l'inviter à prendre un verre avant le couvre-feu, imposé à partir de 18 heures. Portant toujours le bébé, Charlie traversa la rue jusqu'au bar voisin avec son ami.

Une heure passa sans qu'il revînt. Jeannette fit un saut jusqu'au bar : « Vous n'avez pas vu mon mari ? demanda-t-elle. — Et quand on l'aurait vu, qu'est-ce que ça peut te faire ? » lui répondit-on brutalement. Ils étaient plusieurs à crier, qui se mirent ensuite à la frapper à coups de bâton.

— C'étaient des bâtons avec de gros nœuds au bout, comme ça, m'expliqua Jeannette en me montrant le levier du changement de vitesse de la voiture.

Elle me montra aussi les marques encore visibles des coups, après les années, sur son joli visage : joue droite, front, sans compter l'œil droit qui reste enflammé en permanence.

Sous les coups, elle avait perdu connaissance. Une bonne âme la ramena chez elle. Le lendemain, on dut la conduire à l'hôpital. Comme elle réclamait des nouvelles de son mari et du bébé, on lui conseilla : « Ne posez pas de questions, sinon on vous tuera aussi. » Sortie de l'hôpital au bout de deux jours, elle alla droit à la prison et exigea de voir le directeur : « Ne demandez pas de nouvelles de votre mari, lui dit-on de nouveau. Il est parti en emmenant l'enfant. — Parti ? Pourquoi ? » insista-t-elle. Alors, on lui avoua : « Ils sont morts tous les deux. » En outre, on lui apprit que son père, ouvrier dans les transports, avait été également tué. Rentrée chez elle, elle ferma la maison de son bonheur et s'en fut vivre chez sa mère.

Et André, dira-t-on ? La vie est plus forte que la mort : cinq ans après la double tragédie qui avait frappé son existence, Jeannette, dans un restaurant, fit la connaissance d'un instituteur de province, en vacances à Bujumbura. Le soir venu, l'instituteur frappa à la fenêtre de Jeannette. Depuis trop longtemps elle avait besoin qu'un homme la prît dans ses bras. Ce que fit l'instituteur, jusqu'au petit matin. Neuf mois plus tard, André naquit. L'instituteur était retourné à ses élèves. Jamais il ne s'est soucié de revenir voir son fils ni sa gracieuse mère.

Peu importe à Jeannette. Elle a retrouvé le bonheur, m'a-t-elle déclaré. Elle a maintenant un homme dans sa vie, si petit soit-il, et tous deux vivent parmi la beauté et les fleurs de cette capitale en miniature, aujourd'hui paisible, qu'est Bujumbura.

15

Jean-Pierre
le petit Congolais de Kolwezi

Lorsque, en juin 1960, Baudouin, roi des Belges, proclama l'indépendance du Congo belge, Jean-Pierre — c'est ainsi que je le nommerai — avait sept ans et habitait, dans l'est du pays, à Bukavu. Chrétien, de la tribu des Lubas, il n'est qu'un Congolais entre des centaines de milliers d'autres contraints de fuir leur pays, tandis que, à peine née, la république démocratique du Congo (d'où est sorti aujourd'hui le Zaïre) s'abîmait dans le chaos et le bain de sang des rivalités tribales et politiques, chaque province tirant à hue et à dia et refusant l'autorité centrale.

Autant de chaos que put constater Jean-Pierre lui-même, tout petit qu'il était, dans les rues où s'entretuaient ses compatriotes, à quelques centaines de mètres de l'école primaire Sainte-Thérèse où il allait, à Bukavu. Avec ses petits camarades, il se retrouva au cœur de la mêlée, parmi les balles qui sifflaient, les éclatements, les explosions des obus de mortiers. Aux enfants terrifiés, le directeur déclara : « Il est hors de question que vous restiez ici. Il faut évacuer l'école. » Et les douze classes, chacune forte de quarante élèves et conduite par son maître ou sa maîtresse, furent alignées comme à la parade. Après quoi, une à une, au pas de course, elles prirent le chemin de la brousse.

— Inutile de vous dire si nous avons couru. La peur nous donnait des ailes. Je suis tombé et je me suis fait très mal... (En parlant, Jean-Pierre me montrait sur sa jambe droite une vilaine cicatrice, longue de douze ou quinze centimètres.) Mais je me suis relevé tout de suite et j'ai réussi, clopin-clopant. à ne pas perdre les autres. Nous ne nous sommes arrêtés qu'après avoir mis sept ou huit kilomètres entre la ville et nous, et nous sommes restés cachés dans la brousse pendant deux longs jours.

Ils n'avaient rien à manger, que du manioc et des ignames, et la jambe de Jean-Pierre, faute de soins et d'asepsie, enfla terriblement et s'infecta. Lorsque, enfin, les maîtres jugèrent que l'on pouvait regagner Bukavu, Jean-Pierre eut toutes les peines à marcher et ne put rejoindre sa famille, morte d'inquiétude, qu'avec l'aide d'un camarade qui le porta à demi.

Ses parents, ses frères et sœurs — ils étaient onze enfants — lui firent fête. C'était une famille très unie autour du père, fonctionnaire du gouvernement provincial katangais, et homme de bon conseil, très écouté, très aimé. Mais quand j'ai vu Jean-Pierre en 1978, c'était à Bujumbura, au Burundi, et toute la famille avait éclaté. Le père était mort. Un jour, la police était entrée, l'avait saisi, battu, jeté dans le coffre d'une voiture.

— Le président Mobutu est originaire du nord-est du Zaïre, d'une tribu en général plutôt favorisée, m'a expliqué Jean-Pierre. Nous étions nous-mêmes du Shaba, région sud du Katanga, et pour nous il en va autrement. Quand la police ou les soldats du gouvernement central arrêtent des chefs de famille parmi les nôtres, ils disparaissent et on n'entend plus parler d'eux, jamais. Ce fut le cas de mon père.

Dans la nuit qui suivit la disparition du père, ce qui restait de la famille s'entassa dans un taxi Peugeot et, dans le noir, par de petits chemins de contrebandiers, réussit en trois heures à passer la frontière de la Zambie, où avaient déjà filé, deux mois plus tôt, les deux fils aînés. Bien leur en avait pris à tous, car, trois jours plus tard, la police faisait une nouvelle descente avec ordre d'arrêter tout ce qui vivait dans la maison.

En Zambie, Jean-Pierre laissa sa mère, avec ses deux frères aînés et ses autres frères et sœurs plus petits. Lui-même poursuivit par camion jusqu'à la rive sud du lac Tanganyika — un millier de kilomètres. De là, aidé par des pêcheurs, il parcourut encore plus de six cents kilomètres — le Tanganyika dans toute sa longueur — jusqu'à Bujumbura. Il y poursuit maintenant, seul, loin de tous les siens, des études d'économie politique.

Il a sans doute un avenir devant lui. Mais, pour ma part, je garde l'image de ce jeune colosse de vingt-cinq ans à présent essayant en vain de refouler ses larmes, puis éclatant en sanglots, le visage enfoui dans les mains, à l'évocation de son père jeté dans le coffre de la voiture qui l'emporta pour toujours.

Ils sont des milliers, les jeunes Zaïrois comme Jean-Pierre, qui ont dû fuir leur pays pour ne plus le revoir, laissant derrière eux des vivants et des morts, c'est-à-dire une partie de leur cœur, de leur âme.

Je me souviens de Mumbamba, au camp de réfugiés de Maheba, en pleine brousse dans le nord de la Zambie.

— Le jour où j'ai fui, m'a-t-il déclaré, je n'étais pas le seul. C'était la panique dans les rues ; les gens couraient comme des fous, abandonnant tout, par centaines, se ruant à travers la brousse vers la Zambie...

Les rues dont il parlait étaient celles de Kolwezi — la ville où s'illustrèrent, en mai 1978, en la mettant à sac et en y massacrant tous ceux qui leur tombaient sous la main, les tristement célèbres « gendarmes katangais ».

Mumbamba y vivait chez un de ses oncles, loin de ses parents, à cause de ses études, où il réussissait bien, avec l'espoir d'un bon emploi. Son vrai foyer était à des centaines de kilomètres de là, dans le Nord, et le voyage, même par train, était extrêmement coûteux — ce qui explique pourquoi il n'avait pas vu son père depuis 1975, année où il était venu déposer l'argent pour payer les études de son fils.

Celui-ci, chez l'oncle, avait sa chambre personnelle, très agréable, blanchie à la chaux et décorée de photos — dont celle du président Mobutu, à la place d'honneur, parmi d'autres, de footballeurs et de vedettes du pop au Zaïre. Il était également passionné de moto ; des modèles de Yamaha, sa marque favorite, ornaient aussi ses murs. Mais c'est à pied et au pas de course qu'il allait bientôt entreprendre la randonnée qu'il n'oubliera pas de toute son existence.

Trois ans après la dernière visite de son père, qui l'avait rempli de joie, il fut réveillé en sursaut, un matin de mai 1978, par l'écho de rafales d'armes automatiques Peu après, regardant prudemment par la fenêtre avec son oncle, il vit courir dans la rue des soldats, que l'oncle reconnut aussitôt : des gendarmes katangais. Le cœur battant, morts tous deux de peur, m'a dit Mumbamba, son oncle et lui, sans attendre un instant de plus, se glissèrent hors de la maison et filèrent par-derrière, rejoignant bientôt le flot humain qui courait dans les rues déjà jonchées des cadavres de soldats zaïrois de la garnison.

— Je n'avais pas la moindre idée de la direction dans laquelle se trouvait la frontière de la Zambie, mais je n'avais qu'à suivre le flot des fuyards à travers la brousse, au sortir de Kolwezi : eux, ils le savaient, et tous avaient la même idée que moi : franchir cette frontière.

Mais, dans le flot, il perdit son oncle et se retrouva seul, le soir venu, après avoir marché toute la journée depuis 6 heures du matin. Il parvint à un village et, là, demanda non sans crainte le chemin de la Zambie : « Tu y es déjà, en Zambie », lui répondit-on. Affamé, il demanda alors à manger. On lui refusa tout. Il dut vendre sa chemise, son pantalon, ses souliers, pour quelques pièces de monnaie. Grâce à quoi il put finalement atteindre une ville proche où, au bout de quelques jours, un camion le « ramassa » et l'amena à Maheba.

Il était là depuis deux mois quand je l'ai vu, et il m'avoua que, sous son sourire étincelant, il cachait un profond désespoir, à cause de ses études brutalement interrompues vers la fin de l'année scolaire. Donc, envolé le diplôme tant espéré, envolés les trois mois de vacances qu'il se réjouissait d'aller enfin passer auprès de sa famille ! Au lieu de cela, un camp de réfugiés sans espoir de débouché, sans perspective d'avenir. Rien que le sentiment atroce d'années de jeunesse perdues à jamais. Cependant, ce qui le tue surtout, m'a-t-il dit, c'est de ne pas savoir ce que sont devenus son père, sa mère, ses frères et sœurs, son oncle de Kolwezi, ses autres parents. Il n'a plus qu'un désir : retourner coûte que coûte au Zaïre. Mais quand sera-ce possible ? Les ambassades s'en occupent, lui répond-on, seulement cela risque d'être long.

— Aidez-moi, je vous en prie ! m'a-t-il littéralement imploré.

Que de fois je les ai entendus, ces mots, dans mon périple ! Et toujours j'étais forcé de répondre : « Je suis désolé, mais je ne peux rien. Je suis sans autorité officielle, sans pouvoir, sans influence. La seule chose que je puisse faire, c'est d'écrire ce livre que j'ai entrepris, sur le martyre ou les malheurs d'enfants ou de jeunes gens comme vous, dans l'espoir que, en apportant le témoignage de votre chagrin, de votre tragédie personnelle, j'aiderai, si peu soit-il, à mieux faire comprendre vos souffrances et celles des autres. »

16

Le génocide biafrais fut une véritable guerre aux enfants

On n'a que le choix dans les chassés-croisés d'incohérence qui marquent l'histoire de notre temps.

Ainsi, pendant que des milliers de Zaïrois fuyaient leur propre pays en ce début des années 60, d'autres milliers de fuyards choisissaient le Zaïre comme terre d'asile et y accouraient de pays plus ou moins proches — notamment des colonies portugaises, Angola, Guinée, Mozambique, qui, dans ces années 60, également, entamaient sourdement leur lutte pour l'indépendance, avec tout le cortège habituel de la guerre, ouverte ou non.

Et en même temps — en 1962, exactement — deux tragédies, inégales dans leurs dimensions quantitatives, mais se rejoignant par le fond dans l'inhumanité, affectaient notre Europe civilisée. En mars de cette année-là, et en France, les conséquences de la fin de la guerre d'Algérie, après sept années de combats et de cruautés. Et, en

187

août, en Allemagne, l'horrible mort d'un jeune Allemand de l'Est, au pied du Mur de Berlin.

Je ne vais pas récrire l'histoire de la guerre d'Algérie. Je ne veux en retenir ici, brièvement, que les souffrances qu'elle entraîna, renforcées encore par le terrorisme et la torture, pour d'innocentes familles des deux camps — l'un des aspects les plus désastreux de ces souffrances, sur le plan humain, ayant été le déracinement total de ces familles.

Entre le début du soulèvement contre l'autorité française et le cesser-le-feu signé à Evian en 1962, puis la paix, environ un million et demi d'Arabes d'Algérie furent chassés de chez eux, dans les zones frontalières, par l'armée française, et « installés » ailleurs. Environ cent cinquante mille autres s'enfuirent au Maroc et en Tunisie. Là, en vue de leur propre pays, parfois même de leur village, on les dispersa dans un paysage de désolation, leur donnant pour tout abri, contre le froid mordant ou la chaleur torride selon la saison, des huttes à toit d'herbe, des nids à rats en boue, voire des trous dans le sol.

Dans la ville frontalière marocaine d'Oujda, la Croix-Rouge organisa des services médicaux, cependant que des équipes de volontaires du *Save the Children Fund* opéraient dans la campagne. Indifférents, hébétés, sans même la force de rire et de jouer, les files d'enfants malades s'allongeaient, offrant le spectacle classique de tout-petits dépérissant de faim, les yeux caves, le ventre grotesquement gonflé, et de leurs frères et sœurs ou camarades à peine plus âgés, les yeux rouges et chassieux, le corps rongé de plaies infectées où les mouches tétaient le pus. On ne comptait pas ceux dont le petit crâne était rasé, pour lutter contre le mal qui le couvrait de croûtes, et enduit non pas de pommade — il n'y en avait pas — mais de graisse à essieux, prélevée subrepticement sur des camions ou des chars militaires français.

Et quand, enfin, l'Algérie eut gagné son indépendance, ce fut le tour d'autant de Français, nés sur son sol eux aussi, d'en être chassés en y laissant tout : biens, passé, souvenirs, ancêtres morts, et en emmenant avec eux des enfants dont l'existence s'est trouvée brutalement coupée du milieu où elle commençait à s'épanouir naturellement.

Quant au jeune Allemand de l'Est Peter Fechter, c'est parce qu'il avait soif d'une liberté qui lui paraissait être le propre de l'homme,

188

et que lui refusait le régime politique sous lequel il vivait, que l'appel de l'évasion fut un jour le plus fort et le poussa à braver la mort s'il le fallait.

C'était le 17 août 1962, un an exactement après que le gouvernement est-allemand eut fait dresser le fameux mur de béton surmonté de barbelés, pour arrêter l'hémorragie des réfugiés vers l'Allemagne de l'Ouest. Ils furent deux garçons à tenter le tout pour le tout, sachant que leur chance de réussite était presque nulle. Le camarade de Peter Fechter s'élança follement, parvint miraculeusement à escalader le mur et à faire le saut de la liberté dans Berlin-Ouest. Peter, fauché par un tir de mitrailleuse, tomba et resta étendu sur le sol, perdant tout son sang, implorant aide et pitié, tandis que les miliciens est-allemands tiraient des grenades à gaz autour de lui, pour arrêter ceux qui auraient osé se porter à son secours, et le laissaient agoniser, en ajoutant encore à ses souffrances le supplice des gaz lacrymogènes. Il mit une heure à mourir, avant que son âme pût s'envoler vers un pays de liberté comme il n'en existe pas ici-bas. Il avait dix-sept ans.

Le lendemain, une jeune fille, rééditant malgré tout cet acte désespéré, parvint à passer, indemne.

Quatre années s'écoulèrent, puis, un soir, au coucher du soleil, deux petites silhouettes se mirent à courir dans le no man's land proche de la station de métro de Plauterwald. Aussitôt, les miliciens de l'Est tirèrent; les deux formes humaines s'affalèrent, inertes. L'une était celle d'un enfant de treize ans. Son camarade avait dix ans!

Deux années plus tard encore, les habitants de la ville frontalière de Cobourg entendirent successivement, un soir, deux fortes explosions, et l'on sut bientôt que, dans le no man's land servant à l'Allemagne de l'Est de barrière contre l'Ouest, un garçon de seize ans gisait, mourant, les jambes emportées par l'explosion de deux mines.

Miliciens d'un côté et policiers de l'autre se précipitèrent, braquèrent leurs projecteurs sur le corps mutilé, écoutèrent dans l'obscurité qui tombait la voix de l'adolescent qui suppliait : « Au secours ! Je ne veux pas mourir ! » Par peur de sauter eux-mêmes sur une mine ou d'être canardés par ceux d'en face, pas plus les policiers de l'Ouest que les miliciens de l'Est ne bougèrent — du moins tant que le corps continua à s'agiter faiblement et la voix à implorer. Puis, le silence revenu, les miliciens est-allemands se décidèrent : ils firent sauter sept mines, se portèrent jusqu'au cadavre et l'enlevèrent.

189

Ce monde est dément.

Ainsi, après un holocauste de dizaines de millions d'êtres humains — laissant espérer que serait enfin levée à jamais la malédiction de la guerre et de la persécution, partout dans le monde celles-ci tuaient, torturaient, mutilaient, prouvant que le sacrifice avait été vain. Vingt années plus tard, pendant que, en Allemagne, des communistes tiraient sur des enfants, ou les déchiquetaient par l'explosion de mines, dans une autre partie du globe, en Indonésie, c'étaient des enfants qui tuaient des communistes.

Cela s'est passé en 1965. Et voici les faits, tels que les rapportent Carl et Shelley Mydans dans leur livre *la Paix violente* : « Les jeunes garçons souriants que l'on voit offrir des fleurs aux touristes et les guider, au temple balinais de Besakih, ont, une nuit, juste devant les portes de ce même temple, réduit en bouillie le crâne de trois communistes de la ville. Ayant demandé au chef de la petite bande s'il pouvait faire la différence entre les objectifs des communistes et ceux du parti nationaliste auquel il appartient, j'ai reçu cette réponse : « Non. Moi, je travaille seulement au temple. La politique, je n'y comprends rien. » Haïssait-il les communistes ? « Moi ? Non. » Alors, pourquoi avoir *tué* ces trois-là ? « Des gens, des autorités, sont venus nous dire un jour qu'il fallait se débarrasser d'eux, répondit ce jeune garçon avec son sourire timide et charmant. Alors, c'est ce qu'on a fait. Voilà tout... »

Mais tout cela n'est rien, à côté de ce qui s'est passé à la même époque au Biafra.

Des nombreux noms dont on a affublé les événements du Biafra — « guerre civile », « guerre tribale », « guerre de survie », etc. — aucun ne rend compte exactement de ce que fut en réalité cet affrontement. Son vrai nom devrait être : « guerre des enfants » — non que les petits Biafrais aient tué âme qui vive, mais ce furent eux, surtout, qui firent les frais sanglants de ce génocide.

Le Biafra, partie orientale du Nigeria, est la terre des Ibos, gens ambitieux, gros travailleurs et que, pour cela, on trouve un peu partout sur le territoire nigérien. Avec les Hausa-Fulanis au nord et les Yorubas à l'ouest, ils constituent en outre un des trois grands groupes ethniques du pays.

En mai 1966, de premières convulsions secouèrent le Nigeria. Les Ibos voulurent faire sécession. Au cours de ce mois, plusieurs milliers d'entre eux furent massacrés dans les villes du Nord. Deux mois plus tard, nouvelle flambée de tueries. Du coup, deux millions d'Ibos refluent vers l'est et le Biafra natal et, le 30 mai 1967, le colonel Ojukwu, gouverneur de la province, proclame celle-ci république indépendante. Aussitôt le gouvernement fédéral envoie des troupes, et ce qu'on essaiera de camoufler sous le nom d' « opération de police », et qui durera près de quatre années, causera la mort de quelque deux millions de Biafrais.

Pendant près d'un an, le monde feignit de croire à la fable de « l'opération de police » et ferma les yeux. Puis, du jour au lendemain ou presque, entre les media ce fut à qui rivaliserait de photos déchirantes et de récits à fendre le cœur sur le sort des petits Biafrais qui mouraient de faim. Partout, les organismes privés réagirent : Eglises, Croix-Rouge internationale, organisations de volontaires envoyèrent des cargaisons de vivres et de médicaments, par avion et à grands risques et périls, car, le Biafra étant soumis à un blocus impitoyable, les appareils devaient se poser sur des terrains improvisés. Il y eut des catastrophes et des équipages tués.

Quant aux nations elles-mêmes, bien que des milliers de Biafrais, et surtout d'enfants, mourussent chaque jour, elles prirent leur temps et accordèrent d'abord la priorité aux considérations politiques et économiques, plutôt qu'humanitaires. L'U.R.S.S., l'Egypte, la Grande-Bretagne se disputèrent les fournitures d'armes au gouvernement fédéral nigérien — « La Grande-Bretagne doit sauvegarder son influence et protéger ses intérêts économiques », déclara Lord Sheppard aux Communes. Par rapport aux autres, il avait au moins le mérite de la franchise publique. Le Portugal, l'Afrique du Sud, la Chine, de leur côté, fournirent les Biafrais. Les Etats-Unis n'envoyèrent pas d'armes, mais, politiquement et économiquement, ne cachèrent pas leur sympathie pour le Nigeria. Quant à la Tchécoslovaquie et à la France, elles firent bon poids, bonne mesure et vendirent des armes aux deux camps — façon comme une autre de maintenir une neutralité. Façon aussi, et non négligeable, de doubler le profit. Et tant pis si les morts et les souffrances sont doublés eux aussi ! Quel est le pays possédant une industrie lourde d'armement, privée ou d'Etat, et ne perdant pas de vue l'équilibre de ses finances, qui se permettrait de sacrifier une telle chance de profit — et pourquoi ? Au bénéfice de vies humaines et, par-dessus le marché, de peuplades perdues quelque part dans la brousse de la lointaine Afrique ?

Cela dit, avant de poursuivre sur le Biafra, j'aimerais préciser un point. J'avais fait appel au délégué pour le Nigeria de l'Union internationale de protection de l'enfance pour m'aider à rencontrer des enfants qui avaient survécu à la tragédie biafraise. Lors de notre entrevue à Genève, il se montra réticent : « Nous ne voulons plus jamais entendre prononcer le mot *violence* dans notre pays », me déclara-t-il. Frappé par cette réponse, je décidai de ne pas me rendre au Nigeria. J'ai recouru à des témoignages écrits, que j'ai suscités et qui me sont parvenus sous forme de lettres.

Enfin, j'ajouterai ceci : depuis les événement du Biafra, il est arrivé une chose inhabituelle, pour ne pas dire presque unique, et qui est que, abjurant tout esprit de vengeance ou de représailles, le gouvernement nigérien s'est consacré à une seule tâche : la réconciliation.

Et maintenant je laisserai la parole à Cosmas.

Cosmas est aujourd'hui étudiant aux Etats-Unis. Il était encore tout petit en ces années 60. Mais il a bonne mémoire et il m'a conté dans le détail tout ce par quoi il était passé, pendant que Britanniques, Français, Russes, Chinois et quelques autres se faisaient, par l'intermédiaire de leurs gouvernants, complices du massacre d'un peuple qui, comme presque tous les peuples africains que je connais, est par nature sociable, gai, aimable et ne demande qu'à vivre heureux et à laisser les autres en paix.

Le Nigeria était un assemblage disparate de populations musulmanes et quasi féodales, au nord, et de populations christianisées et occidentalisées, au sud. Je n'entrerai pas dans l'historique du conflit. Simplifions en disant que le mélange était détonant, que s'y ajoutait la jalousie du Nord pour le Sud, plus riche et plus influent (surtout quand y jaillit le pétrole) et que, après le massacre de quelque trente mille Ibos dans le Nord, la sécession, puis la guerre parurent être, comme d'habitude, hélas ! la solution la plus simple.

Cela signifia, écrit Cosmas, que l'on omit de tenir compte de certains éléments « tels que le sort des personnes âgées ainsi que des enfants et des étudiants, forcés de ne pas aller à l'école pendant trois années environ ». Toutes choses dont les chefs politiques ou militaires se soucient comme de guignes, d'ordinaire, mais qui faisaient tout le sens de la vie aux yeux du jeune Cosmas. « Le résultat, écrit-il aussi, est que tout est tombé en pièces au Nigeria. » Et il poursuit : « A l'approche de l'ennemi, tout le monde était bien forcé de se mettre à courir, en ne prenant avec lui que ce qu'il pouvait emporter pour un long voyage d'une durée indéterminée et, d'habitude, à pied. » Les gens âgés et les enfants comme lui devaient parcourir ainsi de très longues distances, « ce qui entraînait jambes enflées et autres situations inconfortables ». Et par-dessus tout « la faim n'était jamais en repos et l'impact le plus fort était sur les enfants ».

Avec l'aggravation du conflit, « les gens étaient contraints de révoquer leurs résolutions personnelles, et, en échange d'un peu de nourriture, ils offraient ce qu'ils n'auraient jamais dû offrir. C'est-à-dire que les commandements de Dieu étaient considérés par certains comme ne devant pas être forcément observés. Il en résulta, pour nombre de bébés qui ne virent pas le jour, des aventures incroyables et inédites. » Parmi lesquelles, cela va sans dire, surtout l'avortement : « Les mères en puissance préféraient faire avorter leurs bébés plutôt que de les exposer aux affres de la famine. Et les naissances prématurées foisonnaient, en raison du manque de médicaments et de soins appropriés. » D'autre part, les mères étaient si affaiblies par la disette qu'elles mouraient souvent pendant l'accouchement et que beaucoup de nouveau-nés ne survivaient pas.

Ceux-là mêmes qui survivaient « étaient menacés de mort avant d'avoir achevé le cours de leur vie », les mères étant incapables de les nourrir. Alors, on abandonnait simplement le bébé, ou bien on lui donnait de la nourriture solide, ce qui, dit Cosmas, « le forçait à se dépêcher le plus possible d'aller rejoindre ses arrière-grands-parents dans la tombe ». Il y avait des mères qui, dans leur désespoir, mangeaient n'importe quelle plante ou racine pour empêcher leur lait de se tarir. Mais l'effet était fréquemment désastreux pour le nourrisson : « Ceux-là, commente Cosmas, n'avaient d'ordinaire d'autre solution que de casser leur pipe . » Certaines mères ne survivaient pas non plus à ce genre de régime : « Les cas de cette espèce se réglaient à l'amiable dans la tombe ».

D'autres mères abandonnaient leurs enfants pour céder aux exigences des soldats, qui les prenaient pour concubines ou pour secondes femmes : « Le pire, poursuivit Cosmas, était qu'il s'en trouvait pour déserter leur mari et leurs enfants afin de se joindre aux soldats vers des destinations inconnues, et dans l'unique intention de se nourrir grassement et de jouir de la vie de diverses façons. » De quelque façon que disparût la mère, c'était condamner les jeunes enfants à mourir de faim, car il était hors de question pour le père et les frères aînés de se risquer à trouver la nourriture appropriée, sous peine de se faire prendre et fusiller sur-le-champ, ou d'être tirés comme des lapins. La femme était le seul soutien de famille et, si elle n'y pourvoyait, écrit Cosmas, « il ne restait plus aux deux parents et à tous les enfants qu'à mourir ».

Sa lettre conclut douloureusement : « Le pire de tout était quand les parents ne pouvaient faire autrement que de mourir et que les enfants n'avaient plus personne pour les consoler — ce qui fut mon cas » — ainsi que celui de dizaines de milliers de petits Biafrais.

Et voici ce que dit aussi Chibiko. Il n'avait que quatre ans à l'époque, mais il se souvient avec une précision hallucinante du début des troubles — « beaucoup de gens du village pleuraient parce que, un jour, mon frère qui rentrait de Lagos raconta que, là-bas, les Houssas avaient massacré beaucoup d'Ibos » (il s'agissait du second massacre qui précéda, en juillet 1966, le conflit proprement dit). Ensuite, ce fut la guerre : « Nous avons dû cesser d'aller en classe et nous cacher tant qu'il faisait jour, à cause des avions qui venaient sans arrêt lâcher leurs bombes sur notre village. Un jour où je jouais avec mon frère aîné, il a été tué par l'une d'elles. » Peu après, la mère de Chibiko lui expliqua qu'elle n'avait plus d'argent et ne pouvait plus acheter de nourriture : « Moi qui adorais les soupes de ma mère ! dit-il. Et maintenant elle n'avait plus rien pour en faire, ni poisson, ni crabe, ni sel. »

Pour lui, cela voulait dire carence de protéines. Il tomba bientôt malade : « Un matin je me réveillai avec des douleurs dans tout le corps. Je devais courir très souvent aux cabinets, parce que j'avais une diarrhée terrible et rien à manger. J'ai commencé par maigrir beaucoup, mais par la suite je suis devenu tout gonflé et pâle. » A l'hôpital d'Amachara où l'on finit par le conduire, on diagnostiqua une maladie dénommée *kwashiorkor* et causée par le manque de protéines : le patient dépérit d'abord, puis est atteint d'hydropisie chronique, les bras, les jambes, le ventre surtout enflent, et les cheveux, de noirs, deviennent d'un jaune rougeâtre ; le mal gagne les reins et l'anémie mortelle s'installe.

Heureusement pour lui, Chibiko fut transporté au Gabon où les soins le rétablirent. Tout à la joie de sa santé retrouvée, il ne pensa pas trop, d'abord, à son frère aîné mort, ni ne s'inquiéta trop de ne pas avoir de nouvelles de ses parents restés au Biafra.

Sorti de l'hôpital, il vivait à présent dans un groupe organisé comme une petite famille, dont la « mère », Rose, les giflait quand ils oubliaient de passer sous la douche ; mais il aimait le chant et le football à l'école, et cela compensait.

Et ainsi de tous les témoignages qui me sont parvenus.

A six ans, le petit Efion vit les soldats entrer dans son village, tuer son père et sa mère, et ses deux frères aînés disparaître. Il s'enfuit tout seul et courut, courut, sans la moindre nourriture, sans la moindre goutte d'eau, jusqu'à ce que, épuisé, il fût recueilli par un médecin européen qui le fit transférer par avion au Gabon, lui aussi.

Asuguo avait quinze ans et fuit de son village de Nkalu avec sa famille et les autres habitants, à l'arrivée des soldats. « Mais ils nous donnèrent la chasse en tuant tout ce qu'ils voyaient sur leur chemin, les gens et même les chèvres. Nous avons dû nous cacher dans la brousse. » Cela n'empêcha pas Asuguo d'être capturé et enrôlé de force dans la défense passive : « On devait faire de l'entraînement en rampant sur les genoux et les mains sur l'asphalte des routes. Comme je me sentais très malade, on m'a frappé et laissé là. » Des soldats biafrais le retrouvèrent à demi-mort.

Ihunuya ne pouvait dire exactement son âge. Elle devait avoir dans les huit ans. Elle restait hantée par une vision de terreur. La maison de ses parents était dans le village d'Eluoma-Uzuakoli : « Un jour, nous avons vu quelque chose qui ressemblait à un très grand oiseau et d'où venait tellement de bruit et de feu, tuant beaucoup de monde, que nous nous sommes sauvés. Le feu gagnait partout, brûlait tout ; il n'y a pas une maison de notre village qui n'ait pas brûlé ce jour-là. Et il y avait des gens dont la tête avait été emportée ; pour d'autres, c'étaient les mains ; d'autres encore étaient brûlés. Pendant toute une semaine, on a entendu des gens crier et pleurer à chaque coin d'Uzuakoli. On campait sous des tentes qu'on avait faites avec des joncs tressés et des bambous. Il n'y avait rien à manger. »

Ihunuaya tomba malade, s'affaiblit, tandis que son petit corps enflait. Par chance, elle put être évacuée vers le Gabon. Et là, quel fut son premier vœu ? « Je veux retourner au Biafra »...

J'en reviens à Cosmas qui, m'a-t-il écrit, ses parents morts, « n'avait plus personne pour le consoler que son Créateur ». Rentré au Biafra — son plus cher désir à lui aussi — il dut se débrouiller tout seul : « Les enfants comme moi, dit-il, ont vécu des problèmes indescriptibles, au-delà de toute endurance humaine, parfois, et la mort était, dans la plupart des cas, la seule solution qu'ils avaient sous la main. Et pourtant, grâce à Dieu, beaucoup de choses impossibles devinrent possibles. Malgré le fait que la famine et la maladie aidaient la mort à régler proprement ce genre de terrible situation, Dieu a rendu possible, pour beaucoup comme pour moi, de survivre. »

Et il conclut merveilleusement : « Grâce à l'expérience doulou-

17

« *Que fais-tu ici, pauvre Guinéen ?* »

C'est la vengeance, et non la réconciliation, qui a marqué le régime de Francisco Macias Nguema[1], premier président de la Guinée Equatoriale, indépendante après avoir été colonie espagnole. Car l'indépendance est une belle chose ; mais on mesurera l'abîme qui peut la séparer souvent de la liberté aux récits que j'ai recueillis, à Libreville, au Gabon, de la bouche d'enfants contraints de fuir ce pays, seuls ou avec leurs parents.

Pascual avait quinze ans au moment des élections présidentielles de 1968. Après l'école de la mission espagnole, il était entré au lycée. Dans l'un comme dans l'autre établissement, il n'y avait pas de distinction de couleur : « Je jouais couramment — ou me battais — indifféremment avec les enfants blancs et avec mes frères noirs. »

---

1. Aux dernières nouvelles, heureusement, chassé du pouvoir.

Pendant les vacances, il était le plus souvent invité chez ceux qu'il appelle « mes petits blancs », dont son ami favori, Miguel, fils d'un officier de marine espagnol. Cette même année 1968, Pascual décrocha son brevet. Il était très heureux ; il caractérise ce bonheur d'un mot : « Nous étions libres. »

— Mais n'étiez-vous pas un peu privilégié ? lui fais-je remarquer.

— Oui, en un sens, je l'avoue. Mais, même si on n'était pas riche, on n'en était pas moins libre de faire ce qu'on voulait.

Son père était haut fonctionnaire du ministère des Finances. Des trois candidats à la présidence — Atanacio, Bonifacio et Macias — il soutenait le premier. L'élection du troisième ne l'empêcha d'abord pas d'être nommé gouverneur de la province de Rio Muni. La vie au palais du gouverneur était plus aimable que jamais, reconnaît Pascual.

Ce fut de courte durée : en 1969, Atanacio tenta un coup d'Etat, qui échoua. Tôt le lendemain matin, Pascual, ses parents et sa petite sœur Isabel se trouvèrent face à face avec une escouade de soldats qui, ayant forcé la porte du palais, les insultaient en les menaçant de leurs armes. Pascual et sa sœur, terrifiés, se serrèrent contre leur mère en larmes, tandis que les soldats se jetaient sur le père, lui arrachaient ses vêtements et l'entraînaient vers un camion. Les deux enfants et la mère voulaient y monter avec lui ; on les repoussa à coups de crosse. Dans l'innocence de son enfance heureuse, Pascual ne comprenait rien à ce qui arrivait ; il ignorait même ce qu'était un coup d'Etat — « Cela signifie qu'on a voulu tuer le président », se contenta de lui répondre quelqu'un.

Toute une semaine, on les maintint en résidence surveillée au palais. Puis on leur dit qu'ils pouvaient apporter de la nourriture au père, en prison. Tous trois partirent, emportant un triple plateau de purée de banane, de poisson et de salade — la ration d'un jour. A la prison, défense à Pascual d'approcher de son père. Il doit rester à dix pas, et ce n'est que grâce à une vieille cicatrice familière au-dessus de l'œil gauche qu'il parvient à le reconnaître — autrement, il est méconnaissable, maigri, voûté, crâne tondu, visage défiguré par d'affreuses plaies. A ce spectacle, ils sanglotent tous les trois. Des soldats les chassent brutalement : « Posez la nourriture et foutez le camp ! » Ils retournent à leur résidence surveillée.

Le père passa cinq mois en prison, Pascual accompagnant parfois sa mère dans sa visite quotidienne pour apporter l'unique nourriture permise. Certains jours il pouvait apercevoir son père ; d'autres, on le chassait. Puis les soldats ramenèrent le père, enfin libre, au palais, mais pour dire à la famille : « Prenez ce qui vous appartient, laissez tout ce qui est propriété de l'Etat, et filez ! »

Le jour même, ayant loué un camion, tous quatre déménagèrent, regagnant leur maison de Rio Benito. Arrivé là, le père dit à Pascual : « Ecoute bien, mon enfant. Je suis un homme fini. Mais toi, il faut que tu continues tes études. Tu vas aller vivre dans la famille de ton cousin, à Bata » — à quelque quatre-vingts kilomètres de là.

La mort dans l'âme au spectacle de cet homme qui n'était plus que l'ombre de lui-même, Pascual obéit néanmoins. De Bata, impossible d'écrire à ses parents, à cause de la censure. Il pouvait revenir pour les vacances, mais sa joie était assombrie alors par la condition de son père : si ses plaies avaient guéri, l'esprit ni le cœur n'y étaient plus et le malheureux se désespérait en songeant à l'avenir de son fils.

En 1971, nouvelle descente de la soldatesque. La maison est fouillée ; le père, arrêté, jeté en prison à Rio Benito d'abord, puis transféré à la geôle du parquet de Bata.

— C'est là, m'a dit Pascual, qu'on liquidait les prisonniers.

Son père y resta une année et demie, condamné aux travaux forcés, cassant des cailloux, transportant des sacs de ciment, travaillant sur les routes, sous les coups et les insultes. On lui avait confisqué ses lunettes, sans lesquelles il n'y voyait presque pas.

Un jour de juin 1972, Pascual, accompagnant sa mère à la prison, put voir son père à la fin de sa journée de travaux forcés. Manifestement, il arrivait au bout de l'épuisement. Il dit à son fils : « Mon enfant, cela ne peut plus durer bien longtemps. Je suis déjà à demi mort. Essaie d'obtenir des autorités de la prison qu'on nous accorde une heure ensemble, pour que tu puisses connaître ma volonté et recevoir ma bénédiction. » Mais lorsque Pascual en parla au capitaine qui commandait, celui-ci lui répondit : « Fous le camp ! Je ne peux rien pour toi. » Sur quoi, Pascual s'adressa à un sergent : « D'accord, dit le sous-officier. Mais pas plus d'un quart d'heure, et ce sera cinq mille *pesetas* et une bouteille de whisky. »

Pascual et sa mère s'arrangèrent pour trouver le tout. On les conduisit à la cellule. Le père était si faible qu'il devait s'appuyer à quelque chose pour rester debout. A sa femme et à son fils adolescent, il fit part de ses dernières volontés. A son épouse, Monica, il dit : « Ne quitte jamais ton fils », et à Pascual : « Ne quitte jamais ta mère. » Pour finir, il bénit son fils selon la coutume. Pascual m'a montré ce que fut cette cérémonie, simple mais bouleversante, comme s'il avait été le père, et moi, le fils. Il saisit ma main droite dans la sienne et, la pressant fortement chaque fois qu'il accentuait un mot, me dit :

199

— Il m'a déclaré : « Si j'ai pu te faire des reproches ou me mettre en colère contre toi, je m'en repens et je l'efface aujourd'hui. » En même temps, il se détourna et cracha sur le sol, pour bien prouver qu'il avait rejeté de lui tout mauvais sentiment. Ensuite, soufflant sur ma main en guise de préliminaire à ses vœux de bonheur, il reprit : « Tu dois t'efforcer de mener une vie de bien. Ne te fais pas d'ennemis, tu n'en auras pas. Puissent les ennuis et la mort violente t'être épargnés. Au nom du Père, du Fils et du Saint Esprit. » Le lendemain matin, je me levai très tôt pour essayer de lui apporter une bouteille Thermos de café. Je le trouvai encore plus abattu et épuisé. Il me dit cette fois : « Mon fils, je crois que cela va être mon tour aujourd'hui. Passé cette journée, nous ne nous reverrons plus. »

Je revois le regard déchirant que Pascual me lança à ces mots. Puis ses larmes coulèrent ; il s'assit devant moi, la tête dans les mains, secoué par les sanglots. Au bout d'un moment il poursuivit :

— Je lui ai remis le Thermos et l'ai regardé se hisser péniblement sur le camion. Il était si faible qu'il fallait l'aider. C'est la dernière image que je garde de lui vivant.

Le camion parti, Pascual rentra chez lui, les yeux aveuglés par les larmes. Il buvait du café avec sa mère, et la maison semblait écrasée sous un calme insolite, quand un homme entra : « Madame Monica, j'ai de graves nouvelles pour vous. Votre mari est mort ce matin, à 9 heures moins le quart. Je l'ai vu. » Et il décrivit la fin du père, matraqué, tombé à terre. Pour le ranimer on avait jeté sur le corps de l'eau froide, mais il était mort. Alors, d'autres prisonniers avaient reçu l'ordre d'enlever le cadavre. Ils l'avaient déposé sous un arbre à pain, en attendant le camion qui l'emmènerait à la morgue.

— Quand je l'ai vu là, dit Pascual, papa ne ressemblait plus à l'homme que j'avais eu en face de moi quelques heures plus tôt. Il paraissait tout ratatiné, diminué ; on aurait presque dit un Pygmée. J'ai demandé à quelqu'un qui était présent comment cela se pouvait « Parce qu'il a trop souffert », m'a répondu cette personne. Le corps de papa, a poursuivi Pascual (et, me parlant, il employait ce mot en y mettant une telle présence que son père, disparu depuis six ans, aurait pu être là, dans la pièce voisine)... le corps de papa était si couvert de boue qu'il a fallu le laver entièrement. On l'a enterré le jour même.

— Chrétiennement ? ai-je demandé, puisque c'était leur religion.

— Il n'en était pas question. Les prêtres n'avaient pas le droit. Non, sans aucun rite.

Fidèle à la volonté paternelle Pascual reprit ses études, passa son bachot. Cependant, des soldats continuaient à envahir la maison fréquemment, pillant et insultant au passage. A tel point que, un jour, n'en pouvant plus, Pascual leur hurla : « Sortez d'ici, bande de merdeux ! » On le jeta en prison, où il resta deux semaines et fut battu. Relâché, il déclara à sa mère : « Je ne peux plus y tenir. C'est parvenu à un degré où je risque de faire une bêtise, et cette fois je finirais comme papa. Il faut que je parte. » Sa mère acquiesça. Au jour dit, elle le réveilla très tôt, lui prit la main droite, comme l'avait fait son père, et le bénit.

Ainsi, contre les dernières volontés paternelles, contre lui-même, Pascual quitta-t-il sa mère. Par des sentiers à travers la jungle, au bout de cinq jours de marche il atteignit la mer, à Kogo, à quelque quatre-vingts kilomètres de chez lui. Il y passa trois jours, caché dans les plantations de canne à sucre, qui lui fournirent aussi son unique nourriture. Chaque jour il guettait les pêcheurs, cherchant à en déceler un qui accepterait de le conduire en pirogue vers le sud et le Gabon. Mais il avait peur de se tromper et d'être dénoncé. Il se décida donc à voler tout bonnement une pirogue. Après avoir pagayé toute la nuit, il atteignit Coco Beach et le Gabon.

Là, plus d'autre ambition que de vivre. Il est devenu travailleur agricole, factotum. Pis : indirectement, la violence de son pays l'a poursuivi jusque dans son asile — après le meurtre d'un Gabonais en Guinée Equatoriale, il y a eu au Gabon de furieuses manifestations contre les réfugiés comme lui : maisons incendiées, hommes, femmes, enfants écharpés. Il a dû d'y échapper à la seule bonté d'un voisin gabonais. Néanmoins, il est reconnaissant au Gabon de lui avoir accordé refuge.

— Mais je ne m'y sens pas chez moi, m'a-t-il confessé. Je n'y ai pas d'amis véritables. J'aimerais sortir plus ; seulement, quand j'entre dans un bar ou un café, on me dit : « Que fais-tu ici, pauvre Guinéen ? Pourquoi ne retournes-tu pas dans ton pays ? » Et c'est vrai qu'il me manque, mon pays. Pourtant, je n'ose pas rentrer. Pour être tout à fait franc, je suis désespéré...

Ce fut non pas en pirogue, mais avec ses petits pieds d'enfants que Jacintha (elle avait huit ans à l'époque, et dix-sept ans quand je l'ai vue en 1978) échappa aux persécutions du président Macias. Son père, député à l'Assemblée de Guinée Equatoriale, avait le tort d'être dans l'opposition. L'après-midi touchait à sa fin quand je me suis présenté à la petite maison à toit de tôle qu'occupe la famille dans un faubourg de Libreville, au Gabon, aujourd'hui. Devant la porte, des enfants bavardaient et riaient, bienheureusement inconscients des terribles événements qui les avaient exilés de leur patrie. A l'intérieur, dans une pièce nue au sol de ciment, les aînés et les adultes étaient à table. Viande, riz, bananes. Silence total. Atmosphère de tristesse. Cependant, après quelques politesses, l'atmosphère devint amicale, et Jacintha et son père ont parlé.

En 1969, ils vivaient à Bata (où est mort le père de Pascual) et Jacintha avait tout ce dont peut rêver une fillette de huit ans : la télévision familiale, la radio et son pick-up personnel sur lequel elle mettait des disques de Pop — elle adorait la danse, comme tous les petits Africains, avec ce don et cette grâce naturels qui ne sont qu'à eux. En outre, elle était très bonne écolière.

Le 5 mars (jour de l'arrestation du père de Pascual), Martin, le père de Jacintha, passe la prendre à la sortie de l'école. A peine viennent-ils de rentrer à la maison qu'un camion s'arrête devant la porte. Huit hommes en sautent, se jettent sur Martin et commencent à le rosser à coups de gourdins, sous les yeux de la fillette et de sa mère.

— Mon père est tombé évanoui, raconte Jacintha. Les soldats lui ont arraché tous ses vêtements et l'ont traîné nu jusqu'au camion.

Et le film se déroule, hallucinant de ressemblance avec celui de Pascual.

Au bout de quinze jours, la mère emmène Jacintha à la prison, où on leur interdit de s'avancer au-delà de dix mètres d'un groupe de prisonniers hirsutes, sales, blessés, accablés. Sans un faible signe de la main qu'il leur fit, Jacintha n'aurait jamais reconnu son père sous la barbe de quinze jours et les plaies vives du visage.

— J'ai pleuré tout le temps de la visite, dit Jacintha. Et lui-même était aussi bouleversé que nous. Par un des fonctionnaires de la prison, qui était un de nos parents, il m'a fait tenir ce message : « Ma Jacintha chérie, je ne veux pas que tu reviennes. Je ne peux supporter de te voir si triste. »

Intervenant à ce point du récit, Martin ajoute cette précision à mon intention : le jour même de cette visite, le délégué de la Guinée Equatoriale à l'ONU, Saturnino Ibongo Iyanga, est mort sous les coups des gardes : « J'ai vu le cadavre. C'était lui, je le connaissais bien. »

— Nous étions cinq par cellule de trois mètres sur deux, poursuit-il. Nous faisions nos besoins dans une boîte qu'on nous laissait jusqu'à ce qu'elle déborde. Malgré la puanteur, nous parvenions à manger le seul repas autorisé par jour, qu'apportaient les familles. La nuit, après 10 heures, les séances de torture commençaient. Deux gardes entraient, s'emparaient de trois prisonniers, les traînaient dehors, les forçaient à se coucher sur le ventre, juste devant la porte de la cellule, et se mettaient « au travail » sur chaque prisonnier tour à tour, avec la crosse ou un gros bâton. Tête, dos, jambes, tout y passait, jusqu'à ce que la victime perde connaissance... ou meure, comme Saturnnio, dans la cellule voisine.

A ma demande, il ôte sa chemise et me montre son dos : quatre cicatrices profondes le barrent — « J'en ai d'autres sur les reins, les fesses et les cuisses, et j'ai eu une blessure à la colonne vertébrale », ajoute-t-il.

Mais revenons à Jacintha.

Durant les mois qui suivirent, la fillette, sachant que les prisonniers mouraient souvent sous la torture, perdit tout espoir de jamais revoir son père. Puis, un jour de juin, il revint, mais avec l'ordre de s'exiler avec sa famille dans son village natal, à quelque trois cents kilomètres de Bata, où il devrait « pointer » auprès des autorités locales trois fois par mois. Toutefois, très vite, à cause de sa blessure à la colonne vertébrale, il se retrouva dans l'incapacité de se déplacer et fit parvenir une lettre d'excuses aux autorités en question. En guise de réponse, on le renvoya en prison où, si on lui épargna la torture quotidienne, on le condamna aux travaux forcés : quatorze heures par jour, sans, bien entendu, le moindre soin pour sa colonne vertébrale.

De son côté, Jacintha dut quitter l'école, où elle réussissait si bien, pour aider sa mère. Puis l'argent se fit rare, et à la suite d'une visite du président Macias à la prison — « C'est un mauvais homme », m'a dit Jacintha — la sentence qui frappait Martin fut transformée en condamnation à perpétuité.

Cette fois, avec trois autres, Martin prépara son évasion. Il en avertit sa femme, puis, le lendemain, pendant le repas de midi, parvint à s'échapper avec ses trois compagnons. La frontière n'était pas loin. Ce même soir, la mère dit à Jacintha que, toutes les deux, elles s'enfuiraient le lendemain matin, en emmenant la petite Maria-Thérésa. Jacintha ne put fermer l'œil de la nuit, tant elle était effrayée à cette idée.

L'aube n'était pas née quand elles s'enfoncèrent dans la jungle, Jacintha marchant devant sa mère, qui portait Marité. Douze kilomètres de sentiers de jungle — connus d'elles, fort heureusement — les séparaient de la frontière. Mais elles durent se cacher souvent, pour échapper non à des poursuivants ou à des soldats, mais à des éléphants ! Finalement, elles traversèrent sans encombre et, au Gabon, continuèrent jusqu'à un village où vivait une tante de

Jacintha, mariée avec un Gabonais. Au bout de quelque temps, Martin les y rejoignit.

L'histoire de Jacintha s'arrêterait là, sans l'addition d'un élément extérieur.

Pendant que j'écoutais le récit de celle qui était maintenant une jeune fille, je remarquai un bébé, que j'entendis nommer Emilio, et qui s'intéressait plus au sein de la mère de Jacintha, qu'il tétait, qu'à nos voix. Mais lorsque la mère le tendit à Jacintha et que je vis celle-ci lui donner le sein à son tour, soudain je compris qu'Emilio était évidemment son fils.

— Vous êtes mariée ? lui demandai-je.

— Non, me répondit-elle avec un sourire. Mais le père d'Emilio est ici.

Elle me montrait du doigt un jeune homme, beau, ma foi, vêtu d'une chemise blanche immaculée et d'un pantalon au pli admirablement marqué, qui était assis à table avec la famille et qu'elle me présenta sous le nom de Gabriel.

Alors, j'ai écouté aussi Gabriel.

Il n'est pas gabonais. Il vient de Guinée Equatoriale lui aussi. Il vivait là-bas, dans un village proche de Rio Benito. Il était fils de paysans.

Avant Macias, m'a-t-il expliqué, c'était bien, même si nous n'avions pas encore l'indépendance. D'ailleurs, franchement, il a fallu qu'elle soit là pour que je sache ce que ça voulait dire. Tout allait beaucoup mieux auparavant. On s'entendait bien entre Noirs et Blancs ; on pouvait voir qui on voulait, aller librement partout, même en vacances sur l'île de Malabu, aujourd'hui rebaptisée Macias Nguema et interdite. La nourriture était en abondance, tant africaine qu'importée. Depuis Macias, il n'y a plus rien.

Et pourtant, Gabriel hésita longtemps avant de fuir son pays. Il faisait de brillantes études au lycée de Bata, et l'idée de partir lui crevait le cœur. Mais il y vit deux raisons. D'abord, on avait pris à son père sa ferme, parce qu'il ne pouvait plus vendre ce qu'il récoltait quand les femmes se rendaient au marché pour vendre les produits de la terre, les miliciens les attaquaient. Deuxièmement, Gabriel atteignait l'âge du service obligatoire dans la milice, justement — la *Juventud* de Macias, qui s'était taillé une belle réputation de vol, de rapines et de viol (et qui a été accusée d'infractions graves aux Droits de l'Homme). L'idée de cette incorporation lui répugnait.

Cependant, il lui en coûta de partir. Son père l'autorisa, à titre d'aîné, à bénéficier de la préséance sur ses frères. Mais sa mère se tourmentait à la pensée de ce départ pour l'inconnu. Gabriel franchit à pied les quarante-cinq kilomètres qui le séparaient de Kogo et, de là, comme des milliers de ses compatriotes, traversa en pirogue l'estuaire jusqu'au Gabon et à Coco Beach.

Ce faisant, il disait adieu à son grand rêve, qui était de devenir médecin chirurgien. Aujourd'hui il est chômeur. Malgré la communauté de langue (le *fang*), les réfugiés de Guinée Equatoriale ont peu de chance de trouver un emploi. Et Gabriel, l'aspirant chirurgien, et Martin, l'ancien député, bricolent ensemble çà et là, pour gagner le pain de la famille.

Sans sa rencontre avec Jacintha, Gabriel aurait perdu tout espoir. Il rentrait une nuit du cinéma quand il la croisa dans le cercle de lumière d'un réverbère, et ce fut le coup de foudre. Elle avait quinze ans ; lui, vingt. Deux ans plus tard, Emilio naquit.

Gabriel voudrait avoir d'autres enfants, mais d'abord se marier. Faute d'argent et d'avenir, il n'en est pas question. Jacintha pense de même. Si elle est heureuse de savoir Emilio à l'abri au Gabon, elle ne voit pas ce que lui réserve la vie et elle a peur.

— A mon avis, m'a déclaré douloureusement Gabriel, elle a raison. Je crois que notre fils vivra dans une pauvreté encore plus grande que la nôtre.

femme au grand cœur, avait assisté à la pendaison publique de son frère, sur ordre du président.

Qu'était-il arrivé ? En 1972, Amin ordonna que quiconque n'était pas citoyen ougandais devait quitter le pays — qu'il s'agît d'*Anougandais*, tel le père de Jack, originaire du Kenya, ou d'Européens ou d'Asiatiques aussi bien. Ce furent les Asiatiques qui souffrirent le plus. Pour les autres, les choses se calmèrent à peu près jusqu'en 1974, où les soldats d'Amin se répandirent dans les campagnes, chassant brutalement les Kenyans — à commencer par les enfants — de leurs maisons.

— Ce fut le début de violences qui, dirigées toujours d'abord contre les enfants, s'étendirent ensuite aux femmes et aux hommes. Les soldats, précise Jack, tiraient indifféremment sur les uns et les autres, comme sur du gibier.

J'ai encore devant moi l'image de Jack, solide adolescent au beau visage d'ébène, au regard planté droit dans le mien. Il portait un uniforme de scout, propre et bien repassé, avec des chaussures marron, un béret kaki, un foulard rouge, et sur la poche de poitrine de sa chemisette blanche était cousu un écusson brodé à l'étoile, avec les mots *Igunga High School* (Collège d'Igunga) et la devise : *Savoir c'est Pouvoir*. A la ceinture qui retenait sa culotte vert sombre pendait un rouleau de corde — « pour attacher les mains de l'ennemi », me dit-il.

Avant d'être au Kenya, Jack vivait dans l'ouest de l'Ouganda où son père avait bâti leur maison, aidé par des amis. C'était une vraie demeure en gros parpaings de ciment, coiffée de tôle ondulée — douze pièces en tout : « Il fallait ça ; avec mes parents nous étions onze ». Autour, seize hectares de terre cultivable.

— Mon père soignait très bien sa ferme et nous étions prospères. Je n'avais pas six ans quand j'ai commencé à aider aux champs. Et par la suite, même quand j'allais en classe, toujours, en rentrant à la maison, je donnais un coup de main. C'était le bon temps et la vie était belle et heureuse. Tout le monde était content ; les voisins vivaient en paix ; les soldats et la police nous laissaient tranquilles.

Après la prise de pouvoir d'Amin Dada, les choses non seulement se gâtèrent, mais s'aggravèrent sans cesse. En 1976, commença ce que Jack appelle « la corruption », avec la multiplication des tueries. Il m'a raconté la terrible expérience qu'il vécut à seize ans, avec quarante autres scouts. On les conduisit en camion à un pont en amont des chutes du Karuma, à un endroit où le courant, extrêmement violent, est hérissé de rochers. On les fit descendre de camion et s'engager sur le pont. Deux autres camions, ceux-là chargés de prisonniers pieds et poings liés, arrivèrent. Un par un, les prisonniers furent jetés hors des camions et précipités par-dessus le parapet du pont dans le courant furieux, qui les emportait vers les chutes, et de là, s'ils étaient encore en vie, vers des eaux calmées, mais infestées de crocodiles.

— Tout le temps que cela dura, dit Jack, j'ai souffert comme si j'avais été un de ces hommes. Et encore maintenant, d'y penser me remplit d'horreur et me fait mal. Quand je suis rentré à la maison, j'ai dit à mon père ce que j'avais vu. Il m'a écouté en silence, puis il a secoué la tête tristement et, sans un mot, il s'est endormi.

Vers cette époque, les massacres systématiques d'*Anougandais* commencèrent à s'approcher de leur région — jusqu'au jour où l'on annonça que leur agglomération (dont Jack m'a prié de ne pas révéler le nom) était la prochaine sur la liste.

Aussitôt, laissant là tout — maison, bétail, terre, fruits d'années de sueur et de labeur acharné — la famille s'enfuit dans la brousse. Jack portait sur ses épaules un petit frère de quatre ans ; sa sœur aînée, leur petite sœur de six ans. Toute une semaine, marchant uniquement la nuit, se cachant tout le jour dans les broussailles, ils allèrent dans la direction de la capitale du pays, Kampala, à plus de trois cents kilomètres. Pendant tout ce temps, ils n'eurent à manger que ce qu'ils cueillaient : des baies de *zincdome* et des feuilles de *misara* (un arbre). Il savait que les bêtes fauves rôdent dans la brousse — « Nous avions continuellement peur de tomber sur des lions ou des éléphants ; heureusement, nous avons eu de la chance[1]. » Les parents, à cause de l'âge, supportaient moins bien la

1. D'autres eurent moins de chance. Edward (dix-huit ans) et Judy (quinze ans), tous deux tanzaniens, m'ont raconté chacun, au collège d'Igunga où je les ai vus en 1978, une terrible histoire. Ils appartiennent l'un et l'autre à la tribu des Maraguri. Un jour, les gens d'une autre tribu assaillirent leur village, brûlant tout. Une sœur d'Edward (dix ans) périt dans les flammes ; le père de Judy fut tué sous les yeux de sa femme et de ses six enfants — « J'ai dû regarder pendant qu'on le massacrait à la hache et à la lance », m'a dit cette enfant, avec une maîtrise de soi extraordinaire, les yeux fixés sur moi sans ciller. Dans la nuit, la mère de Judy et sa petite famille gagnèrent la brousse en direction du Kenya, ne cheminant que la nuit. Un matin, à la pointe de l'aube, on s'aperçut que l'un des frères manquait : « Ou bien il se sera égaré, ou bien il aura été trop fatigué pour continuer. Mais nous ne l'avons jamais revu », a commenté Judy, de sa voix calme.

La famille d'Edward s'était également enfoncée dans la brousse. Ils étaient onze : père, mère et, après la mort de la sœur dans les flammes, neuf enfants. Une nuit où ils n'étaient pas encore sortis du territoire tanzanien et où ils s'étaient arrêtés pour se reposer et prendre tout de même un peu de sommeil, ils furent réveillés par un cri d'effroi perçant. La nuit était noire comme de l'encre. Tout près, et suivant de peu le cri, retentit le rugissement d'un lion. En un clin d'œil, la famille détala, terrifiée. Lorsqu'elle s'arrêta de nouveau, on fit le compte : le petit frère d'Edward manquait. Encore pleins d'effroi, tous rebroussèrent chemin jusqu'à l'endroit de la première halte. Ils eurent beau chercher, ils ne virent que des traces de sang sur le sol.

fatigue et la faim ; pris de vomissements, ils devaient s'arrêter souvent. Ils n'en parcoururent pas moins en huit jours leurs trois cents kilomètres et entrèrent une nuit à Kampala, d'où, le lendemain, un parent les conduisit à Busia, près de la frontière du Kenya.

Au poste frontière, les gardes leur ordonnèrent à tous de se déshabiller entièrement — sauf Jack et ses deux frères de douze et quatorze ans, qui portaient l'uniforme scout : on leur enjoignit de se mettre à l'écart. Puis douaniers et policiers commencèrent par frapper à coups de crosse le père et la mère, nus, et passèrent ensuite aux autres enfants. Jack et ses frères, voyant leurs parents étendus à demi morts, et terrifiés par le spectacle de ce qui suivait, se cachèrent le visage pour ne pas regarder. N'entendant plus que des gémissements, Jack se retourna et s'aperçut alors que son frère de douze ans n'était plus à côté de lui : il gisait sur le sol, près de ses parents vers lesquels il s'était manifestement élancé pour tenter de les secourir. Une large tache de sang souillait sa chemise blanche. Jack comprit, quand il eut remarqué que, au bout des brodequins des gardes-frontières, était fixée une pointe de métal longue de deux ou trois centimètres. L'enfant avait été jeté à terre, puis frappé à coups de pieds, et la pointe avait pénétré dans le cœur. Il était mort. Les gardes empoignèrent le cadavre et l'emportèrent dans la cabane.

Le reste de la famille, ensanglantée, meurtrie, terrorisée, fut brutalement chassé de l'autre côté de la frontière. Les malheureux poursuivirent à pied en territoire kenyan, jusqu'à ce qu'un Européen les recueille dans son camion et les conduise à Kakamega. Là, ce fut la grande dispersion. Jack et son dernier frère furent envoyés à l'école, à Igunga ; les parents et les autres partirent de leur côté — où ? Jack n'en a même pas la plus petite idée. Il est sûr d'une seule chose : sans argent, sans terre, son père ne peut plus être qu'une épave. Il m'a dit : « J'aimerais faire à ces brutes de la frontière ce qu'elles ont fait à mes parents et à ma famille. Ce n'était pas juste. » Il a ajouté : « Mon unique désir est de réussir dans mes études. »

— Cultiver la terre comme votre père ne vous tente pas ?

— Non, m'a-t-il répondu. Ce que je veux, c'est une bonne situation bien payée, pour pouvoir retrouver mes parents et les aider.

David, maintenant élève aussi au collège d'Igunga, est également sans famille. A un an, il était déjà orphelin de père. A quatre ans, il perdit son frère préféré, qui avait le double de son âge. Entre-temps, ses trois sœurs aînées avaient quitté la maison pour se marier. Il lui restait sa mère et un frère, séparé d'eux, pensionnaire dans une école. Pendant qu'il me parlait, la seule évocation de sa mère faisait passer entre nous un nuage de silence et de tristesse.

Très bon élève en classe, quand il put y aller, il se heurta très vite au « tribalisme ». Il était de la tribu des Maragoli, alors que la tribu « régnante », localement, était celle des Bagandas. Le moment venu, il se retrouva interdit d'études secondaires. Deux années, il rongea son frein à la maison. Puis, audacieusement, sous un faux nom — un nom baganda — il se représenta à l'examen, réussit, entra à l'école secondaire. Prudemment, il n'avait pas choisi la même. Il y était depuis quatre mois lorsque, au début de 1977, il fut convoqué chez le principal :

— Quelle est ta tribu ?

David crut que son cœur allait s'arrêter.

— Tu es un *Anougandais*, reprit le principal avant qu'il ait même eu le temps d'ouvrir la bouche. Quitte immédiatement cette école et retourne chez toi pour ne plus revenir.

David savait ce que voulait dire le mot terrible d'*Anougandais* : « N'importe quelle nuit, les soldats pouvaient débarquer, m'a-t-il expliqué. Et le lendemain matin, les voisins trouvaient la maison vide, et plus jamais on n'entendait parler de ses occupants. » Il s'enfuit donc littéralement de l'école, abandonnant livres, cahiers et son matelas, qu'il avait payé. Il mit deux jours en auto-stop pour arriver chez lui, où sa mère, morte d'inquiétude quand il eut raconté la chose, lui donna de l'argent et lui dit : « Va-t'en, va quelque part où tu seras en sécurité. »

— Depuis, m'a dit David, je ne sais même pas si elle est encore en vie.

Emportant une petite provision de maïs cuit, il entreprit de gagner la frontière du Kenya, à trois cents kilomètres de là, d'abord par car, pour sortir le plus rapidement possible du secteur dangereux pour lui. Il lui restait une centaine de kilomètres à parcourir, quand, à Jinja, il fut témoin de l'exécution d'un homme, amené pieds et poings liés au milieu d'un terrain de jeux et abattu devant la foule par des soldats, de plusieurs balles. Conscient de risquer le même sort, il poursuivit tout seul, sans attendre, se nourrissant de bananes et ne s'arrêtant que pour reposer un peu ses jambes gonflées. Au bout de cinq jours, il avait si mal aux pieds que, selon ses propres termes, « c'était comme de marcher sur du verre brisé ». Enfin, il aperçut au loin le poste frontière et les soldats de garde. Il les contourna par la brousse, pénétra au Kenya, jusqu'à Kakamega.

Mais, durant trois mois encore, ce jeune lycéen plein de promesses, désormais sans famille, sans foyer, sans argent, sans vêtements, rôda dans la brousse, dormant à la belle étoile et se nourrissant d'agaves et de baies, malade de solitude et de remords à la pensée de sa mère qui avait tant fait pour lui et qu'il avait abandonnée à tous les périls. A bout, il finit par se présenter à la Croix-Rouge. Grâce à elle, il put reprendre ses chères études au collège d'Igunga. De sa voix calme, cultivée, sérieuse, David m'a dit en conclusion :

— J'ai une immense gratitude pour ce collège. Je fais de mon mieux pour l'exprimer en travaillant très dur et en me conduisant bien.

Comme David, James suivait le cours normal de ses études quand, comme il dit, « je me suis retrouvé dans la mélasse », n'ayant d'autre ressource que de fuir, dans une longue aventure qui le conduisit de l'Ouganda à Libreville, au Gabon, où je l'ai rencontré.

Son histoire, comme celles d'Adam et de Benjamin, que j'ai également recueillies, illustrent un autre aspect de la terreur qui régna en Ouganda, mais aussi, d'une manière plus générale, la tragédie de millions d'écoliers, de lycéens, d'étudiants dans le monde, tous brutalement interrompus, le plus souvent pour toujours, dans leur scolarité et leurs études, par la guerre et la persécution, et condamnés de ce fait à demeurer à jamais plus ou moins inéduqués — et l'on sait la source de problèmes psychologiques et moraux que cela représente inévitablement pour eux et, par ricochet, pour toute une société. En tout cas, quelle que soit la région de notre globe où j'ai eu l'occasion de m'entretenir avec des enfants ou des jeunes gens tout juste sortis de l'adolescence, cette impossibilité, où on les avait mis de force, de compléter leurs études m'a frappé comme étant, de tous leurs chagrins, de tous leurs griefs, le plus grave et celui qui leur était le plus intolérable, le plus impardonnable.

Jusqu'à quinze ans, James avait eu pour meilleur ami un jeune garçon blanc, John. Bien que le premier allât à l'école pour les Noirs, et le second à l'école pour les Blancs, ils étaient, à part cela, inséparables, également passionnés de sport — même après toutes ses tribulations, les yeux de James s'illuminent quand il parle du cricket.

En 1971, année de la prise de pouvoir d'Amin Dada, James entra au lycée. John, comme beaucoup d'autres Blancs, quitta l'Ouganda à cette époque. Mais James avait de nombreux camarades et amis asiatiques. Il admirait beaucoup les gens de cette race ; l'Ouganda leur devait une grande part de sa prospérité. (Malgré quoi Amin Dada n'allait pas tarder à les expulser.)

C'est en 1976 que James se retrouva « dans la mélasse ». Avec quatre étudiants il rédigea et répandit un tract réclamant l'abandon du pouvoir par les militaires au profit d'un gouvernement civil. Quelques jours après, un de ses professeurs, un Ougandais, annonça : « Les services de sécurité ont en main votre tract. Vous feriez mieux de filer au plus vite. » Avec l'accord de ses parents, James fila donc, en compagnie des quatre autres, au Ruanda. De là, deux des cinq gagnèrent l'Angleterre (ils y achèvent aujourd'hui leurs études), deux autres, la Tanzanie (fini pour eux l'université, ils travaillent en usine), et James, le Zaïre.

A la frontière zaïroise, arrestation : en prison. Cellule sans lumière, sale, souillée d'excréments, qu'il partage avec des droit commun — lesquels le battent, lui font les poches, lui volent le peu d'argent qu'il a. Relâché, on l'expédie à Kinshasa. Sans espoir de pouvoir y poursuivre ses études — son seul but, m'a-t-il déclaré, l'unique raison de son extraordinaire et dangereux périple — il repart, cette fois pour Brazzaville et le Congo, où, grâce à la générosité d'étudiants ruandais (car il n'a pas un sou vaillant), il peut étudier le français et l'anglais toute une année. Puis, de nouveau sans le sou, il décide de passer au Gabon. Il n'a pas de visa. Au village frontière où il s'arrête pour la nuit, des femmes, séduites par sa jeunesse, son sérieux et son charme (il en a beaucoup), persuadent les fonctionnaires de l'immigration de lui accorder le passage.

— Ce jour-là, dit James, j'ai vraiment eu l'impression que Dieu était avec moi. Pourvu seulement qu'il continue à être aussi bon !

Ce qui est certain, c'est que, à peine avait-il mis les pieds au Gabon qu'il tombait sur un fonctionnaire de Libreville en vacances, qui lui offrait de l'emmener le lendemain dans cette ville, où il rentrait.

C'est là que je l'ai vu, ai-je dit. Et il m'a confié qu'il voulait maintenant aller jusqu'en Grande-Bretagne et aux Etats-Unis, pour compléter ses études. Nous en étions à ce point de notre entretien quand, ayant un avion à attraper, je dus lui dire adieu. Et juste comme nous allions sortir de mon hôtel, l'ambassadeur de Grande-Bretagne, Christopher MacRae, arrivait en voiture. Je lui ai présenté James en expliquant brièvement son cas. Sur quoi l'ambassadeur, tirant de son portefeuille une carte de visite, la lui tendit en lui recommandant de ne pas manquer de passer le voir. Dieu, décidément, continuait à veiller sur James !

Adam et Benjamin, eux, portaient encore gravées dans leur visage, lors de notre rencontre à Bujumbura, au Burundi, les traces des souffrances qu'ils avaient endurées avant d'échapper à Amin Dada.

Adam, orphelin de mère à cinq ans, vivait avec son frère aîné à Kampala, la capitale de l'Ouganda. Leur père, officier, connaissait très bien Amin. Adam, sans avoir été présenté au président, avait eu l'occasion de l'observer souvent de très près — « C'était un dictateur et un tueur », ainsi me l'a-t-il dépeint.

Il faisait ses études comme pensionnaire. Un matin où, livres et cahiers sous le bras, il s'apprêtait à assister à un cours, un camarade externe s'approcha de lui pour lui annoncer : « Ton père a été assassiné. » Bouleversé, Adam courut dehors et sauta dans un taxi. Devant la porte du jardin de sa villa gisait en effet son père, le sang ruisselant encore de ses blessures et souillant son uniforme. Il était percé de coups de couteau. Des traces sanglantes remontaient jusqu'à la porte de la demeure, déserte, et jusqu'à l'intérieur.

Sous le choc, Adam resta hébété, comme assommé, se demandant désespérément que faire. Quand des soldats vinrent enlever le corps pour l'ensevelir, il les pria de lui permettre de l'accompagner. Ils refusèrent.

— Jamais je ne le leur pardonnerai. Je ne sais même pas où est la tombe de mon père...

Après être retourné à l'établissement scolaire, dont le directeur le dispensa de cours, il se mit en quête de son frère, officier aussi dans l'armée de l'Air. A la caserne, on lui dit : « Nous revenons des funérailles de quelques camarades. Votre frère était au nombre de ceux-ci. » C'était le coup de grâce.

Reprenant ses esprits, Adam se dit que le même sort l'attendait probablement. Deux jours plus tard, il quittait Kampala et parvenait à franchir en secret la frontière du Ruanda. Mais à Kigali, la capitale, on lui déclara : « Les Ougandais n'ont pas le droit de rester au Ruanda. » Il finit par échouer à Bujumbura. Seulement, à son âge, pouvoir continuer ses études au Burundi posait un singulier problème : l'enseignement y est fait en français, qu'il ignorait. Il fallait tout recommencer par le B, A, BA, ou renoncer.

Il a renoncé. Il ne pense qu'à ses morts, à son pays, à la jeune fille qu'il aimait et qu'il a quittée sans même la revoir. Son seul espoir était le départ ou la mort d'Amin. C'est chose faite à l'heure où j'achève ce livre. Je souhaite qu'Adam ait pu rentrer, car j'ai encore dans l'oreille l'accent de sa voix désespérée me disant : « J'ai l'impression d'être tout seul au monde. »

Cousin d'Adam par l'adversité, Benjamin réagissait aussi avec la même méfiance soupçonneuse. Devant eux, je devais surveiller chacune de mes paroles, tant leur sensibilité était à vif. Deux fois pendant notre entretien, Benjamin se ferma complètement, muet et me tenant sous le feu sombre et furieux de ses yeux.

Pourtant, tout de suite je m'étais pris d'affection pour lui, pour son visage naturellement ouvert, rayonnant de gentillesse et d'intelligence. Et puis il était handicapé physiquement : il avait une démarche gauche et embarrassée, qui lui faisait traîner les pieds. Je sentais qu'il avaient envie de me conter son histoire, mais qu'il y avait du mal. C'est quand j'ai su ce qu'il en était que j'ai compris ses sentiments et où était la blessure.

Son père était professeur assistant de botanique à l'université de Kampala. Sa mère, sage-femme. Son frère aîné, Joseph, était son plus grand ami. Il avait aussi une sœur plus jeune. C'étaient là, m'expliqua-t-il, des détails banals, mais qui avaient leur importance.

Ses camarades, à l'école proche de Kampala où il était pensionnaire, étaient pleins d'égards pour son infirmité. Il était bon élève et se préparait à des études universitaires.

Au début de 1977, il fut pris d'une grande inquiétude pour la vie de son père. S'il ne l'avait jamais entendu critiquer en public le chef de l'Etat, dans le privé il était arrivé au professeur de discuter celui-ci. Et, après le meurtre du président de la Cour suprême et d'autres notables et la disparition, au fil des mois, de certains camarades et même de maîtres de Benjamin, celui-ci en vint à craindre que son père ne fût sur la liste noire.

Le 4 août, une sorte de pressentiment lui fit solliciter l'autorisation de s'absenter pour se rendre chez lui. Il y trouva sa mère dans l'angoisse. Son père, lui dit-elle, était allé la veille au marché avec

Joseph, et ni l'un ni l'autre n'étaient rentrés. Elle avait fait le tour de toutes les prisons — en vain. Scrupuleusement, Benjamin, ne voulant pas abuser de la faveur spéciale que lui avait faite le directeur, regagna l'école malgré tout.

Trois jours plus tard, coup de téléphone de sa mère pour lui demander de revenir immédiatement. Cette fois, il la vit en larmes près du corps de son père, retrouvé ce jour-là et ramené à la maison. De Joseph, pas de trace.

Après les obsèques, Benjamin retourna douloureusement à son école. Quelques jours plus tard, on l'avertit que sa mère avait disparu. Il se précipita chez lui. Maison vide. Sa sœur aussi avait disparu.

— J'ai été frappé de solitude, dit-il. J'ai compris que j'étais l'unique survivant de la famille. C'est pourquoi je peux parler si librement d'elle. On ne peut plus rien contre elle, puisqu'elle n'existe plus.

Mais lui-même, à l'époque, s'était su en grand danger. Sans bagage et avec le peu d'argent qu'il avait, il prit le car aussi loin qu'il put, jusqu'à proximité de la frontière tanzanienne. Ensuite, malgré son handicap, il continua à pied dans la brousse et réussit à franchir clandestinement la frontière.

Ce n'était que le début d'un prodigieux effort, quand on pense à son infirmité. En Tanzanie, il s'associa à deux fugitifs comme lui, Joseph et Sam, et tous trois résolurent de ne pas s'en tenir là : au Burundi, leur avait-on dit, ils auraient une chance de pouvoir reprendre leurs études, et c'était leur grande préoccupation.

C'est ainsi que, avec ses deux camarades, traînant les pieds et boitillant, Benjamin accomplit — en deux jours et deux nuits — à travers la brousse, puis la montagne, une marche de plus de cent vingt kilomètres ! Pas un instant il ne flancha. Jusqu'au bout il réussit à se maintenir dans la foulée de ses compagnons. C'étaient eux qui, le voyant parfois au bord de l'épuisement total, le suppliaient de s'arrêter en lui disant que, reposé, il pourrait les rattraper.

— Mais je pensais : il ne faut pas que je les lâche, ou alors je les perdrai et ne les retrouverai plus...

Ils finirent par arriver au Burundi et à Bujumbura. Mais là (comme pour Adam) déconvenue ! Le beau rêve des études continuées s'envolait : aucun d'eux ne parlait le français.

— Mais j'apprends, m'a déclaré Benjamin avec une résolution exemplaire. Je veux parvenir à faire des études qui me permettent de

216

me rendre utile à mon pays, si j'ai le bonheur d'y rentrer un jour[1].

Il s'était détendu au fur et à mesure de son récit. Comme je le quittais, il me sourit et ajouta :

— Je vous tiens comptable de ce que vous direz, Peter.

M'appeler Peter, c'était, pensai-je, me traiter en ami.

---

1. Sans nouvelles de Benjamin depuis notre rencontre, j'espère que, Amin Dada parti, son souhait est aujourd'hui exaucé.

19

« *O liberté,*
que de crimes
on commet en ton nom ! »

Comme si les affres sanglantes de l'indépendance et du partage en deux nations, en 1947, après la fin de la Deuxième Guerre mondiale et avec le début de la décolonisation, n'avaient pas suffi au sous-continent indien, le début de 1971 vit l'un des désastres humains les plus épouvantables et les plus insensés jamais provoqués par la main de l'homme lui-même.

Peuplé en majeure partie de Bengalis musulmans, auxquels étaient venus s'adjoindre les musulmans du Bihar fuyant l'Inde proprement dite lors de la séparation, le Pakistan Oriental manifesta cette année-là la volonté de se séparer du Pakistan Occidental, à l'autre bord de la péninsule, pour proclamer son indépendance sous le nom de Bangla Desh. Sur quoi, le 25 mars, pour refréner la sécession, le Pakistan Occidental envoyait des troupes. Neuf mois plus tard, elles devaient être défaites et le Bangla Desh devenait Etat souverain. Mais, entre-temps, à l'affrontement entre armée régulière et combattants de la liberté s'était ajouté le massacre, par les Bengalis, de musulmans biharis, considérés comme des étrangers et, à ce titre, comme des alliés de l'ennemi pakistanais, parce que venus d'ailleurs et parlant une autre langue, l'*urdu* — le tout se traduisant inévitablement par un effroyable bain de sang et l'inévitable exode de millions de réfugiés fuyant la mort, et parmi lesquels, naturellement, on ne compta pas les enfants.

J'ai vu l'un des camps où stagnent encore des milliers de ces déracinés, le camp de Mirpur, à quelques kilomètres de Dacca. Même les rapports officiels ne le flattent pas ; je cite au hasard : « ... bidonville... tous les membres d'une famille entassés dans une hutte en ruine... partout des mares d'eau morte... hygiène générale mauvaise... enfants atteints pour la plupart de maladies diverses... »

Pourtant, une visite à Mirpur est l'une des expériences humaines les plus exaltantes qu'on puisse imaginer. Et ce, à cause des enfants principalement : presque tous nus, se baignant et s'éclaboussant dans les mares d'eau (c'était la saison des pluies), pataugeant dans la vase jaune, ils avaient l'air, en sortant, de porter des mi-bas éclatants et accouraient à mon passage, levant le nez et me souriant, touchant mon bras et mon pantalon de leurs petites mains boueuses. Avançant sur le chemin surélevé, étroit et glissant, entre les misérables huttes, minuscules et où grimpaient des plantes aux fleurs jaunes, parmi des plantations en miniature, et très personnelles — neuf ou dix mètres carrés — de cannes à sucre et de bananiers, on ne pouvait s'empêcher de s'émerveiller non seulement de l'instinct de conservation de ces malheureux Bengalis, mais de la volonté qu'ils mettaient à survivre dans la gaieté d'une sorte de bonheur. Ils parvenaient à rester propres au milieu de toute cette boue et de cette vase. Et les visages s'éclairaient de grands sourires étincelants. Je n'en ai pas vu un seul qui fût triste.

Tous ces pauvres réfugiés — des enfants de six ans jusqu'aux vieillards — s'apprêtaient ce jour-là à passer la nuit en prière, car le lendemain était la fête de Shabi Bharat : le jour où Allah décide du sort de chacun.

Que déciderait-il, me demandais-je, pour Shiraz, ce garçon de onze ans, et pour Saleha Khatoon, sa mère, à qui je parlais en ce moment ?

Saleha avait dix-neuf ans en 1971 et était enceinte de trois mois d'un second enfant. Son père, charretier à main, refusa de ne pas aller à son travail alors qu'on se battait dans les rues : il ne pouvait se permettre de perdre une journée de travail. Des soldats pakistanais le percèrent de coups de baïonnette dans la rue. Au camp de Mirpur depuis 1975, Shiraz va à l'école. Ou plus exactement : *du* camp, car il fait tous les jours, à pied ou avec de la chance en auto-stop ou en train, quinze kilomètres pour y aller et en revenir. Comme je lui demandais ce qu'il aimerait faire dans la vie, il me répondit sans hésiter :

— Conduire un avion.

— Un grand avion avec des passagers ?

— Non, plutôt un bombardier.

— Pour bombarder les Pakistanais ?

— Non, parce que je n'aimerais pas bombarder des petits enfants comme moi, répliqua doucement, mais fermement, la voix jeune.

Ce n'était pas le genre de sentiment qui animait les soldats pakistanais tels qu'ils apparurent à Buri, un soir de Ramadan, en novembre 1971.

Il est 7 heures et demie du soir à la pendule de la demeure de ses parents, dans un faubourg résidentiel de Dacca. La famille — le père, lieutenant de vaisseau dans la marine pakistanaise, la mère, Buri (dix ans), ses six frères et une toute petite sœur — viennent de s'attabler et bavardent tranquillement, quand la porte de la pièce est enfoncée. Quatre soldats pakistanais, fusils braqués, entrent ; deux d'entre eux saisissent le père, l'entraînent dehors ; les deux autres, couvrant la mère et les enfants de leurs armes, sortent à reculons et tirent sur eux la porte.

Buri était si effrayée qu'elle se cacha sous un lit de repos — ce qui lui sauva la vie. Deux ou trois minutes angoissantes passèrent, puis, brusquement, dit Buri, « on aurait dit une grosse averse sur un toit de tôle » : une longue rafale d'arme automatique fit voler en éclats les vitres. Quatre des frères de Buri s'écroulèrent sur le plancher, morts. Deux des plus jeunes, Munu (six ans) et Idu (quatre ans) étaient indemnes ; la mère et la petite de six mois, blessées. Buri, paralysée par la peur, resta sous le lit longtemps après le départ des soldats avec son père, qu'elle n'a jamais revu.

Des plis de son sari orange et bleu, la grande, belle et gracieuse jeune femme qu'est devenue Buri a tiré, pour me la montrer, une photographie en couleur, un gros plan de ses quatre frères morts, le corps criblé de projectiles, les vêtements inondés de sang. Impassible, elle a détaillé : Mitou, le plus petit, six balles ; Shah Azgor, onze ; Shah Tofazol, neuf ; Shah Mosaref ; sept. Celui-là était l'aîné (quatorze ans) et le préféré de Buri :

— Il m'aimait bien et il était bon et doux.

Et cependant il avait rejoint les rangs des *muktibahima*, les combattants de la liberté, et s'était déjà battu, mitraillette au poing. Il savait aussi se servir de la dynamite et du plastic : deux jours avant sa mort, il avait participé à une opération de commando qui avait abouti à la destruction de la centrale électrique de la ville. C'était, pensait Buri, la raison du massacre de la famille : des voisins pakistanais avaient dénoncé la présence de Mosaref.

De ce passé d'enfance, que garde-t-elle ? Une grande tristesse (longtemps elle n'a pu croire que ses frères et son père étaient morts ; elle s'attendait à les revoir tout à coup), à laquelle s'ajoute l'amertume d'une vie ratée : à quatorze ans, sa mère l'a « casée » — pour l'argent — à un riche acteur de cinéma amateur de jolies filles — « Il me traitait comme une de ses maîtresses. » Elle a divorcé, mais non sans avoir eu à l'âge de seize ans un fils, Rupa, qu'elle adore.

— Si les hommes ne trouvent rien de mieux que de se battre, m'a-t-elle dit en conclusion, qu'ils s'entretuent s'ils veulent, mais qu'ils épargnent les femmes et les enfants, qui ne font rien de mal. Quant à punir les instigateurs et les auteurs de ces crimes, bien sûr je suis pour... mais ce n'est pas cela qui me rendrait mes frères.

Il y eut beaucoup de ces jeunes *muktibahima* comme Shah Mosaref. Par exemple Johi. C'était, devant moi, un jeune homme de vingt et un ans. Il en avait quatorze lorsqu'il avait commencé à tuer. Il m'a fait le récit de cette courte période de sa vie avec une précision et une intensité dans le geste et la parole qui montraient à quel point l'expérience avait pu le marquer.

En mars 1971, Johi était un jeune lycéen qui promettait. Dès le début de l'insurrection bengali, il fut enthousiasmé par le chef du mouvement de libération, Sidiki, jeune lui aussi et originaire de la partie montagneuse du Bengale, le Tangail, célèbre pour ses tigres. Et, répondant à son appel à toute la jeunesse du Bengale pour défendre la patrie attaquée, Johi, le 25 mars, jour de l'intervention des forces pakistanaises, quitta brusquement la classe pour s'engager parmi les combattants de la liberté.

Il subit un mois et demi d'entraînement intensif au Tangail. Il était loin d'être le plus jeune : il y avait des garçons de dix et douze ans que l'on formait comme messagers. A partir de quatorze ans, on avait droit à l'arme à feu.

Son premier engagement fut une embuscade tendue par sa

section à un convoi militaire pakistanais, qui laissa onze hommes sur le terrain. Johi lui-même n'était pas certain d'avoir tué ; mais, me dit-il avec une froide franchise, la vue des soldats morts le remplit de bonheur et de fierté pour sa section. Cela dit, il ne tarda pas à découvrir que tout n'était pas rose pour les combattants de la liberté. Et ce à l'occasion du « sale coup », selon ses mots, où trente-cinq de ses camarades et lui furent cernés par les « Paks ». Ils eurent vingt tués. Mais Johi, à grands gestes de mains, me décrivit la façon dont, avec sa mitraillette Sten, il s'était ouvert un chemin en abattant cinq soldats.

— J'étais très content de moi. D'ailleurs, ajouta-t-il, j'avoue très sincèrement que, plus j'avais d'amis tués, plus j'étais résolu à la vengeance.

Il en vint ensuite à me parler d'un autre aspect de la lutte pour la liberté : le meurtre sans pitié et de sang-froid de gens sans défense et, le plus souvent, d'innocents — même s'il refusait d'admettre que ce fût bien cela. Parmi les victimes de choix, il y avait les chefs de village, « complices bien connus » (c'est toujours ce qu'on dit) des Pakistanais. On se servait de la baïonnette. Pourquoi ? Comment ? Johi me l'a expliqué. Les munitions étaient rares et les coups de feu pouvaient attirer l'armée « pak ». La baïonnette, elle, est une garantie de silence, me dit-il avec un large sourire, comme s'il se fût agi d'un service rendu à la victime. Puis, gestes à l'appui, il me fit la démonstration de la manière dont il exécutait un chef de village. Deux camarades maintenaient chacun un bras de l'homme, pendant que Johi lui enfonçait sa baïonnette dans le ventre — « exactement ici » (me montrant son nombril). Et il s'agissait de baïonnettes chinoises, si je voulais le savoir, longues d'une trentaine de centimètres. Après quoi, pour mon édification, il me joua le rôle de la victime. Le visage convulsé par une atroce grimace, il mima trois soubresauts violents de tout le corps, puis sa tête retomba, inerte, sur l'épaule. La redressant, il me dit :

— Après ça, le type s'écroule, mort.

On pensera peut-être que Johi est un monstre. Et c'est vrai dans la mesure où ce lycéen studieux se transforma pour un temps en tueur endurci et de sang-froid. Peut-être est-on en droit de penser aussi qu'il serait capable de le redevenir, en d'autres circonstances. L'inquiétant est qu'il estime encore que les atrocités qu'il a pu commettre alors qu'il n'était qu'un adolescent étaient parfaitement justifiées. Si bien que — et le voilà, le cycle infernal ! — on peut supposer qu'il serait prêt à admettre, sinon à encourager, les mêmes actes de la part de ses propres enfants — c'est-à-dire : tuer froidement d'autres enfants avec leurs parents innocents (en mettant cela sur le compte des inévitables « bavures » — l'éternelle excuse), ainsi que, il est le premier à le reconnaître, l'ont fait les combattants de la liberté.

— Les soldats pakistanais se conduisaient comme tous les soldats du monde, ils violaient les femmes et les tuaient, et leurs enfants aussi. Nous le leur rendions, à eux et à leurs amis. C'était une justice rudimentaire, certainement, mais il n'existe pas de vraie justice a la guerre.

« Justice rudimentaire » — ces mots résonnaient à mes oreilles quand j'ai rencontré Yassin, peu après, au « Camp de la Vieille Ville », proche de Mahommetpur, organisé là pour recueillir les survivants de la population biharie de cette ville — population chassée par les Bengalis pendant la guerre de libération et se retrouvant sans foyer, toutes maisons incendiées, sans biens, sans argent, sans rien que la vie sauve. Mais quelle vie ?

A côté du « Camp de la Vieille Ville », celui de Mirpur était un paradis. Je l'ai parcouru dans la boue, la crasse, les ordures pourrissantes, environné, suivi par des foules d'enfants qui souriaient, riaient, criaient, battaient des mains, avec des yeux brillants de curiosité.

Je pénétrai dans un bâtiment qui avait été un dancing. Les ventilateurs pendaient encore au plafond, immobiles depuis des années, incapables de brasser l'air irrespirable à cause de la chaleur humide et de la puanteur, faute de courant électrique. Pas une lampe, pas une ampoule pour éclairer la pénombre sinistre ; rien qu'un peu de jour filtrant çà et là. Un Bihari m'expliqua gauchement : « Ici, on jouait drames, autrefois ».

Le drame qui s'y jouait maintenant était celui des cinquante familles qui se partageaient le sol et l'espace de cet endroit, à raison de trois mètres sur trois chacune, délimités par des rangs de briques soigneusement alignées. A l'intérieur de chaque « concession », parmi les casseroles, les marmites, les couvertures (soigneusement rangées aussi pour prendre le minimum de place), les cordes tendues avec les larges touches de couleurs des saris et des chemises, « on faisait tout » sous les yeux de tout le monde : on aimait, procréait, accouchait, naissait, vivait, mourait. Personne n'eût songé à loger pareillement des bêtes ; mais des humains existaient là depuis des années. Et personne, que je sache, n'a encore rien fait, au Bangla

224

Desh ni ailleurs dans le monde, pour mettre fin à cet état de chose dégradant.

Yassin pataugeait jusqu'aux chevilles dans la boue quand on me l'a désigné parmi la foule des enfants. Il avait seize ans. Dans un coin calme, il me raconta ce qui s'était passé sept années plus tôt, un soir, vers 5 heures, alors qu'il était à la maison avec sa mère, pendant que son père, propriétaire d'un bazar, était à son magasin, en ville. Soudain, la rue fut pleine de vacarme et de combattants de la liberté, porteurs d'armes à feu, qui envahissaient les maisons, en faisaient sortir les hommes, les femmes, les enfants. On s'empara de Yassin et de sa mère et on les força à montrer le chemin du bazar, où l'on se saisit aussi du père.

Dans la rue, au milieu du tumulte, Yassin perdit son père et sa mère et se retrouva pris dans la cohue des autres enfants qui couraient ici et là, pleurant et appelant leurs parents comme lui. Dans sa terreur, il finit par s'échapper et grimper sur un toit. De là, il put voir, en bas, les combattants de la liberté pousser et rassembler les gens sur une petite place, puis commencer la tuerie, par balles ou au couteau.

Yassin n'avait d'yeux que pour ses parents, qu'il avait repérés. Il vit des hommes s'approcher de son père, l'étrangler. Il les vit passer ensuite à sa mère, la percer de coups de couteau, puis lui trancher la gorge. Oui, tout cela, un enfant de neuf ans l'a vu à travers ses larmes — et c'était fait au nom de la liberté!

Yassin attendit le noir pour descendre de son toit et oser aller jusqu'à la maison d'un oncle, qui lui donna un bout de pain. Après quoi, il se joignit au torrent des Biharis qui continuaient à fuir vers la campagne.

Depuis ce jour, Yassin, qui, à neuf ans, rêvait déjà de l'université, n'est jamais retourné à l'école. Pendant des années, il erra, obtenant parfois un peu de nourriture ou un abri en échange d'une course ou d'une commission. Un jour, à Dacca, la grande ville proche, il se rendit au lieu de rassemblement des pousse-pousse — il y en a des milliers dans la ville, à tel point que, dans les rues, une seule file est réservée à la circulation automobile. Il demanda à l'un des hommes de lui apprendre à pédaler sur un cyclo-pousse (c'est loin d'être aussi simple que cela: j'ai essayé une fois, avec mon pédaleur pour passager, plus mort que vif). Ainsi, peu à peu, put-il ramasser quelques pièces de monnaie — moins qu'un adulte, car, bien avant la fin du jour, il devait s'arrêter, épuisé.

L'ironie est que Dacca est une grande ville universitaire. Mais jamais Yassin ne pourra s'asseoir sur les bancs de l'université. Il est condamné à vie à pédaler sur un cyclo-pousse.

225

Comme Yassin, Malik était fils de commerçant. Son père, tailleur, était installé à Dinajpur, près de la frontière indienne, à quelque deux cent quatre-vingts kilomètres de Dacca. C'est son tuteur, un Néo-Zélandais, Alan Cheyney, directeur d'une école pour jeunes « sous-privilégiés », qui me l'amena.

En décembre 1971, l'armée indienne franchit la frontière du Pakistan Oriental pour porter secours au Bangla Desh contre les Pakistanais. Comme elle approchait de Dinajpur, les Bengalis s'en prirent aux Biharis, et la tuerie habituelle commença, avec son inévitable corollaire : la fuite éperdue des survivants. Un train bourré de fugitifs, parmi lesquels Malik et les siens, quitta ainsi la gare de la ville à destination de Dacca. Il n'alla pas loin : presque aussitôt, des Bengalis — étudiants en majeure partie — montés dans le convoi, assaillirent les Biharis...

A ce point de son récit, Malik s'interrompit, se leva brusquement et fit mine de se diriger vers la porte. Je l'arrêtai doucement :

— Non, ne partez pas. Essayez de continuer... Vous étiez un petit garçon dans ce train bondé de gens...

Il se ressaisit en effet et poursuivit :

— Je ne savais même pas où nous allions ; je n'avais jamais entendu parler de cette ville de Dacca. Les étudiants bengalis jetaient les Biharis hors du train. Moi aussi, ils m'ont poussé et j'ai roulé sur le ballast.

Il y a des miracles pour les enfants : Malik était indemne. Mais il ne se releva que pour voir le train disparaître, emportant ses parents il ignorait où et le laissant perdu, seul et peut-être orphelin, en pleurs à côté de la voie ferrée.

Il eut l'idée de regagner Dinajpur en suivant les rails.

— Je voulais absolument trouver quelqu'un que je connaisse et j'ai fait le tour de plusieurs maisons.

Des soldats indiens le recueillirent, alors qu'il errait encore sans se décourager. Ils lui donnèrent à manger et un coin de tente. Il les suivit dans leur avance vers Dacca. Dans cette ville, ils l'abandonnè-rent et il recommença à errer, mendiant sa nourriture et, quand on ne lui donnait pas d'argent... ma foi, se débrouillant. Il était pieds nus, n'avait sur lui qu'une mince chemise de cotonnade et un short, bientôt en loques et ne le protégeant pas contre le froid. Sans couverture, il dormait toutes les nuits « à même la rue » :

— On avait beau être des centaines à le faire, je me sentais seul et j'avais horriblement peur.

Et pourtant, quelque part dans cette grande ville, il devait y avoir ses parents, s'ils étaient encore en vie !

Grâce à la rencontre d'un homme qui s'apitoya et le prit chez lui comme boy, en le payant, il connut une année de répit :

— Cet homme commença par me donner à manger, et puis on me lava et je reçus des vêtements neufs.

Puis, touché par la crise économique qui suivit l'indépendance, son bienfaiteur dut le congédier. De nouveau ce fut la rue, pieds nus, la mendicité, les petits larcins, les nuits à même le sol, à grelotter dans une chemisette et un short vite en guenilles.

— Avec la faim, le froid, la fatigue, je n'avais plus de force et, sans personne pour s'occuper de moi, j'ai fini par penser que mieux valait mourir.

A l'aube, un matin, un fonctionnaire de ministère se rendant à son bureau buta sur le corps du gamin de quatorze ans, inerte sur le trottoir. Au même moment, Alan Cheyney passait en voiture. Le fonctionnaire lui fit signe de s'arrêter, le pria d'emmener l'enfant sans connaissance à l'hôpital. Là, Alan dut livrer une véritable bataille pour le faire admettre : c'était un hôpital payant, on lui réclamait aussitôt de l'argent et il avait oublié chez lui son chéquier. Enfin sa persuasion l'emporta, et l'Hôpital de la Sainte famille (l'ironie veut que ce soit son nom) accepta Malik toujours sans connaissance. Trois jours après, on prévint Alan qu'on ne le garderait pas : il mourait *seulement* de faim et la Sainte Famille avait autre chose à faire que de le nourrir. Alan le prit donc chez lui.

De nouveau nourri, lavé, habillé, Malik n'en demeura pas moins muet trois semaines, refusant de parler même à Alan. Et pourtant, reprenant connaissance à l'hôpital, il avait tout de suite vu, m'a-t-il dit, « que c'était un homme bon, même si je ne savais pas qui il était ».

Quand il se décida à parler, les serviteurs d'Alan dirent à celui-ci : « Ce garçon parle l'*urdu*, ce doit être un Bihari, donc un indésirable. Vous ne devriez pas le garder. » Alan ne les écouta pas, devint le tuteur de Malik, prit en main son éducation, l'emmena avec lui en Europe, aux Etats-Unis, lui acheta une petite Honda.

Sur sa Honda, Malik se rendait souvent au camp de Mahommetpur, le fameux « Camp de la Vieille Ville », dans l'espoir tenace d'y découvrir quelqu'un qu'il connaîtrait parmi les Biharis.

— Et au cours d'une de ces visites, soudain j'ai reconnu un de mes cousins. Je l'ai appelé par son nom, mais il a eu l'air effrayé et a fait mine de s'enfuir. Je l'ai appelé encore, cette fois en criant aussi mon nom. Alors, il est venu et nous sommes tombés dans les bras l'un de l'autre. Il m'avait pris d'abord pour un étudiant bengali, à cause de la moto et des vêtements propres. Il m'a conduit auprès de sa mère et de ses tantes, qui m'ont révélé que mes parents étaient toujours en vie et retournés à Dinajpur, même ayant tout perdu là-bas.

Les retrouvailles avec ses parents posèrent à Malik un problème dramatique : les croyant perdus à jamais, il considérait Alan comme un père et lui gardait une gratitude immense pour ses soins et sa générosité sans limite. Il était déchiré. Ce furent les parents qui décidèrent pour lui :

— Ils m'ont dit : « Reste avec Alan, il peut faire beaucoup plus que nous pour toi, et c'est le principal. »

Depuis, ils sont venus s'installer à Dacca, pour être près de leur fils.

Douloureusement autre est le cas de Kamal.

Je n'ai pas rencontré Kamal, et la jeune Indienne qui m'a raconté la bouleversante histoire de cet enfant ne l'avait pas revu depuis un certain jour où il disparut comme il était venu.

Par une belle journée ensoleillée de novembre 1971, Sheila Dao — c'est le nom de la jeune fille — révisait sa leçon d'histoire sur la galerie extérieure de la maison familiale, au Bengale Occidental (côté Inde), lorsqu'elle entendit grincer la porte du jardin. Levant les yeux, elle vit un petit garçon en guenilles s'avancer timidement vers elle. Si sale qu'il fût, elle fut frappée par la beauté de son visage aigu et de ses immenses yeux noirs. Lorsqu'il lui dit : « J'ai faim, peux-tu me donner quelque chose ? » elle le fit entrer et lui donna à manger. Puis on le récura et le vêtit.

Ensuite, il raconta son aventure. Il y avait de cela six mois, cette même année 1971, de l'autre côté de la frontière, au Bengale Oriental où il vivait, un après-midi où ses parents, son frère aîné et ses trois sœurs se reposaient un peu du dur travail dans les rizières, le calme des champs et de la ferme fut brusquement fracassé par un tapage de moteurs et de cris dans une langue étrangère. C'était une jeep accompagnée de camions militaires, qui s'arrêtèrent près de la maison. Effrayé, Kamal se faufila dehors et courut jusqu'à un arbre, dans lequel il grimpa. Et de là, caché par le feuillage, il observa la scène, comme Yassin avait regardé de son toit. Il vit des hommes « très grands » se diriger vers la maison, en ressortir en bousculant son père et son frère pour les conduire à un mur de terre, les y adosser, reculer, tirer, sous les yeux de la mère et des filles terrorisées. « J'ai su que mon père et mon frère étaient morts, disait Kamal, parce qu'ils étaient tombés comme je l'avais vu dans un film. » Ensuite, les hommes forcèrent la mère et les filles à rentrer dans la maison. Aux hurlements et aux sanglots qu'il entendit, Kamal comprit sans peine ce qui se passait — « c'était aussi comme dans les films ».

Quand les cris se furent éteints, les hommes sortirent — « l'air tout joyeux », selon les termes mêmes de l'enfant — et repartirent dans leurs véhicules. Le silence revenu, Kamal descendit de l'arbre et alla regarder une dernière fois son père et son frère, chacun avec sa petite mare de sang à côté de lui. Il n'alla pas voir dans la maison : il avait trop peur de ce qu'il y trouverait. Il partit tout simplement à pied, pour aller le plus loin possible du spectacle d'horreur, marchant, marchant, grimpant, quand on le lui permettait (les Indiens se montraient pleins de bonté pour les réfugiés bengalis), sur un char à bœufs, dans un car, un train... jusqu'au jour où, n'en pouvant plus de faim et de fatigue, il avait poussé le portail de jardin et s'était adressé à Sheila.

On le garda trois mois, au bout desquels Sheila et ses parents durent s'absenter un autre mois, pour aller assister au mariage d'une parente dans le Sud. Kamal les supplia de l'emmener. On lui expliqua que c'était impossible, que ce ne serait pas long, qu'il n'avait qu'à attendre sagement.

Revenus après les quatre semaines, ils eurent beau chercher, appeler : plus de Kamal. Le lendemain de leur départ, dirent les voisins, on l'avait vu s'en aller.

Malgré toutes les enquêtes faites à la demande du père de Sheila dans les camps de réfugiés, impossible de retrouver sa trace.

Des étés, des hivers ont passé depuis, mais Sheila reste inconsolable. Elle m'a dit :

— Si seulement nous avions eu un peu plus de sagesse et de compréhension, nous aurions pu le sauver. Au lieu de quoi, nous l'avons trahi au moment où il avait le plus besoin de nous. Mon cœur saigne quand je pense à lui. Son image reste dans mon souvenir, fraîche comme une fleur après la pluie. Mes amies me répètent souvent : « Pourquoi te tourmenter ainsi ? Ils sont des milliers de gosses comme lui, pareils aux grains de poussière au bord des routes. » Mais je leur réponds toujours : « Si Kamal n'est qu'un grain de poussière, alors j'espère qu'un jour il reviendra se loger dans mon œil »...

20

Pour Marius l'enfant cypriote, tous les soldats portent la livrée de la mort

Les conflits ethniques, avec les conséquences dramatiques — morales autant que physiques — qu'ils entraînent pour enfants placés là par les hasards de la naissance, ne sont pas le monopole de l'Afrique et de l'Asie. L'un des plus féroces de l'époque actuelle a eu pour théâtre, en 1974, dans les eaux d'une mer qui passe pour avoir bercé notre civilisation occidentale, l'île de Chypre.

Depuis des décennies, les Cypriotes grecs, distincts de la minorité turque de l'île, et contre la volonté de celle-ci, aspiraient à l'*Enosis*, l'annexion de Chypre à la Grèce. En 1960, avec la création d'une république cypriote indépendante, on crut un moment au miracle d'une réconciliation entre les deux communautés. Mais, dès 1963, les Cypriotes grecs reprenaient les agressions armées contre les Turcs, jusqu'à ce que, le 15 juillet 1974, un coup de force portât à la présidence un Grec, Nicos Sampson, prêt à proclamer l'*Enosis* Cinq jours plus tard, les forces turques débarquaient sur l'île.

Dans le secteur turc de Nicosie, 2, rue Irfan Bey. il v a aujourd'hui une maison qui, vue de l'extérieur, ressemble agréablement à ses petites voisines A l'intérieur, c'est autre chose. A part des photos et des documents ajoutés depuis, tout est resté tel qu'on le découvrit après le passage, la veille de Noël 1963, des Cypriotes grecs qui assassinèrent les occupants de la maison : Murubbet Ilhan, femme du Dr Niat Ilhan, médecin major dans l'armée turque, ses trois jeunes fils et une amie, Feride Hasan, ainsi que son mari, Yusuf. C'est ce dernier, unique rescapé, qui a raconté comment, tout à coup, ce soir-là, les balles se mirent à crépiter comme la grêle sur la maison. Pensant y trouver abri, la femme du médecin entraîna tout le monde dans la salle de bains, qu'elle ferma à clé. Mais, presque aussitôt, la porte d'entrée de la demeure vola en éclats et la villa s'emplit d'un bruit de voix fortes, parlant le grec, et quelques instants après une véritable mitraille s'abattait sur la salle de bains, tuant net Murubbet et ses trois petits garçons, Murat, Kutsi et Hakan, de sept ans, trois ans et six mois respectivement. Puis Feride succombait à son tour dans la pièce voisine où elle avait voulu s'échapper, pendant que son mari tombait, blessé.

Le sang qui éclaboussa les murs verts et le plafond de la salle de bains est là, tous les trous et les traces de balles aussi ; ils sont restés comme les céramiques grises du sol, la douche et son chauffe-eau à gaz, le porte-serviettes avec les serviettes jaunies autour des larges taches sanglantes, la robe de chambre beige de l'un des garçonnets morts et toute une rangée de petites sandales et de tennis. Mais sans doute le plus pathétique de tous les détails est-il constitué par les dernières images de la famille en vie : Murubbet, belle et souriante, debout, serrant contre elle un angelot joufflu, avec Murat et son frère Kutsi, soufflant les sept bougies de l'anniversaire du premier — juste quelques jours avant la tuerie.

Dans la maison voisine, j'ai parlé à un témoin survivant, Baidu Temir, qui avait alors treize ans.

— Ça tirait de tous côtés dans les rues, cette nuit-là, m'a-t-il raconté. Deux autres familles amies étaient venues se réfugier chez nous, parce que, ensemble, on se sentait plus en sécurité. Mme Ilhan serait probablement venue aussi avec les enfants, si son mari ne lui avait téléphoné d'éviter surtout de sortir, nous l'avons appris plus tard. De la pièce de derrière où nous nous étions tous tapis, je me souviens de n'avoir rien entendu, dans la direction de chez eux ; même, par la fenêtre je voyais des lumières brûler à l'intérieur et j'ai pensé : « Ils ont dû courir jusque chez d'autres amis, en laissant allumé. »

Au bout d'un moment, Baidu entendit la porte de sa propre

maison voler en éclats — on y voit encore les marques de semelles cloutées et de baïonnettes. Ensuite, des pas, des voix ; devant la pièce où les trois familles étaient blotties, arrêt, puis coup de pied qui fait sauter la serrure :

— J'ai cru notre dernière heure venue. Qu'aurait-ce été si j'avais su que ces hommes arrivaient droit de chez les Ilhan ! Ils étaient comme fous, comme s'ils n'avaient pas su ce qu'ils faisaient. Heureusement, il y avait un bébé parmi nous, qui s'est mis à pleurer, et cela a eu l'air de les faire hésiter. Leur chef — un officier venu de Grèce à en juger par l'uniforme et l'accent — nous a ordonné de sortir. Dans la rue, à la vue des voisins rassemblés, nous avons eu un peu moins peur, jusqu'au moment où on a fait mettre les hommes et les enfants de quinze ans et plus d'un côté, contre un mur, et les femmes et le reste d'un autre. Les Grecs se sont contentés de tirer juste au-dessus de la tête des hommes ; mais, ensuite, ils ont pris les femmes et les enfants plus jeunes, comme moi — nous étions à peu près une cinquantaine — en les forçant à avancer devant eux dans la rue. Puis ils ont crié « Halte » et se sont consultés. L'un d'eux a dit : « Nous avons atteint les lignes turques. » Plus tard, j'ai su qu'il n'y avait pas de « lignes turques » dans le coin — rien que deux pères de famille qui, avec leur fusil, avaient décidé de tenir tête. Et le fait est qu'ils réussirent en définitive à bluffer et à tenir en échec plusieurs centaines d'hommes armés.

Les Grecs se rabattirent alors sur la prison, où ils enfermèrent tout le monde. Baidu est convaincu que, seule, la venue d'une dame de la Croix-Rouge qui fit le tour des prisonniers en dressant la liste des noms empêcha l'inévitable bilan d'hommes massacrés, de femmes violées et tuées et d'orphelins.

A partir de 1963, une guerre sournoise s'installa donc entre les deux communautés, ne négligeant aucun des progrès de la guerre moderne, tels que l'emploi de mines et d'objets piégés — c'est-à-dire visant par là en priorité, selon l'un des principes du terrorisme, les cibles sans défense et, notamment, les enfants.

En 1967, au village d'Alaminos — où Grecs et Turcs avaient vécu pourtant longtemps en paix — un jeune garçon de quatorze ans, Dervis, son frère cadet Halil, leur beau-frère Hussein et un de leurs oncles finissaient de s'occuper, tard dans l'après-midi, des champs et des bêtes de la famille. Les trois garçons donnaient à boire aux moutons, quand l'un d'eux découvrit près du puits une poche en plastique décorée d'images brillantes et renfermant un objet ressemblant à un petit transistor. Voyant leur père arriver, ils cachèrent la trouvaille et, sur son ordre, se dépêchèrent de rejoindre l'oncle, qui devait ramener le tracteur au village — lui, le père, suivrait bientôt.

Voilà les trois enfants sur le tracteur avec leur oncle. En chemin, ils ramassent deux autres gamins, Mehmet et Mustapha, puis pressent l'oncle d'accélérer : il y a un film qu'ils ne veulent pas rater. Ils ne sont plus qu'à cinq ou six cents mètres du village. Brusquement, il y a une formidable explosion ; autour de Dervis, tout devient une énorme gerbe de feu rouge. Il entend encore une seconde explosion — puis plus rien, un grand noir jusqu'à la minute où, quatre jours plus tard, il reprend connaissance à l'hôpital.

Mais il y aura toute une partie du monde qui continuera à ne plus jamais exister pour lui, car il est devenu aveugle. Il a en outre le visage atrocement défiguré. Quant à Halil, Hussein, Mehmet et Mustapha, il ne restait rien d'eux ; et de l'oncle, que les jambes.

Pendant des années, Dervis se consuma de haine impuissante pour ceux qui avaient, sciemment, tendu ce piège sanglant à des innocents. Aujourd'hui, il affirme qu'il est lavé de toute haine, non seulement contre les auteurs de cet acte, mais contre ceux qui ont pris la vie d'autres membres de sa famille, depuis. Il prêche l'amitié avec les Grecs, responsables de sa cécité, et s'est fait une mission de vivre en paix à côté d'eux.

Onze années de cette guerre sournoise aboutirent au coup d'Etat de juillet 1974 dont j'ai parlé, lequel déclencha aussitôt l'envoi de Turquie de troupes baptisées « Force de paix », et officiellement destinées à empêcher l'annexion de Chypre par la Grèce, ainsi qu'à assurer la sauvegarde de la communauté cypriote turque.

Le jour où des éléments de cette « Force de paix » arrivèrent dans un village au nord de Salamis, ils frappèrent Marius, un enfant grec de six ans, d'une terreur que rien n'a pu lui faire surmonter depuis.

Marius vivait dans ce village avec son grand-père. Descendant de la montagne, les Turcs demandèrent au premier villageois qu'ils rencontrèrent : « Où se cachent les Cypriotes grecs ? — Je ne sais pas, répondit l'homme. Demandez plutôt à celui-ci. » Il désignait du doigt le grand-père de Marius. L'enfant entendit les soldats parler avec insistance d'un trou : « Où est le trou dans lequel ils se cachent ? » répétaient-ils en menaçant le grand-père. Quand ils se mirent à crier, Marius, effrayé, alla se cacher derrière un arbre du jardin. Il y eut une détonation et, quand il osa regarder, il vit son grand-père qui ne bougeait plus, étendu sur le sol, tandis que les soldats turcs s'en allaient déjà.

Une ironie sinistre veut que Marius, à dix ans, vive à présent dans une maison qui appartint à un Turc, et ce à Larnaca, où il ne reste plus un seul Turc aujourd'hui. C'est là que je l'ai vu, avec son visage plein de douceur effrayée sous la crasse. Il est berger. C'est ce que les médecins ont recommandé — « un mode de vie aussi simple que possible » — faute d'avoir réussi, avec toutes leurs psychothérapies et leurs drogues, à effacer le choc terrible que fut pour cet enfant l'assassinat de son grand-père.

Marius est pris d'épouvante à la vue de n'importe quel uniforme — même celui des casques bleus de l'O.N.U. Pour lui, ce sont tous des Turcs, tous des hommes qui ont tué son grand-père.

Il n'a qu'une idée, qu'il ma confiée : retourner comme berger dans le village de son grand-père — bien qu'il se trouve dans la partie turque de l'île — pour faire exhumer les ossements du vieillard et les enterrer de nouveau, mais comme il convient, prêtre et tout.

Avec la gaucherie de son vocabulaire enfantin, une fillette grecque m'a dit : « Nous ne nous sommes pas toujours bien conduits avec eux (les Cypriotes turcs), mais nous aussi nous avons vu des tas de choses pas très jolies. » Et il y en eut bien d'autres que Flora (c'était le nom de cette fillette) ne put voir.

Il existe un document de l'O.N.U. de deux cent trentes pages réunissant, sous le titre « Documents en confirmation de la plainte de Chypre », cent vingt-deux dépositions de témoins oculaires de crimes commis par la « Force de paix » turque — dont cinquante-et-un cas de viol, cinquante-six de « traitements inhumains », soixante-sept de meurtre. Sans compter les vols, pillages, travaux forcés et prostitution forcée.

Et la part faite aux enfants est belle ! A propos de la mère de l'un d'eux, assassinée, un voisin dit : « J'ai remarqué que, sur le cadavre, Maria, la petite fille de treize mois, léchait en pleurant le sang des blessures de sa mère. » Une autre mère de deux fillettes de cinq et quatre ans raconte : « Sous la menace de son arme, un soldat turc m'a jetée sur le lit et, sous les yeux de mes enfants, violée. » Une adolescente était « régulièrement violée par le même Turc, tombé amoureux d'elle ». Et une autre (quinze ans) déclare : « Comme je refusais de me déshabiller, il s'est mis à me frapper, puis il m'a jetée à terre et violée en me menaçant de son revolver. »

Des témoignages de viol, il y en a *ad nauseam* dans ce rapport. Mais le programme d'action de la « Force de paix » n'excluait pas les boucheries. A Neo Khorio, déclare une fille de quatorze ans, « il y a eu environ cent cinquante morts, vieillards, jeunes hommes, femmes et enfants, dont je connaissais certains ». A Kythrea : « Des familles entières ont été tuées. » Une mère de deux enfants : « Nous étions à l'oliveraie ; ils ont forcé les hommes à se mettre d'un côté. Mon frère, Panayiotis, tenait dans ses bras ma petite de quatre ans, Yannis Yiakoumi, sa petite fille, et Melissos, ses deux filles. Tout à coup, alors que les hommes étaient rassemblés, debout, j'ai vu les soldats turcs leur tirer dans le dos. Ils sont tombés morts, sans un seul survivant... Le soldat qui avait tiré sur mon frère a ramassé par terre ma fille et me l'a lancée de loin ; elle était blessée à la jambe droite ; la petite de Yiakoumi aussi était blessée, ainsi qu'un bébé de dix-huit mois que portait un autre des morts, Andreas Mandoles. » Un fonctionnaire cypriote grec, gardé prisonnier par la « Force de paix » avec plus de cent cinquante civils (dont cinquante enfants de moins de dix-huit ans), entendit des soldats turcs protester auprès de leur officier : « Pourquoi ne voulez-vous pas qu'on les tue ? Les gens de l'*Eoka* (armée de libération cypriote grecque) tuaient bien les nôtres ! »

Et c'est vrai que, en écho à ces soldats turcs, un Cypriote grec disait à une mère cypriote turque : « Vos soldats ont tué, dans le Nord ; nous allons en faire autant pour vous. » Zerrin Mehmet, une Turque qui avait déjà trois enfants, de cinq, trois et deux ans, et était enceinte de neuf mois d'un autre, vivait à Tashkent, village dans le Sud (en majorité grec) de l'île. Elle témoigne : « A notre joie du débarquement turc a vite succédé l'angoisse d'être dans le secteur grec. Quelques jours plus tard, des soldats grecs, rejoints par d'autres Grecs de notre village, cernèrent Tashkent. » Et le 14 août 1974 des Grecs armés — des villageois — envahirent la maison de Zerrin où s'étaient réfugiés une trentaine de voisins turcs. Ces Grecs ordonnèrent aux hommes de se livrer, « sinon nous tuerons vos femmes et vos enfants ». Les hommes sortirent donc de diverses cachettes. Dans la famille même de Zerrin, les Grecs se saisirent de son beau-père (soixante ans), et de ses trois beaux-frères (vingt-six, vingt-quatre et treize ans). Comme elle suppliait un Grec (du village, ne l'oublions pas) d'épargner le plus jeune, l'homme lui rit au nez en disant : « Tu ne lui donnes plus le sein, ce n'est plus un bébé ! » Comme un troupeau de moutons, on poussa dehors les prisonniers.

D'autres, les rejoignirent. Ils furent bientôt au nombre de soixante-neuf, âgés de treize à soixante-quatorze ans.

Le lendemain, ils étaient quinze de plus — quatre-vingt quatre au total — quand on les fit monter dans deux cars. L'un d'eux cria, comme les cars démarraient : « Venez chercher nos corps ! » On les retrouva tous morts, sauf un, Suat Hüseyin, un adolescent, qui raconta par la suite que, passé Limassol, on avait fait descendre les prisonniers. Des tranchées étaient prêtes. On leur donna à chacun une cigarette, avec l'ordre d'avancer droit devant eux. « J'avais tiré trois bouffées, dit Suat, quand les balles arrivèrent. » Touché, il tomba et fit le mort. Après la fusillade, les Grecs allèrent chercher un bulldozer. Dans le silence, Suat entendait son frère l'appeler au secours, mais lui-même avait à peine la force de se traîner.

Il ne s'est jamais remis du choc. Questionné, il répondit : « Quelle impression cela fait-il, croyez-vous, d'être éclaboussé sur tout le corps de la cervelle de son meilleur ami et de voir l'œil d'un autre pendre hors de l'orbite ? Cela doit vous suffire ! »

Quant à Mehmet Zerrin, quatre ans après, son chagrin n'a pas vieilli :

— Les autres ne meurent qu'une fois, dit-elle. Nous, nous mourons chaque jour. Et quand nos enfants réclament leur père, pour nous c'est encore une autre mort.

21

A-t-on le droit d'exiger d'un enfant qu'il se sacrifie à une cause, même juste ?

En juillet 1974, pendant que des enfants grecs et turcs, qui n'en pouvaient mais, mouraient victimes de préjugés religieux et raciaux hérités de père en fils et dont on ne cessait d'attiser la flamme, le général Spinola, président éphémère de la république portugaise, faisait un geste historique pour éteindre le feu d'une guerre coloniale épuisante pour tous les pays qui y étaient engagés. Il proclamait la volonté du Portugal de reconnaître, après cinq siècles de colonialisme, l'indépendance de ses trois territoires d'outre-mer de la Guinée portugaise (qui allait devenir la Guinée Bissau), du Mozambique et de l'Angola. Cela signifiait pour tous trois que le terme d'une longue lutte pour la liberté était enfin en vue.

En Guinée Bissau — la première à lever l'étendard de la révolte contre le Portugal, et aussi le plus petit des trois pays (environ six fois la superficie du département de l'Oise) — la guerre de libération se présenta, notamment pour les jeunes, sous un aspect qui la

239

distingue nettement des autres. D'abord, elle évita toute forme de terrorisme aveugle frappant les villes et les concentrations de populations civiles. Ensuite, après la victoire, elle ne fut pas suivie des habituelles chasses aux sorcières et du coutumier bain de sang.

L'un des leaders de cette petite nation marxiste-léniniste, ancien membre du Conseil suprême de la Lutte pour la Liberté (ce qui lui coûta d'être pendant quinze ans « absent de sa famille »), m'a longuement parlé du soin que ses camarades et lui apportèrent à créer dans le maquis — en l'occurrence, la brousse — des écoles permettant aux enfants, tout en vivant à la dure et même en combattant, de poursuivre leur scolarité.

Le camarade Domingos Brito dos Santos — c'est son nom — m'emmena avec mon fils Pierre, qui m'accompagnait cette fois, au commissariat aux anciens Combattants de la Liberté, où il nous présenta à la camarade Teadora Gomez, secrétaire générale, et personne dont la jovialité est à la mesure de ses proportions.

Au début de la lutte pour la liberté, en 1963, Teadora avait dix-huit ans, était chrétienne, fille d'un maître charpentier et l'aînée de huit frères et sœurs, à Caour dans le sud du pays. Le père militait dans le mouvement pour l'indépendance.

Un jour, un jeune combattant de la liberté dit à Teadora : « Toi et les tiens, vous devez partir pour la brousse. » Quand elle en parla à son père, il lui rit au nez : « Toi dans la brousse ? Tu n'y tiendrais pas une heure ! » Piquée, le lendemain elle partit avec sa sœur. Une semaine plus tard, elle revint et dit à son père : « Nous étions chez les combattants de la liberté et c'était formidable. » Sur quoi, le père et toute la famille gagnèrent le maquis, où Teadora apprit le maniement d'armes. Comme, d'autre part, elle s'était toujours senti une vocation d'infirmière, elle pouvait y donner libre cours — bien que ce fût en pleine brousse et non, ainsi qu'elle en avait toujours rêvé, à Bissau, la capitale. Et elle me raconta comment, sans moyens, sans aucune formation médicale, à dix-huit ans, elle pratiqua des amputations : d'abord le tourniquet, puis l'anesthésie locale, qui durait trente minutes, donc pas de temps à perdre ! Le scalpel et le reste étaient stérilisés à la flamme. Cette jeune fille de dix-huit ans avait scié de la sorte un certain nombre de membres, notamment ceux d'enfants blessés par bombe ou par mine.

Car beaucoup des combattants de la liberté étaient de tout jeunes adolescents des deux sexes, embrigadés dans la Force armée locale, sorte de Territoriale purement défensive. Au-dessus de dix-sept ans, c'était le maquis offensif. Mais il y avait des enfants de dix et douze ans employés au repérage aérien, à cause de la finesse de l'ouïe à leur âge.

Quand Teadora posait la scie et le scalpel, c'était pour courir la brousse, pistolet à la ceinture, et veiller sur la santé et l'alimentation des tout-petits, y compris la nourriture spirituelle et idéologique.

Je tire mon chapeau à la camarade Teadora. Elle était d'une extrême loquacité et se lançait souvent dans d'interminables diatribes en créole, que j'interrompais impatiemment en lui disant : « Pour l'amour du Ciel, camarade Teadora, cessez de pérorer et répondez à ma question ! » Alors, elle éclatait de rire et se calmait. Mais il est probable que ses discours et ceux de ses camarades avaient fait du bon travail auprès des jeunes, car aujourd'hui, en Guinée Bissau, il n'y a presque pas de délinquance juvénile.

Cependant, sur un point — celui du massacre des non-combattants — la froideur de sa logique était impitoyable. Les Portugais, me déclara-t-elle, bombardaient les populations civiles, oui, sans nul doute ; mais on comptait parmi celles-ci des combattants, même sans arme.

— Et les adolescents ? Les tuer vous paraît justifiable ?

— Oui, répliqua-t-elle, car, dès l'âge de six ans, il y avait des enfants qui aidaient à la lutte, comme messagers, éclaireurs... parfois même armés. Tous devaient donc être considérés comme des combattants.

— Mais les tout-petits, les inoffensifs, de trois, quatre ans, qui ignorent jusqu'au sens du mot « liberté » ?

— Eh bien ! ils étaient embarqués dans le même bateau que nous autres maquisards.

Pourtant, j'ai connu un enfant qui m'a déclaré avoir su exactement pourquoi il se battait, tout jeune qu'il était.

Mon fils Pierre et moi, nous l'avons trouvé dans un faubourg — presque un village — de Bissau, la capitale, devant une longue maison basse. Je revois les murs de boue et le toit de chaume rouges de soleil couchant et, au coin, une jeune fille pilant le millet pour le repas du soir, parmi les poules, les cochons et les chèvres.

Assis, Bidewer Bola bavardait avec des amis, tous invalides de guerre comme lui. Il était si petit quand il s'enrôla, me raconta-t-il, qu'il ne pouvait porter sa cartouchière ni autour de la taille ni en bandoulière. Il la portait sur la tête. Il n'avait jamais tiré un coup de fusil avant le jour où , avec une quarantaine d'autres, il fut cerné par trois camions de soldats portugais. L'échauffourée fut brève : deux camions flambèrent, le troisième prit la fuite.

— J'avais tué un homme, nous a dit Bidewer. Je l'ai vu tomber. J'étais tout heureux et impatient de recommencer.

Il avoue que son sentiment de la liberté était étroitement lié à la haine des Portugais, dont, avant de s'engager, il avait entendu conter les bombardements et la cruauté — haine dans laquelle il englobait ceux de ses frères noirs qui luttaient à leurs côtés.

Toujours est-il que, du fusil, il passa à la mitraillette, avec laquelle il eut l'occasion de tuer encore... jusqu'au jour où, avançant prudemment sur une piste avec des camarades, il fit un pas et comprit aussitôt que, sous le pied qu'il venait de poser, il y avait une mine, laquelle exploserait dès qu'il la soulagerait de son poids.

Alors, se gardant de bouger, il cria à ses camarades de détaler. Puis, sans retarder inutilement la seconde fatale, il sauta.

Me tournant vers mon fils, je ne pus m'empêcher de lui demander à ce moment du récit de Bidewer :

— Et toi, qu'aurais-tu fait ?

— J'aurais attendu encore un peu, me répondit-il gravement. Le temps de contempler mes jambes une dernière fois.

Quant à Bidewer :

— J'ai eu la sensation qu'une bombe m'était tombée dessus. Je savais que j'avais le pied droit arraché, les deux jambes brûlées et massacrées. J'ai réussi à me traîner sur les coudes hors de la piste. Après, à l'hôpital, on m'a coupé la jambe gauche.

— Et vous jugez que le sacrifice en valait la peine ? demandai-je.

— Oui. C'était pour mon pays et j'en suis fier. Tout de même, je continue à penser que c'est trop exiger d'un garçon de quinze ans.

J'ai connu aussi Alberto, qui avait neuf ans lorsqu'il est devenu, selon sa propre définition, un symbole de la lutte de son pays pour la liberté. Il avait maintenant dix-huit ans, et cela faisait neuf années que son bras droit était coupé au coude, et sa main gauche, amputée d'un doigt et estropiée. Cela n'empêchait pas le sourire d'éclairer son beau visage noir, au-dessus d'un T-shirt jaune portant les initiales J.A.A.C. (Jeunesse Africaine Amilcar Cabral), en souvenir d'un des leaders du mouvement pour l'indépendance, assassiné en 1973 et qui, Alberto ne l'a jamais oublié, adorait les enfants et les appelait « les fleurs de la patrie ».

La famille d'Alberto était de Banira, village proche du Sahara, où elle cultivait le riz. L'enfant était chargé d'apporter de l'eau à ses parents dans les rizières, et aussi, parfois, de servir d'épouvantail vivant, des heures durant, pour effrayer les oiseaux picoreurs. C'était une vie dure et pauvre, où la faim se faisait sentir — encore plus quand il devint dangereux de chasser, sous peine d'attirer les soldats portugais et de risquer le pire.

Cela n'empêcha pas cependant la maison des parents d'Alberto (simple toit de chaume sur des branches) de devenir un point de ralliement pour les combattants de la liberté — parmi lesquels Francisco Mendes, qui fut ensuite le Premier ministre du pays libéré. D'ailleurs, le père et le fils aîné, Faustino (vingt-et-un ans), prirent bientôt le maquis. Bientôt aussi, la mort frappa le grand frère :

— Je lui étais terriblement attaché, dit Alberto. Il était comme une autre mère pour moi, toujours bon et souriant. Quand j'ai su qu'il ne reviendrait pas, cela m'a fait comme si toute la vie du village s'était changée en eau glacée.

Pourtant, il m'a affirmé n'en avoir conçu de la haine que pour le gouvernement portugais, pas pour le peuple. Et son sentiment ne changea pas quand le village fut bombardé et qu'il y eut beaucoup plus de victimes parmi les simples civils que parmi les combattants de la liberté :

— En guérilla, on ne peut pas faire la distinction.

— Vous considériez-vous comme un non-combattant ? demandai-je.

— Certainement pas ! me répliqua-t-il dans la meilleure veine de la camarade Teadora. Jeunes et vieux, tous, nous étions des combattants.

— Même vous, à neuf ans ?

— Bien sûr. Nous combattions tous les Portugais. Nous avons gagné. Aujourd'hui nous sommes redevenus amis.

Pendant que j'y étais, je poussai mon questionnaire :

— A quel âge estimez-vous qu'un enfant peut porter une arme ?

— A partir de quatorze ans.

— Et mon fils Pierre, qui a toujours eu la vie tellement plus facile et protégée que vous, croyez-vous qu'il aurait le cran de résister comme vous l'avez fait à votre âge ?

— Pourquoi pas ? D'ailleurs il en aurait sûrement envie.

Sur quoi, Pierre :

— Tout à fait. Ce serait tout naturel.

Le raid aérien sur son village avait apporté à Alberto la révélation de la mort violente par rapport à la mort naturelle — « J'avais déjà vu des morts, mais pas comme ceux-ci. Cette fois, on aurait dit un tas de volailles auxquelles on aurait coupé la gorge. » Le second bombardement devait lui apporter une autre révélation.

243

Ce matin-là, en se réveillant à l'aube, Alberto fut pris d'une terrible inertie, comme une pesanteur qui aurait voulu l'empêcher de se lever et d'aller au travail. On aurait cru une prémonition, dit-il. Il s'habilla néanmoins, prit son coupe-coupe : on avait chargé les enfants du village de défricher les broussailles pour faire place à de nouveaux champs de riz. Une fois au travail, il ne pensa plus à rien d'autre jusqu'à 3 heures de l'après-midi, où tout le monde fit la pause pour manger.

A peine avaient-ils terminé que des avions surgirent, bas dans le ciel. Pris à découvert sous les bombes, les enfants se dispersèrent en courant dans la brousse. En pleine course, Alberto eut la sensation d'avoir été touché, bien qu'il n'éprouvât pas de douleur. Puis, à son horreur, il vit que son bras droit ne tenait plus que par quelques tendons, au-dessous du coude, et que sa main gauche n'était plus qu'un gâchis de sang. Un peu plus loin il s'affala, le sang giclant de ses blessures, et se mit à crier en pleurant, non de douleur, mais de peur. Des camarades accoururent, arrachèrent une plante rampante pour en faire un tourniquet. Peine perdue. Alberto s'évanouit. Il ne reprit que connaissance qu'au Q.G. des combattants de la liberté, à dix kilomètres de là, où ses camarades l'avaient transporté. Un médecin cubain était penché sur lui. Il s'évanouit de nouveau. Quand il revint à lui, il lui manquait la moitié d'un bras.

Sa main gauche ayant pu être sauvée, sa mère décida : « Fini la rizière pour toi, fils. Tu iras à l'école. » Lui qui ne savait encore ni lire ni écrire a appris à écrire de la main gauche. Il continue à s'instruire.

Il s'est fixé un but : obtenir un diplôme de sciences sociales, pour pouvoir aider les enfants qui en ont besoin, afin de réaliser la parole d'Amilcar Cabral : « Les enfants sont les fleurs de la patrie. »

De son côté, son indépendance acquise le 11 novembre 1975, l'Angola plongea droit dans la guerre civile entre les trois mouvements qui avaient lutté pour sa liberté : le Mouvement populaire de libération (M.P.L.A.), le Front national de libération (F.N.L.A.) et l'Union nationale pour l'indépendance totale (U.N.I.T.A.). Derrière les étiquettes se dissimulaient, depuis le début de la lutte contre le Portugal, dès 1961, de profonds différends, politiques autant qu'ethniques. Je retiendrai seulement, pour simplifier, que le M.P.L.A., portant ses efforts sur la capitale, Luanda, était soutenu par l'U.R.S.S., tandis que le F.N.L.A., engagé dans une guérilla farouche dans le Nord, avait le soutien du Zaïre, proche, et de certaines puissances occidentales. L'U.N.I.T.A., le plus tourné des trois vers l'Occident, n'entra dans la lutte que vers 1966, se signalant par une attaque suicide contre la garnison portugaise de Tuxeira de Souza, dans l'est du pays.

A quelque deux cents kilomètres plus au sud se trouve une ville appelée Lumbala, où vivait un jeune Africain, John Bisesi, dont l'histoire résume les extrémités par lesquelles dut passer l'Angola avant d'arriver à une paix relative, tant elle reste menacée par un équilibre intérieur précaire et par les ambitions et les intérêts des grandes puissances.

Le père de John était charpentier ; l'aisance due à son travail lui permettait d'entretenir un troupeau de vingt têtes de bétail et six chèvres. Il était chrétien comme sa femme ; sur les murs blancs de sa chambre, dans la maison de brique à toit de chaume, John avait collé des images du Christ, de la Vierge et des apôtres. On ne l'envoyait pas à l'école ; au lever du soleil, il partait avec les bêtes dans la brousse et les ramenait le soir à l'enclos. Cela, jusqu'à douze ans ou, plus exactement, jusqu'au jour où un lion fonça en rugissant sur le troupeau et enleva une vache, pendant que John, sans demander son reste, détalait jusqu'à la maison. « Encore une chance que le lion se soit contenté de la vache ! » lui dit son père en riant. Mais, dès lors, au lieu de conduire les bêtes dans la brousse, John alla à l'école.

Il y était depuis deux ans quand, en 1968, l'agitation guerrière gagna Lumbala. C'est ainsi que le père reçut la visite de gens de l'U.N.I.T.A., brandissant la carte du parti (coq noir sur fond vert et rouge) et menaçant de tuer tous ceux qui n'adhéreraient pas. Menace vaine pour le père : il était déjà le secrétaire local du parti.

Plus sérieuses furent les menaces proférées, quelques jours plus tard, par les trente soldats portugais qui fouillèrent la maison, découvrirent la réserve de cartes d'adhésion et la confisquèrent en disant : « Nous reviendrons vous faire une autre visite demain. » Sans les attendre, la nuit tombée et le village endormi, le charpentier et sa famille gagnèrent la brousse aussi discrètement que possible sous la pleine lune, John et deux filles allant devant, le père portant sur les épaules les deux petits frères, Pelela et Kakahu, et la mère, la petite Mwila attachée dans son dos. C'était tout ce qu'ils emportaient ; ils n'avaient même pas pris de vivres ni d'eau. La frontière de la Zambie était à trois nuits de marche — le jour, on se terrait à cause des patrouilles portugaises.

Le deuxième jour, les deux petits étaient si exténués qu'ils pleuraient sans arrêt. Ce soir-là, comme la famille s'apprêtait à repartir, des voix retentirent, non loin, par-dessus les pleurs des enfants. Puis, tout près cette fois, ce fut une détonation et quelqu'un cria :

— Ne bougez pas ! Nous sommes du M.P.L.A.

L'instant d'après, un grand gaillard avec une énorme tignasse de cheveux en broussaille parut, accompagné de six autres :

— Où allez-vous ?

— En Zambie, à cause de la guerre, répliqua le père.

Sur quoi, le gaillard du M.P.L.A. l'insulta et lui dit :

— Comment crois-tu que l'Angola obtiendra jamais son indépendance, si les types comme toi fichent le camp ?

Et toute la famille dut suivre jusqu'au campement du M.P.L.A. Là, on fourra dans les mains du père un fusil, qu'il repoussa jusqu'à ce qu'on lui déclare : « Ou tu le prends, ou on te descend. »

— Ce qu'ils auraient fait de toute façon, m'a dit John, s'ils avaient su que mon père appartenait à l'U.N.I.T.A.

Mais les pleurs des deux petits garçons ne tardèrent pas à inquiéter les gens du M.P.L.A. encore plus que la famille. Par mesure de sécurité, ils préférèrent escorter celle-ci jusqu'à plus d'un kilomètre de leur campement, puis l'abandonner, tout en continuant à menacer : « Et n'essayez pas de vous échapper, sinon vous êtes tous fusillés. »

Le fait est qu'ils étaient si terrifiants que, lorsque le père décida de reprendre la marche malgré tout, les deux petites sœurs de John, Makalu et Mayunda, refusèrent de partir. Prière, colère, rien n'y fit. A la fin, exaspéré, le père leur dit : « Bon, eh bien, puisque c'est comme cela, restez ! » Et la famille s'enfonça dans la nuit, laissant derrière elle les obstinées.

J'ai vu John et les siens en Zambie, à Maheba, où ils sont installés depuis 1971, après un séjour dans un camp de réfugiés. Ils ont retrouvé les deux petites sœurs : les gens du M.P.L.A. les avaient recueillies le lendemain matin. Mais il fallut plus d'un an de démarches et de recherches pour qu'elles arrivent en Zambie. John a oublié le portugais, appris l'anglais et achevé ses études ; il est charpentier comme son père et travaille avec lui. Est-il heureux ? Peut-être. Après avoir commencé, dit-il, par brûler d'un désir de vengeance contre ceux qui l'avaient privé de foyer familial, il a fini par oublier, à la différence de son père : « Chaque fois qu'il évoque le passé, dit aussi John, ses yeux sont pleins de larmes. »

En 1975, année de l'indépendance, mais non de la réconciliation entre les mouvements de libération, Arminda avait quatorze ans et appartenait au J.U.R.A., le mouvement de jeunesse de l'U.N.I.T.A.

A l'encontre du M.P.L.A., totalement communiste et qui excluait tout Blanc, l'U.N.I.T.A. comptait des Portugais parmi ses membres — dont justement Maria Arminda de Jesus da Vinha.

Elle était fille d'un veilleur de nuit vivant aux abords de Luanda. Un après-midi où elle se rendait à l'école, elle fut assaillie par quatre mulâtres portant l'emblème du M.P.L.A. Elle réussit à se dégager et à s'enfuir. Peu de temps après, un matin, d'autres hommes du M.P.L.A., ceux-là en uniforme, envahirent brusquement l'école. La plupart des élèves, pris de panique, se sauvèrent. Arminda se cacha. Prévenu par des enfants, son père vint la chercher et la ramena à la maison.

La famille en était au milieu du déjeuner, environ une heure plus tard, quand la mère dit vivement : « Regardez par la fenêtre ! » La maison était cernée par des gens du M.P.L.A.

Le père saisit Arminda et son jeune frère, Joel, par la main, tandis que la mère en faisait autant pour l'autre frère, Agostinho. Un seul côté de la maison était encore dégagé, et il y avait une autre fenêtre donnant de ce côté. Le père leur dit à tous de sauter dehors par là — ce qu'ils firent. Comme il allait suivre, une volée de balles siffla ; touché à la jambe droite, il retomba à l'intérieur. Tous refluèrent à son secours et, au même moment, les hommes du M.P.L.A. enfoncèrent la porte et pénétrèrent dans la maison. Sur la suite, je laisse la parole à Arminda :

— Ils nous ligotèrent avec des cordes, sauf mon père blessé, qu'ils commencèrent à tailler en pièces à coups de machettes. D'abord les oreilles, puis les jambes, puis d'autres parties du corps. Ils allaient lui trancher la tête ; alors, il les supplia de lui permettre de parler une dernière fois à sa famille. Ils l'y autorisèrent. Mon père demanda à ma mère de bien veiller sur nous tous, et plus particulièrement sur moi ; puis il nous dit au revoir. Il pleurait. Ensuite, ces hommes lui coupèrent la tête. Ils ont joué au football avec, tout un moment. Après quoi, ils s'en prirent à Joel et à Agostinho, qu'ils battirent avec un fouet.

Cela fait, il leur vint une idée :

— Ma mère, poursuit Arminda, avait allumé le four pour faire cuire du pain dans l'après-midi. Alors, ils prirent le petit Joel, le déshabillèrent et lui enduisirent tout le corps de beurre et d'huile. Quand je les vis prendre une pelle, je compris qu'ils allaient le mettre dans le four. Joel s'agrippait si désespérément à Agostinho

247

qu'il lui fit perdre l'équilibre et qu'ils roulèrent tous les deux à terre. Ma mère se mit à pousser des cris perçants.

Si perçants, en effet, que des hommes de l'U.N.I.T.A., armés, au courant de l'attaque de l'école par ceux du M.P.L.A. et à la recherche d'Arminda, survinrent et mirent en fuite les autres.

— Je les connaissais de vue, m'a dit Arminda de ses sauveurs. Mais je n'ai même pas pu les remercier comme je l'aurais voulu, car nous ne nous appelions pas par nos noms, entre nous, à l'U.N.I.T.A. Nous nous disions seulement « frère », « sœur ». Ceux-là étaient des frères noirs...

22

Le sang de Soweto

Coiffée à l'ouest par l'Angola, à l'est par le Mozambique, l'Afrique australe — Afrique du Sud, Rhodésie et Namibie (celle-ci sous administration sud-africaine) — tourne un regard encore incertain, c'est le moins qu'on puisse dire, vers l'avenir. Car, sur ces trois pays continue à planer, à des degrés divers, l'ombre du mot *apartheid*.

En octobre 1974, le Premier ministre d'Afrique du Sud, Baltha-zar Johannes Vorster, proclamait sa volonté de travailler à la réconciliation raciale et à la paix entre Blancs et Noirs (majoritaires numériquement). Pourtant, quatre ans après ces belles paroles, des enfants, blancs aussi bien que noirs, m'ont fait le récit de ce qu'ils avaient vécu, comme des dizaines de milliers d'autres, durant ces quatre années. Et c'était malheureusement un récit où je ne trouvai que guerre, terreur et persécution, conséquences d'une ségrégation raciale forcée.

A Dar es-Salaam, en *Tanzanie,* dans un petit bureau mal éclairé du mouvement de lutte pour l'indépendance de la Namibie — le S.W.A.P.O. [1] — j'ai écouté, entre autres, Selma me raconter comment son père n'avait pas le droit de posséder plus de six têtes de bétail : si le recensement des services vétérinaires révélait qu'il dépassait ce quota, le surplus était confisqué par les « Boers », comme Selma continuait à appeler les Blancs d'origine hollandaise.

Son destin ressemblait étonnamment à celui d'Hélène, dans sa quinzième année comme elle, qui suivait notre conversation et me parla ensuite.

L'une, fille de paysan, l'autre, de pêcheur, toutes deux lycéennes, toutes deux portant les marques des brutalités systématiques de la police (mixte : blanche et noire) pour avoir chanté des chants « séditieux » en faveur de l'indépendance : « On devait se mettre poitrine et dos nus, dit Selma, puis se pencher en avant, bras pendants, et les coups tombaient pendant que le policier, un Blanc — mais c'était d'abord un Noir qui nous amenait à lui une à une — comptait « Un, deux, trois... », jusqu'à trente. Les dix premiers coups, j'ai hurlé de douleur ; ensuite, je ne sentais plus rien. Bien avant la fin, je me suis affalée sur le sol, à moitié évanouie. J'ai entendu « Trente ! » et, après, cet homme m'a crié : « Maintenant, debout, sale petite Cafre ! Et fous le camp ! »... »

Toutes deux avaient fui la persécution incessante. Selma me détailla calmement son équipée : trois jours de marche sans manger dans la brousse angolaise, après avoir franchi clandestinement la frontière. Puis traversée complète de l'Angola, toujours à pied, suivie de celle d'un fleuve infesté de crocodiles, pour passer en Zambie. Encore quatre jours à pied et un autre en camion, jusqu'au bord du Zambèze. « Réception » et prise en mains par le S.W.A.P.O. : école du soldat, envoi sur le « front ». Là, dans le maquis, elle rencontre un garçon de son âge. Coup de foudre. Enceinte, on la ramène à « l'arrière », tandis que Simon, le futur père, poursuit le combat de libération de la patrie : « Depuis 1976, où j'ai pu lui faire savoir qu'il avait une fille, j'ignore même s'il est toujours en vie. Pourtant j'aimerais bien l'épouser... » Quant à l'enfant, on la lui a retirée pour la mettre dans une colonie du S.W.A.P.O. en Zambie, pendant qu'on expédiait Selma elle-même en Tanzanie, à Dar es-Salaam, pour y apprendre le secrétariat : « Quand j'ai pu aller voir la petite, six mois plus tard, elle ne m'a pas reconnue et ne voulait pas venir dans mes bras... »

---

1. South-West African People's Organization.

Et Hélène... Elle, c'est mariée et déjà enceinte, à quinze ans, qu'elle a fui avec son mari, Tom, étudiant en médecine, et une trentaine de lycéens et d'étudiants des deux sexes, la nuit même qui suivit une manifestation où elle avait été assommée et frappée à coups de pieds par la police :

— Ce fut une marche très dure, de quatre jours, jusqu'à la frontière de l'Angola. Aucun des trente n'avait rien emporté, même pas de vivres, pour ne pas attirer l'attention. Tom marchait à côté de moi, me soutenant, m'encourageant. Grâce à lui, je n'ai jamais douté que nous y arriverions, malgré mon état et les coups que j'avais reçus. Mais il y a eu des filles qui sont tombées d'épuisement. Les garçons étaient formidables ; ils avaient beau être épuisés eux aussi, ils les relevaient et les portaient sur leurs épaules.

Après quoi, même randonnée à travers l'Angola jusqu'en Zambie, où Tom est aussitôt « mobilisé » pour partir au bout de quelques jours pour le « front ». C'était il y a quatre ans, et il n'a jamais vu sa fille, née en pleine brousse sans médecin, ni médicaments, ni langes, ni autre nourriture que le lait rare et pauvre d'une mère amaigrie, anxieuse et à bout de force. Très vite, d'ailleurs, même départ de l'enfant pour une colonie et de la mère pour Dar es-Salaam et l'école de secrétariat.

— J'ai revu Tuuhulu une seule fois... (Tuuhulu signifie « fin du colonialisme », et c'est le nom de la petite, selon le vœu de son père lointain.) Je ne la reverrai pas avant un an, m'a dit Hélène. J'ai beau aimer mon mari et mon enfant, j'aime aussi mon pays, a-t-elle ajouté.

Seulement, elle pleurait en prononçant ces mots.

En 1947, le roi et la reine d'Angleterre — et d'Afrique du Sud — firent une visite officielle à ce dernier pays, qui avait le statut de dominion au sein du Commonwealth. Partout, même dans des coins presque perdus, les foules africaines les accueillaient en chantant N'Kosi Sikelela Afrika : Dieu bénisse l'Afrique. Leurs Majestés et le Premier ministre d'Afrique du Sud, Smuts, étaient chaque fois frappés par la ferveur de ces chants.

Une année plus tard, Smuts perdait le pouvoir au profit du parti national Afrikaner et de son chef, le Dr Malan. Trente ans après, ce parti règne toujours, maintenant à tout prix l'apartheid comme principe fondamental de sa politique, grâce à quoi cinq millions de

Blancs continuent à exercer la prédominance dans les affaires du pays sur vingt millions de Noirs[1].

A cause aussi de l'*apartheid*, des milliers de jeunes Noirs ont été brutalement séparés de leur famille sans même un au-revoir, soit que les plus âgés aient fui d'eux-mêmes les matraques, les chiens et les balles de la police, soit que leurs parents les aient mis en sûreté. Tel ce petit Selo que j'ai vu et écouté à Lusaka, en Zambie.

Il avait huit ans, un visage brillant d'intelligence, un grand sourire édenté d'enfant qui perd ses dents de lait. Son histoire était celle de vingt autres, que j'ai vus aussi, que ce soit en Zambie, en Tanzanie ou au Botswana.

Il vivait à Soweto (qui signifie « Ville du Sud-Ouest »), cette agglomération noire proche de Johannesburg qui a tant fait parler d'elle ces dernières années, à cause des affrontements sanglants dont elle fut le théâtre. Il y avait deux ans de cela, un matin, le père de Selo disparut. A la mère, la police finit par dire qu'il était arrêté et enfermé à Robben Island, la fameuse prison près du Cap. Sur quoi, un autre matin, très tôt, la mère monta en voiture avec Selo et roula sans discontinuer jusqu'à ce qu'ils soient arrivés au Botswana. Puis, après avoir confié l'enfant à des mains responsables, elle repartit, déchirée.

— Et quand espères-tu la revoir ? ai-je demandé à Selo.

Il a écarté ses deux mains ouvertes, haussé les épaules et, me regardant avec un grand rire, m'a répondu :

— Je ne sais pas.

— Et si tu ne la revoyais jamais ?

— Je continuerais, a-t-il répliqué d'un ton décidé.

Patricia, que j'ai rencontrée à Lusaka, était une fille charmante, douce, remarquable élève. Mais elle voyait rouge à la seule pensée de l'*apartheid*. Elle avait pris part à des manifestations violentes, lapidé la police, lancé des cocktails Molotov qu'elle transportait dans des poches en plastique, mis à sac et incendié des bâtiments officiels. Les balles avaient sifflé autour d'elle, couchant pour toujours sur le sol plusieurs de ses camarades. Un jour, avec d'autres adolescentes de son âge, elle s'était agenouillée dans la rue en chantant un chant

---

1. En 1961, devant les critiques adressées à sa politique d'*apartheid*, l'Afrique du Sud s'est retirée du Commonwealth britannique.

révolutionnaire, « Enfants de l'Afrique », face à l'œil noir d'un canon de carabine. Fichée par la police, elle avait, comme tant d'autres, choisi de quitter son pays.

Mais je veux retenir surtout ces quatre étudiants qui se trouvèrent pris le même jour dans les mêmes violences[1] et que je rencontrai — symboles de l'éclatement de tout un peuple — à des centaines, voire des milliers de kilomètres les uns des autres, un au Botswana, deux à Morogoro, en Tanzanie, la quatrième en Tanzanie également, mais à Dar es-Salaam.

Tous quatre, comme le petit Selo, vivaient à Soweto. Tous quatre « descendirent dans la rue » avec des milliers d'autres étudiants, un jour de juin 1976 — le 16 exactement — qui devait faire les grands titres de « une » de la presse mondiale, le lendemain. Car, ce jour-là, des étudiants noirs furent blessés et tués par dizaines, pour avoir protesté contre une loi rendant obligatoire l'usage de l'*afrikaans* (la langue des « Boers ») pour toutes les études, quelles qu'elles fussent. Dans l'esprit de tous les étudiants, il s'agissait d'une démonstration entièrement pacifique.

Je commencerai par Peter. C'est lui que je vis au Botswana, à Gaborone. Comme je l'abordais en lui faisant remarquer que nous avions le même nom de baptême, il me dit :

— Oui, je continue à me servir du mien, mais je ne suis plus chrétien. Après toutes les choses terribles par lesquelles je suis passé comme tant de mes amis, j'en suis venu, comme eux aussi, à douter de l'existence de Dieu. Et puis, nous devons cette religion chrétienne aux Blancs, et ils nous ont trop maltraités.

— Vous mettez tous les Blancs dans le même sac ? demandai-je.

— Depuis sa plus tendre jeunesse, le Noir d'Afrique du Sud est élevé dans l'idée que l'homme blanc est l'ennemi. Même les Blancs que je sais être des amis, je les traite avec une certaine réserve.

— Même moi ?

Il eut un sourire, puis répondit :

— Franchement, oui.

Peter était né à Soweto. Ils étaient sept enfants vivant avec les parents dans une bicoque de quatre pièces au toit troué, sans électricité ni salle d'eau, ni cabinets autres qu'extérieurs. Quand il était petit, son père lui interdisait de jouer hors de l'enceinte de la maison et de s'aventurer seul dans les rues. Le danger venait des bandes d'adolescents, déchets de l'école, sans travail et qui n'hési-

---

1. Sur ces violences, les étudiants ont leur version, comme la police a la sienne. Je n'ai pas à juger.

taient pas à jouer du revolver et du couteau — surtout de ce dernier, plus discret. Et puis il y avait les antagonismes tribaux. Entre les Basutos, auxquels appartenait Peter, et les Zoulous, armés de massues, éclataient sans cesse des bagarres de rues, notamment les samedi soir, où tout le monde s'enivrait à la bière de sorgho :

— Personne n'osait rester dans la rue pour regarder. Et la police, noire ou blanche indifféremment, l'une ne valant pas mieux que l'autre, était incapable d'offrir la moindre protection aux citoyens de Soweto. Pour cette raison, jamais je ne traînais ; la classe ou les cours finis, je me dépêchais de rentrer à la maison.

Malgré tout, me dit Peter, il était heureux. Il travaillait dur et bien à ses études, aimait beaucoup le cricket et avait un héros : le pasteur Martin Luther King...

Justice, le second des quatre, m'a fait ses confidences à Morogoro. Son père, simple manœuvre dans le village du Transvaal où il était né, ne gagnait pas assez d'argent pour faire vivre sa femme et leurs huit enfants. La famille avait donc dû se briser. Les deux frères aînés avaient tristement interrompu leurs études pour travailler. Justice, pour sa part, était allé s'installer chez un oncle, à Soweto, à plus de trois cents kilomètres du village natal. Il avait trouvé là une meilleure école, une nourriture plus abondante, et son oncle, malgré un faible prononcé pour la bouteille, était un homme bon. Mais Justice, profondément attaché à sa mère, avait le mal du pays. Cependant, il n'en travaillait qu'avec plus d'acharnement. A seize ans il était entré au lycée, où ses camarades l'avaient élu presque aussitôt chef de classe. Il était loin de se douter des conséquences que cela allait entraîner...

Tandy (c'est un surnom) avait, chose assez surprenante en soi, mais et cependant nullement insolite dans sa tribu — les Shangana — la peau claire. Comme Peter, elle était née à Soweto même et y avait grandi. Elle avait beau aimer cette ville, elle prenait souvent le train pour Johannesburg, la ville « blanche », parce que les boutiques y étaient belles, plus belles qu'à Soweto. Naturellement, interdit de rester le soir à Johannesburg, quoi qu'elle ne pût comprendre pourquoi deux peuples vivant dans le même pays-

254

devaient tracer entre eux une ligne de séparation, sous prétexte qu'ils n'étaient pas de la même couleur. Le petit Selo m'avait déjà dit : « Moi, j'aime tous les Blancs, sauf les Boers ». Tandy me disait maintenant : « Je n'ai rien contre les Blancs en général, mais ceux qui oppriment les Noirs d'Afrique du Sud me font peur. » Elle m'a déclaré cela sans haine à Dar es-Salaam, où elle avait échoué après la fameuse journée de juin 1976, avec sa sœur Imogen. Elle n'avait plus qu'une ambition : entrer à l'université pour y faire sa médecine...

Enfin, la quatrième : Gloria, réfugiée à Morogoro comme Justice. Elle n'avait que treize ans en 1976 et, comme Justice encore, habitait le même genre de bicoque de quatre pièces, avec ses parents, deux sœurs et un frère, Godfrey. Le père quittait la maison tous les matins sur le coup de 6 heures, pour se rendre à son travail : un cabinet d'hommes de loi — blancs — de Johannesburg.

Un jour, à la pointe de l'aube, toute la famille fut réveillée par de violents coups à la porte et aux fenêtres et le cri redouté de « Police ! » Gloria se cacha sous les draps de son lit. Quelques instants plus tard, une main rude la découvrit, tandis qu'une torche électrique braquée l'aveuglait. Dans la chambre voisine, elle entendait une voix demander brutalement à son frère : « *Warr is jou pass, kaffir ?* » (Ton laisser-passer, Cafre ?) N'étant pas majeur, Godfrey, légalement, n'avait pas de laissez-passer, ce qui ne l'empêcha pas d'avoir droit à un coup de matraque sur le crâne. Quant au père, on l'avait arraché à son lit, traîné, rossé, emmené au commissariat. Relâché le lendemain, il revint avec une bosse au crâne, des ecchymoses, mal partout, mais n'en dut pas moins courir à son travail, sous peine de perdre sa place.

En 1976, Gloria était dans la classe supérieure de l'école primaire. Elle portait l'uniforme, jupette noire de gymnaste, bas noirs, chemise blanche, blazer, et le détestait parce que c'étaient les Blancs qui l'avaient imposé. Pour la même raison, elle détestait l'histoire, présentée dans les manuels sous un angle d'infériorité constante pour les Noirs. Par exemple, elle n'avait jamais entendu parler de la bataille d'Isandhlwana, où les Zoulous avaient défait les Anglais. Cela dit, elle préférait encore ceux-ci aux *Afrikaaners* qui étaient cruels, disait-elle.

Le 16 juin, l'école finissant tôt, elle prit, à pied, le chemin de la maison dans les premières heures de l'après-midi. Quand elle allait ainsi à pied dans les rues, elle était toujours « foncièrement très effrayée », selon ses propres termes, parce que lui couraient en tête des histoires de *muthi*, de médecine rituelle, d'enfants enlevés qu'on découpe en morceaux pour mélanger leur chair à des filtres de sorciers.

Tout en marchant, elle vit des hélicoptères dans le ciel : ils arrosaient de gaz lacrymogène les cortèges d'étudiants et de lycéens qui gagnaient le lieu de rassemblement de la manifestation dont tout le monde parlait. Quand, rentrée chez elle, elle entendit le bruit de la fusillade, elle voulut courir dehors pour aller se joindre aux manifestants. Sa mère l'en empêcha en lui expliquant que ce n'était pas la place d'une fillette de treize ans.

Le lendemain, la police et la troupe occupaient les rues, et la mère de Gloria lui recommanda longuement de ne pas se mêler aux cortèges et aux émeutes, le cas échéant, sur le chemin de l'école. La veille, il y avait eu des morts, et les esprits étaient très échauffés chez les étudiants.

La classe avait à peine commencé que des élèves du lycée voisin vinrent inviter ceux de l'école primaire à participer à un meeting dans leur établissement.

— C'était assez animé, m'a raconté Gloria. Il y avait des chefs des étudiants qui criaient « *Amandia !* » (Le pouvoir !) et tout le monde répondait « *Nga Wethu !* » (A nous !). Après le meeting, nous nous sommes formés en cortège. Nous remplissions toute la rue et nous nous sommes dirigés vers un magasin de vins et spiritueux sous licence gouvernementale, symbole du monopole blanc. Nous étions tous dans un état de folle excitation.

Sur son chemin, le cortège rencontra un *putco* — un des autobus verts de la compagnie des transports publics — et ce fut l'assaut, auquel Gloria avoue avoir participé furieusement, jetant des pierres, brisant les glaces et applaudissant quand l'autobus prit feu. Puis le cortège repartit, chantant et rythmant des pieds sur l'asphalte ses slogans et ses chants : « *Nantsi Indoda Emnyama Vorster !* » (Prends garde, Vorster, voici l'homme noir ! » et d'autres. Et plus les voix montaient, plus les pieds tapaient, plus grandissait la ferveur, plus s'élevaient les cris rythmés : « *Asikhathali Noma Siya Boswa, Sizi Miseli i Nkuleke !* » (Peu importe qu'on nous arrête, nous sommes prêts au combat pour la liberté !).

Tels étaient les sentiments de Gloria lorsqu'elle participa à l'assaut contre « le 44 », bâtiment officiel enfermant des bureaux et une bibliothèque, puis à la liesse générale quand les principaux meneurs eurent mis le feu à l'immeuble et qu'il fut environné par la fumée et les flammes des livres et des archives qui brûlaient.

Ensuite, la marche et les chants rythmés reprirent, et ce fut l'attaque du magasin de vins et spiritueux. Vitres, glaces, bouteilles volèrent en éclats, et de nouveau les flammes montèrent parmi les cris de joie, les chants, les mots d'ordre et les danses.

Mais, cette fois, la police était là, et elle ouvrit le feu. Alors, la panique succéda au délire d'enthousiasme. Comme les autres, Gloria s'enfuit, et comme — car la manifestation durait depuis des heures — l'ombre descendait sur la ville, elle se cacha dans les ruelles et attendit que le feu n'éclairât plus la nuit pour se faufiler jusque chez elle, et pour affronter les reproches et l'inquiétude de sa mère.

Le lendemain, la police se présenta à la maison, réclamant le père et le fils aîné, Godfrey. Mais tous deux avaient disparu — « Godfrey, lui, on ne sait pas ce qu'il est devenu », dit Gloria. Elle-même évita de reparaître chez elle après cela, et se cacha ici et là, détalant chaque fois qu'elle apercevait un uniforme — heureusement, elle a de longues jambes.

Cependant, comme la police resserrait constamment son étroite surveillance des lycées et des universités, Gloria décida de quitter l'Afrique du Sud.

Je passe sur les péripéties, semblables à tant d'autres. Quand je l'ai vue en Tanzanie, Gloria avait quinze ans. Elle trouvait bien lourd le tribut payé pour sa révolte. Pour avoir quitté illégalement le pays, elle est « marquée au rouge » et tombe sous toutes les rigueurs de la législation antiterroriste. Reverra-t-elle un jour celle qui lui donna naissance et sa terre d'Afrique du Sud ? Fidèle à la dernière recommandation de sa mère, le jour de son départ — « N'oublie jamais les tiens ni ton peuple » — elle espère.

Pendant que Gloria et ses camarades marchaient vers le magasin de spiritueux, les garçons et les filles de l'école de Tandy — la Jubilee School — entreprenaient de se diriger en cortège pacifique vers l'hôtel de ville de Soweto. La plupart d'entre eux étaient de l'âge de Tandy : quatorze ans. Ils portaient des banderoles proclamant : « Pouvoir Noir ! » et « A bas Vorster et son Gouvernement ! » et chantaient « *N'Kosi Sikelela* » et « *Azania Ikhayalami E Ngi Li Thandayo* » (J'aime ma patrie l'Azania, pays de l'homme noir) [1].

------

1. *Azania* est le nom que les Noirs d'Afrique du Sud entendent donner un jour au pays.

Tout se passait dans l'ordre et le calme, quand, près de la gare de New Canada, ils se heurtèrent à un barrage d'une vingtaine de policiers, descendus de leurs Land Rover.

— J'avais beau être dans la queue de la manifestation, j'ai eu très peur, raconte Tandy. Toute seule, je crois bien que je me serais sauvée ; mais au milieu de mes camarades j'ai continué à avancer vers la police. Alors les policiers nous ont crié dans leurs haut-parleurs de nous arrêter et de nous asseoir par terre. Ce que nous avons fait. Là-dessus, presque aussitôt, ils ont commencé à nous lancer des grenades lacrymogènes. Les premiers rangs se sont relevés pour se battre ; les autres se sont débandés en courant. Nous avons entendu derrière nous des coups de feu et ma sœur Imogen est tombée, atteinte d'une balle au pied. Je l'ai aidée comme j'ai pu à courir en boitant jusqu'à une petite rue. Nous étions mortes de peur. Quand j'ai pu me retourner, j'ai vu que la rue que nous avions quittée était jonchée de corps. Il y avait des morts et beaucoup de blessés qui appelaient et gémissaient.

Pendant qu'elle évoquait cette violence et cette terreur, de sa voix tranquille, elle me regardait et je voyais que ses grands yeux bruns et doux restaient fixés, au-delà de mon visage, sur la scène, gravée à tout jamais dans sa mémoire :

— Nous avons attendu que les policiers soient partis, puis nous sommes allés ramasser nos blessés et nos morts. Parmi les cadavres, il y avait ceux de deux de mes amis, de mon âge, Ntombi et Momsa. Je les aimais beaucoup ; ils étaient toujours gais et prêts à s'amuser.

Quelques mois plus tard, Tandy prit part à une autre manifestation — protestant, celle-là, contre une augmentation abusive des loyers dans les taudis de Soweto. Elle était vers le milieu du cortège, quand la police, dans ses Land Rover, le remonta, longeant les trottoirs et tirant à bout portant. Aplatie sur le sol, Tandy vit, cette fois encore, tomber autour d'elles des garçons et des filles, dont certains tués sur le coup. Puis, avec d'autres, on l'arrêta...

Toujours ce même 16 juin 1976, un troisième cortège, où se trouvait Justice à une dizaine de rangs de la tête, avançait en chantant, avec, pour objectif, les locaux du Département bantou de l'Education, où les chefs de la manifestation voulaient déposer une pétition. A l'approche du but, barrage de police, tirs de grenades lacrymogènes. Certains fuient, mais la masse continue. La police ouvre le feu. A côté de lui, Justice voit tomber un garçon qu'il connaît, Hector Peterson, quatorze ans, tué net. Etudiants et lycéens s'égaillent, puis se reforment.

Je revois le visage de cet adolescent tendre et sensible tandis qu'il me dit :

— Nous n'étions plus maîtres de nous. Je l'avoue, c'est uniquement la colère qui m'a poussé à me joindre aux autres, ensuite. Nous étions enragés. Notre fureur s'en est prise à tout ce qui était propriété du gouvernement et nous tombait sous la main : bureaux, boutiques, autobus. On cassait, on incendiait...

Le soir du 16 juin, il évita de rentrer chez lui. Trois jours il erra. Le troisième, un oncle le prévint que la police le recherchait...

— Moi, m'a dit Peter, a priori je n'avais rien contre l'*Afrikaans*, en tant que langue. Seulement, je trouvais absurde de nous l'imposer comme obligatoire pour toutes les études, à la place de l'anglais. C'est pour cela que j'ai manifesté avec les autres, le 16 juin.

Et, avec la même franchise qu'il avait mise à me déclarer qu'il se méfiait de tous les Blancs, y compris moi, il me raconta comment il avait lui aussi lapidé la police, attaqué, saccagé, incendié, dans une rage aveugle, des immeubles et des véhicules.

— Mais que pensiez-vous faire, lui demandai-je, avec vos bâtons et vos pierres, contre une police en armes ?

— C'était le désespoir, me répondit-il. Quatre de mes camarades de classe étaient tombés morts. Je n'avais jamais vu de cadavres. C'est avec ceux de mes amis que j'ai fait connaissance avec la mort. Après, je me suis rendu compte que j'avais eu de la chance de ne pas être tué comme eux : j'étais juste devant les policiers, si près que je voyais les flammes jaillir du canon de leurs armes.

Dans la nuit, à 2 heures du matin, quatre policiers — deux noirs et deux blancs — frappèrent à la porte chez Peter. Le père n'était pas là. La mère poussa vivement son fils dans une armoire qu'elle ferma à clé. Après avoir fouillé partout, les policiers s'en allaient, quand l'un d'eux fit remarquer : « On a oublié l'armoire. » Comme on le tirait brutalement hors de sa cachette, un des Noirs en uniforme frappa Peter à la tête, d'un grand coup de crosse de mitraillette. Ce que voyant, la mère s'enfuit en hurlant d'épouvante dans la nuit.

Menottes aux poignets, Peter entra au poste de police à 2 heures 30 du matin. Jusqu'à 6 heures du matin, on le « travailla », toujours à propos de la même question : « Dis-nous où on peut retrouver les organisateurs de la manifestation. »

— Je ne pouvais que leur dire la vérité, m'expliqua Peter. C'était un secret, que je ne connaissais pas plus que les autres. J'étais donc incapable de leur fournir la réponse.

Alors, on lui enveloppa la tête dans un sac en plastique, serré avec une corde autour du cou, et on le laissa ainsi presque jusqu'à suffocation. On le martela de coups de poings. On le força à rester debout, les mains au-dessus de la tête jusqu'à ce qu'il n'en puisse plus. Quand, à bout de résistance, il s'écroula sur le sol, on le bourra de coups de pieds. Puis on l'emporta et on le jeta dans une cellule. On l'y tint au secret quatre mois, ne l'en tirant que pour deux nouveaux interrogatoires assortis de torture et de coups. A la fin du second, alors qu'il s'était effondré à terre, à demi évanoui, le Blanc qui menait la danse, un gros homme, s'assit pendant une demi-heure sur la poitrine de Peter, pesant de tout son poids pour l'empêcher le plus possible de respirer.

— Quand je suis sorti de là, me dit Peter, j'avais perdu toute foi en l'humanité. Même avec mes amis les plus proches, je me méfiais et je ne me sentais plus en sûreté.

Relâché, il débattit longuement tout seul s'il devait continuer ou non ses études. La peur de la police fut la plus forte : il résolut de s'exiler. Il réussit à passer au Botswana. Là, devant son état, on l'hospitalisa immédiatement. Un mois de soins guérirent les blessures. Mais il continue à souffrir de douleurs aiguës à la poitrine. Du moins a-t-il pu reprendre ses études et se préparer à l'université.

Quand je lui ai demandé si, victime de la violence comme il l'a été, il serait prêt à en user lui-même, il m'a répondu en secouant la tête :

— En tout dernier recours, peut-être, oui... Mais je préférerai toujours la raison et la persuasion.

Arrêtée, Tandy, l'adolescente de quatorze ans, fut copieusement rossée par la police pour commencer, Blancs et Noirs aussi bien : « Pour moi c'est tout un, m'a-t-elle dit. Un policier est un policier. » Au commissariat, on l'enferma avec quatre-vingts autres enfants dans une cellule de neuf ou dix mètres carrés. On les y garda trois jours, avec deux bols de riz pour toute nourriture et sans une goutte d'eau. Une fois par jour, la porte s'ouvrait sur cinq hommes en uniforme qui entraient — toujours des Blancs — et se mettaient « au travail » sur les fillettes, dont certaines n'avaient même pas l'âge de Tandy :

— Ils avaient de longues matraques et cognaient à tort et à travers en nous traitant de « sales petites Cafres ». C'était la panique. On hurlait toutes de frayeur ou de douleur, on les suppliait, on criait : « Pitié ! Au secours ! Je vous en prie, épargnez-moi ! » Mais ils continuaient. Il y en avait qui perdaient connaissance sous les coups.

Et, me regardant avec son extraordinaire douceur et son sourire d'enfant calme, elle ajoute :

— C'étaient des barbares.

Relâchée, Tandy fut conduite par sa mère à l'hôpital, où on lui administra un calmant et lui pansa ses blessures. Quelques jours après, la mère dit à Tandy, à sa sœur Imogen et à leur frère Sam : « Vous êtes tous les trois repérés par la police ; mieux vaut que vous quittiez le pays. » Et, leur ayant remis à chacun l'équivalent de deux cents francs actuels et une photo d'elle et du père, prise spécialement, elle leur fit prendre le chemin du Swaziland. De là, par le Mozambique, tantôt à pied à travers la brousse, tantôt par car et, pour finir, par avion, les trois enfants parvinrent en Tanzanie, d'où Tandy repartit pour le Nigeria, où elle entra dans une école, avant de revenir en Tanzanie, où elle fait maintenant sa médecine.

Plus que les brutalités corporelles, les blessures qu'on lui a faites au cœur mettront longtemps à se refermer, si elles se cicatrisent jamais. Elle a passé aujourd'hui le stade des larmes, mais elle m'a déclaré :

— Les Blancs m'ont brutalisée, ils ont blessé ma sœur, tué deux de mes amis préférés. Et cela fait trop longtemps qu'ils oppriment les Noirs. Je ne veux plus les voir dans mon pays. Je ne veux plus jamais entendre parler d'eux.

Justice n'était pas chez son oncle depuis deux jours, que, à minuit et alors qu'il dormait profondément, des coups violents ébranlèrent la porte. Réveillé en sursaut, il pensa rapidement : « C'est la police qui me recherche » et, enfilant son pantalon, sans même passer sa chemise, il entra dans la salle à manger. Il avait si peur, m'a-t-il dit, qu'il pouvait à peine « voir droit ». Le moment était venu où il allait être mis en face de ses responsabilités, si modestes fussent-elles, de chef de classe.

La police le mitrailla de questions : « C'était bien toi le meneur du groupe ? Combien étaient-ils avec toi ? C'est toi qui avais demandé à tes amis d'apprendre des chants comme *N'kosi Sikelela* avant la manifestation ?... » Par crainte d'être pris au piège d'une réponse, Justice nia tout. Brusquement, il sentit un coup violent sur la tête et tout se brouilla. Le policier n'en continua pas moins tranquillement son interrogatoire. Mais, à chaque question, un de ses collègues, un Noir, administrait à Justice une double gifle. Il finit par s'arrêter sur les supplications de la tante du lycéen. Puis les policiers s'en allèrent, en ordonnant à l'adolescent de se présenter le lendemain au commissariat le plus proche.

En fait, ce fut chez son cousin (le fils de son oncle), qu'il se rendit et qu'il se cacha durant les neuf mois qui suivirent. Toute la famille était très pieuse et entreprenait souvent Justice sur les méfaits de la violence.

— Cela vous a-t-il influencé ? lui demandai-je. Vous êtes-vous repenti d'avoir participé à des émeutes ?

Sa réponse fut émouvante :

— Oui, je me suis repenti. J'ai pleuré à l'église et imploré pardon.

— Vous sentiriez-vous capable à votre tour de pardonner à ceux qui vont ont brutalisé ?

— Non, vraiment pas, m'a-t-il répondu. Je ne peux pas, parce que c'est à cause de ces gens que je suis réduit aujourd'hui à vivre ici, en pays étranger, loin de chez moi.

Le cousin au grand cœur se débrouilla pour permettre à Justice de revoir une fois ses parents. L'adolescent fut bouleversé à la vue de sa mère vieillie et hagarde, sans nul doute à force de se ronger d'angoisse pour lui. Le spectacle était d'autant plus douloureux pour lui qu'il savait combien sa mère lui manquerait bientôt, bien qu'il ne lui dît rien ce jour-là de sa décision bien arrêtée de quitter l'Afrique du Sud.

— J'ai beaucoup pleuré lors de cette visite. Puis je suis retourné chez mon cousin et suis entré en rapport avec les gens qu'il fallait. Le moment venu, je suis parti sans dire un mot à personne.

Justice m'a avoué qu'il avait le cœur toujours gonflé de tant de regrets qu'il lui était impossible de dire lequel le taraudait le plus. Peut-être l'injustice de ceux qui l'ont chassé loin de ses parents et des frères et sœurs qu'il adorait ? Car on lui a imposé le plus terrible des *apartheid* : celui qui arrache un enfant aux siens et à son pays.

23

« *Voudrais-tu venger tes parents ?*
— Non, je ne veux plus
voir tuer des gens »

Depuis 1972, l'état de guerre existe entre la Rhodésie de Ian Smith, multiraciale et dominée par les Blancs, et le Zimbabwe noir (théoriquement multiracial lui aussi) du Front patriotique à la tête duquel sont deux exilés, Joshua N'Komo et Robert Mugabe[1]. Les hommes qui luttent dans le camp de la Rhodésie portent le nom de « forces de sécurité ». Ceux qui luttent pour le Zimbabwe sont diversement qualifiés de « guérilleros », de « combattants de la liberté » ou de « terroristes ». Libre à chacun d'apprécier, mais une chose est sûre : il s'agit d'une guerre à laquelle les enfants sont étroitement et cruellement mêlés.

Peter (c'est le nom sous lequel il m'a prié de le désigner), qui a

1. Depuis les élections de mai 1979, à la suite desquelles l'évêque noir Abel Muzorewa est devenu Premier ministre à la place de Ian Smith, le pays a été rebaptisé Zimbabwe-Rhodésie.

fui la guerre de Rhodésie, a des antécédents qui font curieusement la liaison avec le chapitre précédent : il est né à Soweto, l'énorme « complexe » abritant quatre cent mille Noirs. Son père, en quête d'un meilleur salaire, s'en était venu de Rhodésie pour travailler dans les mines d'or de Johannesburg. Peter appartenait à la tribu des Shanganas. Il m'a fait remarquer que, en Afrique australe, l'*apartheid* ne s'arrête pas seulement à la séparation entre Blancs et Noirs. Chaque tribu, Zoulous, Basutos, Swazis, Shanganas, etc., vit dans son secteur particulier. Même à l'école, on ne se mélange pas.

Peter n'avait que neuf ans lors de son premier contact avec la police, à l'occasion d'une « descente » à son école primaire de Soweto. Avec d'autres petits garçons et petites filles, il fut emmené et interrogé au commissariat, giflé, jeté à terre. Il se souvient d'une fillette de neuf ans qui saignait de la bouche, frappée par un policier noir.

Ses parents divorcèrent alors qu'il avait dix a. s. Depuis, il n'a jamais revu sa mère à laquelle, comme tant de jeunes Africains, il est profondément attaché. Non qu'il déteste son père, brave homme, qui décida, Peter parvenu à l'âge de treize ans, de retourner en Rhodésie :

— A Soweto, nous vivions à la merci de voleurs et de criminels. Mon père voulait une meilleure existence pour nous. A Salisbury, en Rhodésie, où nous nous sommes installés, j'ai tout de suite remarqué que le racisme était moins fort. Les Blancs n'avaient pas l'air de prêter trop attention à ma couleur. Quand il y avait queue, je me rangeais dans la file des Noirs, mais souvent des Blancs me disaient : « Viens donc de notre côté, petit. »

A quatorze ans, Peter dut interrompre brutalement ses études parce que, né en Afrique du Sud, il n'avait pas pu produire de certificat de naissance rhodésien. Il décida alors de continuer lui-même son éducation en usant de la bibliothèque municipale, en principe « réservée aux Noirs », mais comme toute institution publique en Rhodésie, ouverte également aux deux communautés. Il lui arrivait souvent d'aller faire un tour au lycée pour confronter ses notes avec celles de ses amis lycéens.

Vers le milieu de 1974, il prit part à une manifestation d'étudiants, parfaitement pacifique, à Salisbury. Après la dispersion sans incidents, il rentra chez lui et se coucha.

A 4 heures du matin, coups « polis » à la porte. Police. On emmène Peter au commissariat, en voiture. Interrogatoire.

— Je vous l'accorde, m'a-t-il avoué, c'est vrai que j'ai menti par omission en refusant de reconnaître que j'étais un des organisateurs de la manifestation. De toute façon, je n'avais rien fait de criminel.

Malheureusement, ses dénégations impatientèrent les policiers. On l'entraîna dehors, lui dénuda la poitrine et l'attacha au bout d'une corde de trois mètres derrière un scooter. Un policier noir monta sur l'engin, démarra et se mit en devoir de remorquer Peter autour du bâtiment de la police — huit tours, à ce qu'il put calculer. Après quoi, totalement hors d'haleine, il tomba et fut traîné sur vingt-cinq mètres de gravier. Lorsqu'il se releva, il avait les bras et le torse à vif. On lui accorda cinq minutes pour reprendre haleine avant de recommencer l'interrogatoire : « Qui a organisé la démonstration ? » Comme il continuait à nier y avoir trempé, on lui lia de la toile de sac mouillée autour des bras et du torse, nus et ensanglantés. On y fixa un fil électrique, que l'on brancha ensuite sur le courant — « Je crois que c'est du 250 volts, à Salisbury », m'a précisé Peter. Quelqu'un manœuvra alors très rapidement et par trois fois un interrupteur, pendant qu'on répétait la question : « Qui était le meneur ? — Je ne sais pas. » A peine ces mots étaient-ils sortis de sa bouche que le courant, lâché, le faisait se cabrer malgré lui :

— Non que le choc fût tellement violent, ou douloureux au point de m'arracher un cri. Non, c'était surtout le genre de chose qui vous remplit de désespoir et fait qu'on se sent complètement lessivé.

Le gradé blanc qui commandait dit à la fin : « Manifestement ça ne suffit pas. Il a besoin d'un supplément. » Peter m'a fait de cet homme une description surprenante :

— De corpulence moyenne, environ un mètre quatre-vingts, bel homme. Je dirais presque qu'il avait beaucoup de charme.

Il est moins flatteur à propos du policier noir qui le força à se déshabiller puis à s'asseoir sur une chaise, afin de mieux lui manipuler les organes génitaux avec une paire de tenailles :

— Celui-là était une brute à l'air féroce. Pour lui c'était boulot boulot ; il ne pensait qu'à l'efficacité. Et il y prenait un réel plaisir.

Cela continua par intermittence, de 4 à 11 heures du matin.

— Et pourtant, après la première douleur, atroce, l'étonnant est qu'il arriva je ne sais quoi à mon corps : je ne sentais plus rien.

Le père de Peter était accouru au commissariat à 8 heures du matin. Durant trois heures, on lui refusa le droit de voir son fils. Bien qu'il eût toujours été contre le principe des manifestations et que ses relations avec son fils en eussent souffert, il était venu tout de suite, en apportant de la nourriture. Peter s'en souvient comme d'un geste profondément émouvant. Mais cela ne changea rien à ses sentiments par la suite : chaque fois que son père le priait de ne pas se mêler à des manifestations sous peine de passer le reste de sa vie à pourrir en prison, Peter avait beau respecter les réactions de son père, sa conscience le poussait à continuer à participer au mouvement de résistance. Mais, en même temps, comme je lui demandais : « Vous-même, est-ce que vous auriez recours à la violence ? » il me répondit :

— Non, car si l'on veut imposer par la force une idée aux gens, ils ne comprennent pas.

Et quant au terrorisme :

— S'il faut se battre, que ce soit contre ceux que cela concerne, mais qu'on n'y mêle pas les innocents.

Et le fait est que, sur le sol rhodésien, les populations civiles — les Noirs surtout, de loin — n'ont cessé d'être cruellement prises entre le marteau et l'enclume, d'une part les combattants de la liberté usant de tous les moyens de pression et d'intimidation, d'autre part les forces de sécurité en faisant autant dans leur chasse aux « terroristes ».

Toujours est-il que Peter, profondément affecté par ce qui lui était arrivé, partit sans même laisser un mot à son père et finit par arriver à Gaborone, au Botswana, le jour de Noël 1977 — qu'il passa dans la cellule d'un commissariat.

Tandis que le malheureux garçon déroulait pour moi son histoire, un vent froid se leva du *veldt* et Peter frissonna, les bras soudain couverts de chair de poule. Lorsqu'il s'arrêta de parler, il y avait longtemps que le soleil s'était couché et que les étoiles brillaient dans le ciel sombre. Peter est attiré par le ciel : son rêve est de devenir mécanicien en vol — « Même si je dois attendre encore trente ans, jamais je n'abandonnerai. »

Une autre nuit d'attente et d'espoir se refermait sur lui et sur une centaine d'autres jeunes réfugiés, dans ce ramassis de baraquements dressés dans la brousse à leur intention, non loin de Gaborone et qui porte le nom bucolique de « Broadhurst Farm », la ferme de Broadhurst.

Parmi ces jeunes, parqués là depuis des mois et des mois, presque sans espoir, j'ai également rencontré Paul — pure coïncidence si lui-même a choisi pour pseudonyme, comme Peter, un nom d'apôtre. Par définition, Paul était citoyen du Zimbabwe. Ses parents étant membres de l'Union des peuples Africains du Zimbabwe (Z.A.P.U.), l'organisation de Joshua N'Komo, en naissant il était donc devenu automatiquement membre dudit Z.A.P.U. D'ailleurs, comme N'Komo, il appartenait à la tribu des Matabélé.

Son père, homme d'affaires, était mort lorsqu'il avait treize ans.

A seize ans seulement, sa conscience politique s'était éveillée. Il habitait alors à Plumtree, au sud-ouest de Bulawayo, non loin de la frontière du Botswana. Un jour, deux de ses jeunes camarades lui demandèrent de les guider jusqu'à cette frontière : cinq kilomètres de piste à travers la brousse. Le trio se mit en route, la nuit tombée, par une pluie battante. Mission remplie, Paul rentra et se coucha.

A 8 heures du matin, police : où sont passés les deux amis de Paul ? Légalement complice d'un acte criminel, il déclare ne rien savoir. Arrestation, prison. Et le cycle d'horreur commence. On lui cingle la plante des pieds avec une courroie de ventilateur de voiture, on lui fouette le dos avec une lanière de cuir, on le torture à l'électricité. Il fait la grève de la faim. Transporté à l'hôpital, il est finalement relâché.

Il m'a nommé deux de ses bourreaux blancs, anciens élèves comme lui du lycée de Plumtree. Deux autres étaient des Noirs de la tribu des Shonas. Paul estime que, s'il avait été lui-même un Shona, il s'en serait tiré à meilleur compte. Je lui ai demandé incidemment s'il avait le moindre désir de vengeance et de rejoindre pour cela les combattants de la liberté :

— Non, me répondit-il. Depuis ma tendre enfance, j'ai toujours eu horreur du sang, même d'un nez qui saigne ou d'une coupure. Je ne peux voir cela sans avoir mal au cœur. C'est dire que je ne ferais sans doute pas un très bon combattant de la liberté. Et encore moins un terroriste. D'ailleurs, je trouve le terrorisme immoral et inexcusable, parce qu'il touche forcément des innocents. Pour aplanir les différends, je ne crois qu'à la négociation.

Libéré et remis, il n'eut qu'une idée : revenir à ses études, pour pouvoir entrer à l'université. Une rafle de la police aboutit de nouveau à son arrestation, deux ans plus tard. Cette fois, pas de mauvais traitements ; on le relâcha au bout de quelques jours.

Une année passe encore. La police apprend que des combattants de la liberté du Z.A.P.U. sont dans les parages. Au même moment, Paul s'apprête à passer son examen d'entrée à l'université. Au lieu de quoi, on l'arrête, on l'interroge sur les combattants de la liberté et, comme il dit ne rien savoir, cette fois il a droit au « traitement complet » :

— Cela a duré toute une semaine, jusqu'à ce que je ne sente plus du tout la douleur...

A la suite de cela, on l'envoie pendant neuf mois en détention au camp de Wha-Wha, à cent cinquante kilomètres de Gwelo. C'est une sorte de camp de concentration où les conditions de vie, dit-il, « ne sont pas trop mauvaises », derrière des barbelés.

Relâché, il est repris par son idée fixe : passer les examens qu'on

267

lui a fait rater. Les autorités universitaires lui opposent un refus : il a été absent neuf mois et il a pris part à des activités subversives. Pour Paul, c'est la catastrophe. Il a l'impression d'être un paria, s'enfonce dans la dépression, passe son temps à écouter des disques de *reggae*, pleins de protestations contre l'autorité en général et la vie. Il perd le goût de vivre, essaie même de se suicider. Il se réveille à l'hôpital, après avoir avalé quinze comprimés de somnifère. A sa mère penchée sur lui, il avoue avoir voulu en finir parce qu'il ne pouvait pas poursuivre ses études, sa seule raison de vivre.

Sorti de l'hôpital, il trouve un petit emploi dans les services vétérinaires, où il se lie d'amitié avec un Anglais, sa femme et Janet, une jeune Anglaise de naissance. Tous trois l'encouragent et lui redonnent espoir en l'avenir. Il rêve de partir pour l'Angleterre, sollicite son admission à une école technique de Londres, qui forme des spécialistes des ordinateurs. Il est accepté. Hélas, il n'a oublié qu'une chose : la loi interdit alors aux porteurs de passeports rhodésiens d'entrer en Grande-Bretagne. Malgré les supplications de sa mère, il prend une décision désespérée : passer clandestinement au Botswana et, de là, trouver une terre d'accueil.

La veille de son départ, il écoute des disques de *reggae*. Cela agissait sur lui presque comme une drogue, m'a-t-il dit :

— On écoute ça, on « plane » et on part pour le Botswana. Plusieurs de mes amis étaient déjà partis comme ça. Moi, j'ai décidé d'en faire autant le lendemain. Quitter ma mère a été très dur ; ses larmes faisaient couler aussi les miennes. Maintenant, de Gaborone, je peux lui téléphoner de temps à autre. Mais, chaque fois, cela me bouleverse à tel point qu'il me faut des jours pour m'en remettre. Ou alors c'est elle qui, parfois, vient me voir jusqu'ici. Ensuite, je la reconduis jusqu'à Francistown, où elle reprend le train pour Bula-wayo. Régulièrement, sur le quai, elle se met à sangloter, et toujours je me dis que je ne pourrai plus le supporter, que peut-être je ne la reverrai plus. De son côté, je le sais, elle se pose la même question...

Il sait également qu'il ne pourra pas retourner chez lui, tant que les conditions n'auront pas totalement changé :

— On m'arrêterait et, cette fois, ce serait probablement la balle dans la nuque. En Rhodésie, je suis sur la liste des criminels et des terroristes.

Rarement j'ai vu situation aussi impossible. Terroriste, franche-ment, après l'avoir vu et lui avoir parlé comme je l'ai fait, il est impossible de croire qu'il ait pu l'être ou puisse le devenir. D'un autre côté, que lui a rapporté ce qu'il a souffert pour la cause du Z.A.P.U. ? Absolument rien, néant. Il a renoncé à l'électronique, aux ordinateurs, à l'Angleterre. Il s'oriente à présent vers l'assistance sociale. Plus que la méchanceté des hommes, ce qu'il a retenu, c'est la bonté de certains d'entre eux pour lui :

— J'aimerais, dit-il, rendre à d'autres cette bonté.

Mais quand le lui permettra-t-on ? Voilà des mois et des mois qu'il stagne. En me quittant, ses dernières paroles furent :

— J'ai perdu tout espoir. Je ne crois plus à l'avenir.

Le Z.A.P.U., c'est, je l'ai dit, Joshua N'Komo... Ayant rencontré l'homme, je comprends mieux l'attachement de tant d'adolescents et d'enfants pour lui et ce qu'il représente. Massif sans être corpulent, élégamment vêtu de gris, il se déplace, comme l'éléphant d'Afrique, avec une surprenante agilité. Le jour de notre rencontre, il tenait d'une main un bâton noir et par l'autre un minuscule petit garçon qu'il me présenta, après m'avoir salué jovialement :

— Et voilà Genève. On l'a trouvé errant tout seul, perdu dans la brousse au Botswana. Quand la police l'a interrogé, il a seulement répondu : « Je viens de Rhodésie et je vais à Genève parce que je veux voir Monsieur N'Komo. » Comme il a toujours refusé de dire autre chose, même son nom, nous l'avons baptisé « Genève »...

Au Botswana, j'ai visité, dans le sillage du « président » N'Komo, deux camps d'enfants réfugiés de Rhodésie. Dans le premier, le camp J.Z. (du nom d'un combattant de la liberté du Z.A.P.U., Jason Zitsata Moyo), onze mille jeunes garçons, au coup de sifflet, saisirent leurs livres et cahier d'école et, s'échappant de leurs « classes » en plein air sous les arbres, convergèrent en foule vers une immense clairière, pour y former un vaste carré avec un vide au milieu, où le jovial « président » pénétra. Puis, levant son bâton noir, il barrit :

— Zi-Zi... !

— Zi-mba-bwe ! répondit le formidable chœur de onze mille voix juvéniles.

Après le rassemblement, nous visitâmes les « classes » reconstituées : groupes de vingt ou trente garçons distribués çà et là, à l'ombre d'un grand arbre et isolés par un écran d'herbe et de broussailles tressées, un toit du même matériau au-dessus des têtes. Pauvrement vêtus et assis sur des bûches ou des troncs d'arbre, mais ayant bonne mine, les élèves répondaient aux questions du maître debout à côté d'un tableau noir : « Quel est le fleuve principal du Zimbabwe ? — Le Limpopo !... » En plus des matières courantes, il y avait des cours d'instruction politique, ou plus exactement de ré-éducation, où l'on enseignait les éléments du communisme.

Pendant ce temps, sur le territoire rhodésien, près de deux cent cinquante mille enfants africains étaient privés de toute instruction : la tactique de terreur des combattants de la liberté a entraîné la fermeture de huit cent quarante-cinq établissements scolaires.

Soulevant un nuage de poussière rouge, le cortège « présidentiel » m'entraîna ensuite à travers la brousse jusqu'au Camp Victoria (étonnante survivance du passé quand on y pense, ce nom !) : huit mille filles, des installations plus perfectionnées et permanentes. Même enthousiasme pour le « président ».

Devant un groupe de femmes portant ou tenant par la main leurs enfants en bas âge, Joshua N'Komo m'expliqua : « La seule chose humaine que ces mères ont pu arracher à leur maison en flammes, c'est le corps de leurs enfants ». Il n'en reste pas moins que, tant au Camp J.Z. qu'à celui-ci, les trois quarts des petits réfugiés étaient ou orphelins ou séparés de leur famille. Et, entre les deux camps, ce sont près de vingt mille récits dramatiques que j'aurais pu écouter !

J'ai retenu celui de Fikeile, qui avait neuf ans et venait d'un village proche de Plumtree — un village typiquement africain où, avec ses parents et cinq sœurs, elle habitait une grande hutte ronde en boue séchée coiffée de chaume. Elle allait à l'école primaire. Le village vivait dans la paix. Puis un soir, au crépuscule, où Fikeile jouait à la marelle avec ses sœurs et d'autres fillettes, des soldats vêtus de vert sombre arrivèrent devant sa maison. Il y en avait deux camions pleins et ils avaient cerné le village.

Fikeile n'avait jamais vu de soldats et l'apparition de ceux-ci la remplit d'effroi :

— C'étaient des Blancs et j'avais peur de tous les Blancs, à cause des actes qu'ils commettaient, à ce qu'on disait.

— Et de moi, lui demandai-je, tu as peur ?

— Oui, répondit-elle bien que son sourire parût le démentir.

— Et des soldats noirs ?

— Oui. A cause de ce qu'ils font, eux aussi.

On lui avait raconté que les soldats étaient des hommes qui vous interrogent, vous demandent vos papiers et, si on ne se dépêche pas de les leur donner ou si on n'en a pas, vous fusillent.

Ceux qu'elle voyait maintenant criaient très fort en ordonnant à

270

son père de sortir de la maison. Il parut, suivi de la mère, l'air si effrayé tous deux que Fikeile se mit à pleurer.

Et les soldats questionnèrent bien son père, comme on le lui avait dit. Puis, au bout de quelques minutes, ils entraînèrent rudement le couple en larmes jusque derrière la hutte où l'on entreposait le grain.

Muettes d'angoisse et de peur, Fikeile et ses sœurs n'osaient pas bouger. Brusquement, il y eut deux coups de feu. Les cinq fillettes détalèrent, deux s'enfuyant dans la brousse, tandis que Fikeile et les deux autres, Qiniso et Gloria, se cachaient dans des futs à essence.

Toutes trois attendirent que les soldats fussent partis pour se risquer hors de leur cachette. Lorsqu'elles osèrent aller voir derrière la hutte à grain, « il y avait une grande mare de sang et rien d'autre », dit Fikeile. Les soldats avaient emporté les corps.

Terrifiées à la pensée qu'ils rôdaient peut-être encore alentour, les trois fillettes avaient peur de partir à la recherche de leurs deux autres sœurs dans la brousse. A la nuit tombée seulement, elles s'enfoncèrent à leur tour, loin du village, dans les grandes herbes et la broussaille, sans rien emporter, pas même de nourriture. Elles marchèrent jusqu'au lendemain et jusqu'à la rivière Shashi, qui marque la frontière du Botswana. Les eaux étaient basses et, Gloria portant Fikeile sur son dos, elles purent passer toutes trois à gué. Elles étaient sauvées, mais elles n'ont jamais eu de nouvelles de leurs deux sœurs.

Fikeile m'a dit qu'elle voit souvent sa mère et son père en rêve et qu'elle ne pourra jamais pardonner à ceux qui les assassinèrent.

— Voudrais-tu venger leur mort en devenant une combattante de la liberté ?

A ma question, cette enfant de neuf ans a répondu fermement :

— Non. Je ne veux plus voir tuer de gens.

Au camp J.Z., Joshua N'Komo m'avait dit : « Je m'arrangerai pour que vous puissiez revenir parler tranquillement à ces garçons. » Il tint sa promesse.

Lorsque j'y retournai, c'était l'heure de la récréation pour plusieurs milliers d'entre eux. Avec Sikile, mon interprète, je fus contraint, pour nous isoler un peu du vacarme, de m'éloigner dans la brousse en compagnie de ceux qui avaient accepté de me parler. Assis par terre, nous écoutâmes d'abord Zambia, garçon minuscule qui disait avoir quinze ans et n'en paraissait pas plus de dix. Sur l'une de ses jambes décharnées, un essaim de mouches se repaissait d'une plaie suppurante — mais c'est le meilleur moyen, en l'absence d'antiseptiques, d'empêcher l'infection.

Zambia avait cinq sœurs ; il était le seul garçon et, son père étant absent la plupart du temps, il devait affirmer sa suprématie. Il aspergeait donc d'eau ses sœurs et battait les plus petites quand elles se disputaient. Ce qui ne l'empêchait pas de les adorer.

Il m'avoua sa peur des Blancs, qui surgissaient parfois dans la réserve — où la famille habitait une hutte de boue séchée, et qui était située non loin de Plumtree — pour les interroger obstinément sur les mouvements des guérilleros. Ses sœurs et lui avaient reçu des taloches, des coups de pieds et même des coups de crosses.

Un jour en particulier, les soldats — Blancs et Noirs — débarquèrent de deux grands camions, à l'école où allait Zambia. Selon le processus habituel, on fit sortir les enfants sur le terrain de jeu. On leur demanda, l'un après l'autre, s'ils avaient vu des guérilleros. Tous répondirent non. Un petit garçon arrivé en retard parce qu'il était aux cabinets fut rossé — « Les soldats l'ont emmené ensuite à l'hôpital ».

— La vie était plus dangereuse, même pour un homme de mon âge, que pour les femmes, me déclara gravement Zambia.

Avec quatre de ses jeunes camarades, il décida de s'échapper. C'étaient les vacances et, un soir, après avoir acheté du pain à Plumtree, ils se retrouvèrent juste au coucher du soleil. La lune levée, ils partirent dans la brousse, ayant très peur de rencontrer une patrouille. Tout alla sans encombre, cependant, et dans le premier village du Botswana qu'ils atteignirent, on leur donna du maïs bouilli.

A son arrivée au camp J.Z., la première des choses qui frappa Zambia fut l'impression de sécurité : plus besoin de craindre aucun soldat. Mais, quand il aura seize ans, Zambia veut devenir soldat lui-même :

— Je veux être combattant de la liberté et tuer autant d'enne- mis que possible, Blancs ou Noirs, cela m'est égal, afin de reconqué- rir mon pays. Après cela, les Blancs pourront rester tant qu'ils voudront, à condition de ne plus nous faire la loi.

Autour de nous, ses amis partageaient son sentiment.

Proud, dix-huit ans maintenant, veut prendre sa revanche. Son père ayant fui au Botswana, la police était venue l'interroger. On l'avait frappé par tout le corps ; plus il criait, plus on tapait fort. Finalement on le laissa, en disant qu'on reviendrait le lendemain. Il fit le tour de quatre de ses amis. A cinq, ils parvinrent à réunir l'équivalent de douze ou quinze francs, et une nuit de marche les conduisit au Botswana. Proud est impatient de rejoindre les combattants de la liberté, parce qu'il veut, lui, lutter contre le régime. Celui-ci renversé, lui assi pense que Noirs et Blancs pourront continuer à vivre côte à côte.

Plusieurs autres approuvent, dont Max. En Rhodésie, à seize ans, il rêvait de devenir enseignant.

— Pour faire la classe aux Blancs aussi ?

— Bien sûr, du moment que ce sont de bons citoyens du Zimbabwe.

Max m'a raconté l'éternelle histoire. Un jour, dans son village perdu dans la brousse, les forces de sécurité viennent interroger son père, toujours sur les guérilleros. Le père proteste de son ignorance. On le frappe jusqu'à ce qu'il perde connaissance : « Sa chemise blanche était pleine de sang, et pourtant il disait la vérité. »

C'était pendant les vacances. A la rentrée, Max retourna à son école de Manama, toute proche de la frontière — une école tenue par une mission protestante et qui allait faire les grands titres de la presse mondiale. Elle comptait parmi ses élèves des membres des Jeunes du Z.A.P.U., l'organisation de N'Komo. Après avoir longuement discuté entre eux et avec leurs maîtres, la décision fut prise par les élèves, garçons et filles : l'école entière passerait au Botswana, et de là en Zambie, pour participer à la lutte pour la liberté.

Et c'est ainsi que, un soir au coucher du soleil, quelque quatre cents garçons et filles, conduits par cinq maîtres, s'enfoncèrent dans la brousse, en emportant un peu de maïs, des jus de fruit, du coca-cola et de l'eau.

— On ne nous a pas enlevés, m'a déclaré Max. Nous avons décidé cela tout seuls. Il n'y avait pas de membres du Z.A.P.U. armés avec nous.

Il faut bien dire que le ministère de l'Information de Rhodésie affirme le contraire : selon lui, les enfants furent « conduits comme un troupeau sous la menace des fusils » par les terroristes.

Il faut dire aussi que l'on avait promis à Max et à ses camarades de les entraîner pour faire d'eux des combattants de la liberté. Quand je les ai vus, il y avait dix-huit mois qu'ils étaient là, sans avoir suivi le moindre entraînement militaire. Pour cela, il leur eût fallu être transférés dans un autre camp, dirigé par la Z.I.P.R.A., aile militaire du Z.A.P.U. Ce camp, peu après ma visite à ces garçons, fut attaqué par les forces de sécurité rhodésiennes, qui infligèrent des pertes terribles aux combattants de la liberté.

24

Sandra (treize ans) : « Quand est-ce que ça va finir ? »

Combattants de la liberté... Le terme, on l'a déjà vu, est, hélas ! fréquemment sans rapport avec la réalité. A notre époque, les atrocités perpétrées contre les enfants (sans parler des adultes) au nom de la liberté ont malheureusement atteint partout dans le monde un paroxysme d'horreur.

Max, Proud et leurs camarades étaient chrétiens, éduqués dans des écoles tenues par des missionnaires. Il est vrai que les chrétiens ont, eux aussi, commis, même entre eux, des massacres parmi les plus abominables de l'histoire. Cependant, j'aimerais savoir si Max et ses amis, dans leur combat pour la liberté, seraient capables, un jour, de descendre aussi bas que les guérilleros qui attaquèrent la mission de l'Eglise de la Pentecôte d'Elim, en Rhodésie Orientale. A la baïonnette, à la hache, à l'épieu, ils assassinèrent douze membres de la mission, dont trois petits enfants : Philip, six ans, Rébecca, quatre ans, et Pamela Grace, trois semaines.

L'autopsie fut pratiquée ensuite par le Dr Anthony David Owen, qui écrivit ceci au *Daily Mail* de Londres : « C'est moi qui avait mis au monde Pamela Grace... (Précisons qu'on la trouva morte des coups qu'elle avait reçus, près du cadavre de sa mère, laquelle avait été violée.) Comment décrire des " êtres " qui tentent de violenter une petite fille de quatre ans, la frappent au visage à coups de bottes, au point de laisser l'empreinte de celles-ci dans la chair, lui transpercent à la baïonnette bras et jambes et, pour finir, lui défoncent le crâne ? »

Jusqu'à ce carnage, trente-quatre missionnaires blancs et membres de leur famille avaient trouvé la mort en Rhodésie, de la main de combattants de la liberté. Trois hommes de la Croix-Rouge aussi — sans armes, comme l'exige leur règle — et deux femmes de l'Armée du Salut : tous les cinq abattus à bout portant [1].

Des enfants rhodésiens, à peine assez âgés pour se défendre, m'ont raconté comment eux aussi avaient dû lutter pour leur propre liberté — et leur vie — contre des combattants de la liberté. J'ai sous les yeux l'histoire d'un garçon de onze ans, écrite en anglais de sa propre main, fautes d'orthographe comprises, et prosaïquement intitulée par lui : « Une attaque terroriste ».

« Vers 12 h 10, mon papa a été réveillé par les aboiements des chiens. Un des chiens a sauté contre la barrière... à l'endroit où les terroristes se préparaient... Une roquette a touché le mur extérieur de la maison... le reste de la famille s'est réveillé dans la peur... Les terroristes ont ouvert le feu à balle, et cela faisait des éclairs sur le mur intérieur. Ma maman et mon papa ont alors couru jusque sur la véranda et ont tiré de là. J'avais très peur, parce que je pouvais imaginer mes parents blessés parce qu'il y avait des centaines de balles qui volaient autour d'eux à chaque minute.

« Au bout d'une quinzaine de minutes de feu continu et de roquettes et de mortiers, nous avons senti une odeur de pétrole. C'est alors que moi, mon frère et ma sœur, nous avons eu le plus peur parce que nous avons cru qu'on allait nous brûler vivants.

« A ce moment ma mère... m'a donné son fusil et m'a dit de le recharger. Elle avait la jambe pleine de sang... je lui ai mis un bandage autour... et puis j'ai mis ma maman sur matelas et j'ai pris le fusil et je suis sorti pour leur tirer dessus. Je revenais toutes les cinq minutes pour recharger. Ma maman était toujours étendue. J'ai cru que mon papa était touché, car je ne l'ai pas vu pendant une

---

1. Selon la B.B.C. dans une de ses émissions, des crimes de cet ordre auraient été commis par une unité spéciale des forces de sécurité de la Zimbabwe-Rhodésie, les *Selous Scouts*, puis rejetés sur le Front patriotique.

trentaine de minutes. Au bout d'un moment, j'ai cru qu'il ne restait que moi pour répondre avec mon fusil... et puis pas longtemps après j'ai vu mon père... Ma mère m'a repris le fusil et est allée tirer de la véranda. J'ai rempli les magasins comme jamais je n'aurais cru en être capable. Je pensais que jamais nous ne sortirions de là vivants. Je me suis mis à prier.

« Alors les terroristes sont partis. J'étais bien content... Quand l'armée est arrivée, ils ont trouvé trois terroristes morts... Après, nous avons découvert qu'il y avait eu 36 terroristes. J'étais vraiment bien content que ce soit fini. »

Autre lettre, de Derick Hattigh, et qui est un modèle de précision et de sobriété. Elle commence par ces mots : « Cher Monsieur, l'expérience que j'ai vécue se situe le dimanche 30 avril 1978... » Et quelle expérience !

Cela commence tranquillement, avec Derick, ses deux frères, Johann (treize ans) et Ronald (huit ans), et un de leurs amis se roulant avec les chiens sur la pelouse de Watchfield Farm (c'est le nom de la maison), à Glendale.

« A 6 heures 45 de l'après-midi (approximat.), poursuit Derick, ma mère nous a appelés et je suis rentré pour prendre mon bain. Pendant que j'étais dans la baignoire, j'ai entendu le cuisinier parler à des Africains, à la porte de la barrière. » C'étaient des combattants de la liberté, mais personne ne se méfia, le cuisinier n'ayant rien dit. Les chiens, eux, avaient leurs soupçons : ils continuèrent à aboyer pendant un quart d'heure, au point que la mère de Derick flaira quelque chose d'anormal et le dit à son fils. Pendant ce temps, Johann, sans un mot à personne, avait décroché sa carabine et était allé inspecter les abords de la maison.

Quoi qu'il en fût, la famille allait s'attabler pour le dîner quand une rafale d'arme automatique vint cribler les murs de la salle à manger. « Je courus jusqu'à ma chambre, écrit Derick, et pris mon fusil de chasse... Je conduisis mon grand-père, qui a quatre-vingt six ans, en lieu sûr. Pendant ce temps, ma mère signalait l'attaque sur l'*Agric-alert* (le réseau de S.O.S. radio). Je ripostai de l'intérieur de la maison, après avoir vérifié que ma mère et mon grand-père étaient bien en sûreté. Je jugeai que mes frères et leur ami étaient tous à l'abri dans la chambre à coucher. Deux terroristes nous tenaient sous leur feu : trois autres faisaient le tour de la maison en tirant dans toutes les fenêtres, à bout portant. »

La seule pièce qui échappât encore à la fusillade était celle où était le grand-père. Derick y courut : « Je vis deux terroristes qui rampaient vers les fenêtres; je distinguai clairement leurs fusils automatiques A-K. J'ouvris aussitôt le feu et blessai mortellement le chef (sa grenade lui a explosé à la figure peu après). Les autres ont encore tiré dans la maison pendant quatre minutes. » Derick les a entendus parler entre eux en shona, et dire qu'ils avaient envie de décrocher : « Je suis sorti par la fenêtre et je les ai poursuivis en tirant. J'en ai blessé un autre, mais j'ai dû retourner à la maison pour recharger. » Le temps de ressortir, il n'y avait plus personne.

Ce que Derick ne dit qu'à la fin de sa lettre, c'est que, dans le feu de l'action, il avait vu son jeune frère Johann gisant à terre à l'extérieur. Il ajoute simplement : « Mon frère nous avait tous sauvés, mais il l'avait payé très cher, de sa vie... Je crois que tout l'honneur lui revient... » Et il conclut : « J'espère que ceci montrera comment des vies innocentes sont gaspillées dans la guerre. »

Voici encore une lettre, cette fois d'une petite fille de treize ans, Sandra Bye, qui, une nuit, dans une autre ferme, se réveilla brusquement au bruit des armes automatiques.

« Je restai collée à mon lit, incapable de bouger. Puis mon esprit s'éclaircit et je parvins je ne sais comment à m'échapper des couvertures et à ramper par terre. » Elle se glissa jusqu'au couloir, qui représentait la « zone de sécurité ». Elle poursuit : « Les volées de balles continuelles allaient croissant à un rythme assourdissant. Je plongeai lorsqu'une roquette passa en sifflant au-dessus du toit. Les éclairs des coups de feu augmentaient à une vitesse incroyable, et j'étais sûre de ne jamais pouvoir arriver jusqu'à mes parents. Je priai tout le temps — je ne sais quelle prière, mais cela a marché et je finis par me retrouver dans le noir, à côté de mon père. »

Elle entendit alors le dialogue suivant sur l'*Agric-alert* : « Ici le poste de contrôle... nous entendons tirer. » Réponse du père : « Nous aussi. Nous sommes attaqués. — Oh ? » répondit-on. Puis, silence.

Sur quoi, raconte Sandy, « ma mère me mit dans les bras mon frère Alan qui dormait. Mon père dut se précipiter dehors. J'empoignai un fusil et serrai très fort contre moi l'acier froid. Mon frère Ian, qui avait quatre ans, était assis à côté de moi et tremblait. Chaque membre et chaque articulation de son corps tremblaient. Même ses dents claquaient, pas de froid mais de peur. » Et Sandy, étreignant d'un bras le bébé endormi et de l'autre le fusil, répétait sans arrêt : « Quand est-ce que ça va finir, quand est-ce que ça va finir ? »

Cela finit, par un crescendo de tirs de mortier, de roquette et de mitrailleuse. Puis soudain, plus rien. Commentaire de Sandy : « De cette seconde, la vie prit un autre sens dans notre maisonnée. »

« Mon père était allé se coucher ; ma mère, mon frère et moi, nous regardions la télévision... » C'est ainsi que Kathry Sleigh, quatorze ans, termina, m'écrit-elle, la journée du 20 août 1977. « J'avais l'esprit tout plein d'être rentrée à la maison pour les vacances, et je pensais que le lendemain matin, je me réveillerais fraîche comme la rose. » Le programme de télévision achevé, Kathry alla se coucher et s'endormit.

« Tout à coup, je me réveillai et m'assis dans le lit. Je trouvai étrange de me réveiller ainsi, sans aucune raison apparente. Un moment plus tard, j'entendis des coups de feu tout près de ma chambre. Les balles s'écrasaient sur le mur. » Kathry sauta hors de son lit, plongea et courut dans la chambre de son frère qui, dit-elle, « dormirait au milieu de toutes les explosions. » Ayant alerté son frère, elle courut jusqu'à la chambre voisine où elle trouva sa mère, rampant à quatre pattes vers l'*Agric-alert* et qui lui recommanda, « d'une voix calme et rassurante », de se cacher sous le lit. Mais Kathry préféra s'installer dans un cagibi et se jucher sur une étagère où son père gardait ses clés anglaises. « J'ai entendu d'autres explosions et j'ai cru notre dernière heure venue, poursuit-elle. Je pensais à mes amis et à tous ceux que je connaissais. Eux, ils étaient bien tranquilles dans leur lit. »

Quand la police arriva un peu plus tard et eut fait le tour de la ferme et des bâtiments, Kathry vit revenir les hommes « le visage tout défait ». Il y avait de quoi : « Notre équipe de travailleurs était réunie ce soir-là pour une " partie de bière ", quand les terroristes entrèrent et ordonnèrent à tout le monde de s'asseoir en rond. Prises de panique, les femmes africaines s'enfuirent en courant dans les champs de coton avec les enfants. Les terroristes ouvrirent le feu, en blessant quelques-unes. Une femme enceinte eut le ventre transpercé par une balle. Puis les terroristes se retournèrent contre les hommes qui étaient assis et se mirent à tirer dedans. » La police tenait l'histoire d'un vieil homme qui, dit Kathry, « travaillait pour mon papa depuis seize ans et avait trop bu ce soir-là ; il avait roulé par terre, ivre, parmi les morts. » Elle termine en disant : « J'ai pleuré en pensant à tous ces hommes et toutes ces femmes noirs que je connaissais depuis l'âge de trois ans, bêtement fauchés par des barbares assoiffés de sang. »

Et c'est un fait que, même contre leur propre peuple, les combattants de la liberté n'ont montré aucune pitié en Rhodésie, comme aussi bien ailleurs. En six ans, ils ont tué, parmi la population civile, cent vingt Blancs et deux mille cinq cents Noirs de ce pays. Les maisons incendiées avec leurs habitants prisonniers des flammes, les tortures, les viols, les massacres, les mutilations délibérées et épouvantables de corps vivants, perpétrées sur leurs frères sans défense, sont innombrables et trop tragiques et atroces pour qu'on les détaille. Je ne citerai que deux « incidents » de cette sorte, parce qu'ils sont typiques.

Au *Kraal* Mazvidza, des combattants de la liberté se sont saisis de Chikombe Mazvidza et, sous les yeux de sa femme, de ses cinq jeunes enfants et de soixante villageois, lui ont coupé les oreilles, le nez, les lèvres, le menton. Pour le reste de ses jours — car il est encore en vie, et sa photographie, à côté de beaucoup d'autres, toutes impubliables, est à côté de moi — les dents de Chikombe resteront dénudées en un sourire permanent et béant.

A l'école de Chikombedzi, dans le secteur de Matibi, des combattants de la liberté, après s'être emparés de l'inspecteur des écoles de la région, Ferdi Joseph Chauke, l'ont ligoté avec une corde, inondé de paraffine, puis y ont mis le feu. Après quoi, sur la musique d'un pick-up, ils ont dansé autour du corps qui grillait.

25

« *Le bonheur serait mourir* », *dit Mohammed le jeune exilé éthiopien*

L'Afrique, c'est, disent les livres, un continent humain de trois cent vingt millions d'âmes. Ce continent que j'ai sillonné en y emmenant pour une part mon jeune fils, afin que ses yeux d'adolescent constatent par eux-mêmes et mesurent jusqu'où peuvent aller l'avidité et l'abus du pouvoir du monde adulte pour créer la terreur ainsi que la misère physique et morale, et semer la mort, parmi de jeunes vies qui ne demandent qu'à s'épanouir comme « les fleurs de la patrie » — ce continent, avant de le quitter ici, je voudrais donner encore deux exemples des sombres perspectives que laissent à ses futurs citoyens les convulsions dans lesquelles il continue à se débattre. D'après les statistiques du Haut-Commissariat aux Réfugiés des Nations Unies, sur dix millions de réfugiés dans le monde, il faut en compter quatre millions pour l'Afrique seule. C'est-à-dire combien d'enfants ?

On sait que l'Ethiopie, devenue colonie italienne avec l'Erythrée

281

et la Somalie italienne en 1936, puis libérée en 1941 et rendue à l'empereur Haïlé Sélassié, a connu successivement, en 1968, le soulèvement de l'Erythrée revendiquant son indépendance, puis, en 1974, une révolution qui a chassé le monarque, en même temps qu'elle accélérait par contrecoup le mouvement de libération érythréen, le transformant en guerre ouverte au pouvoir d'Addis-Abéba — l'un comme l'autre se réclamant du socialisme communiste et ajoutant aux horreurs de la guerre celles de la terreur politique.

Au Kenya, à Eastleigh, faubourg de Nairobi — ville où je savais trouver des jeunes Ethiopiens réfugiés — j'ai rencontré plusieurs de ceux-ci. Mais il en est un surtout qui m'a touché. Il s'appelait Mohammed et était le fils d'un fonctionnaire vivant à Addis-Abéba.

Quand je suis allé au-devant de lui dans la rue, en compagnie d'un de ses amis, j'ai d'abord vu un jeune visage intelligent et souriant, le visage d'un être touchant le terme de l'adolescence et ayant l'air heureux et plein de vie sous ses méchants vêtements : un jean troué aux deux genoux et une vieille chemise assez sale. L'impression a persisté malgré le cadre d'existence où nous avons ensuite pénétré : la minuscule chambre d'un tailleur, Yusuf, qui, vivant misérablement lui-même, n'en avait pas moins pris en pitié et recueilli Mohammed. Eclairée par un bout de fenêtre grand comme un mouchoir de poche, cette chambre, compte tenu de la machine à coudre de Yusuf, du siège en osier qu'on m'offrit, d'un poêle en miniature et de quelques casseroles, avait tout juste assez de place pour le lit étroit du maître de maison. Mohammed couchait par terre, sur des feuilles de carton.

C'est assis sur le lit à côté du petit tailleur au grand cœur que Mohammed commença son récit. Sorti de l'école, à Addis-Abéba, il était entré comme apprenti mécanicien dans un garage — son rêve. Il s'était très vite qualifié. Cela lui permettait de rouler voiture et de faire le faraud avec les filles. Que ce fût dehors ou bien avec ses parents, ses deux frères et sa sœur, à la maison — confortable, mais sans prétention — la vie était belle.

Et puis, une nuit, ce fut la scène que l'on m'a si souvent décrite : les coups à la porte, la petite sœur qui va ouvrir, les soldats vêtus de vert — des Askaris, ceux-là — qui sortent un papier officiel : signature, tampon, ordre au père de se présenter d'urgence à son bureau. Le père, sans méfiance, prend sa mallette, y jette les objets habituels, part en toute quiétude. Mohammed dormait déjà ce soir-là ; il n'entendit rien. Jamais il ne revit son père et il ignore toujours ce qu'il est advenu de lui, depuis le dîner autour de la table ce soir-là.

A mesure qu'il me parlait, Mohammed semblait presque se

détacher de son récit ; son regard se perdait par-dessus moi ; ses phrases ne s'achevaient pas. Brusquement il se tut. Sans répondre à ma dernière question — « Vous souvenez-vous de ce dernier dîner ? » — il se leva et, sans une parole, quitta la pièce.

Yusuf me dit alors combien ce garçon souffrait. Son désespoir était tel, m'expliqua-t-il, que, souvent, il restait des heures assis sur le lit, la tête entre les mains, refusant de prononcer un mot. « Mais il est très gentil, ajouta-t-il. Je suis sûr qu'il continuera à vous parler... si nous pouvons remettre la main sur lui. »

Nous le trouvâmes dehors, après deux heures de recherches. Il me pria de l'excuser : c'était plus fort que lui quand il pensait à son père. Nous rentrâmes et il reprit le fil de son histoire. Mais je le sentais terriblement tendu et je me demandai jusqu'à quand la corde des nerfs tiendrait.

Une semaine après la disparition de son père, il avait découvert le cadavre de son frère aîné, qui était journaliste, gisant dans la rue à quelque distance de la maison. Il courut prévenir sa mère, dont la réaction immédiate fut de lui ordonner de partir, immédiatement. Ce qu'il fit le jour même, avec le plus grand déchirement, sachant qu'il ne reverrait peut-être plus les siens. (Il est sans nouvelles d'eux, depuis.)

Au Kenya, où il était parvenu sans trop d'encombre, il vivait sans travail depuis deux ans, des quelque quatre-vingt dix francs par mois que lui versait à titre de secours un organisme officiel. Il n'y avait même plus droit à présent, pour être parti pour Mombasa dans l'espoir d'un travail, sans savoir qu'il fallait prévenir les autorités.

De nouveau il se tut. Puis, dans un murmure à peine audible, il dit :

— Rien dormir, rien manger...

Et, les yeux pleins de larmes, avec ce regard égaré et traqué que donne la détresse :

— Le bonheur serait mourir.

Mais, comment ne pas se rappeler aussi les visages de ces sept autres jeunes, réunis par la misère commune dans une misérable chambre de dix mètres carrés, à Nairobi aussi. Ils dormaient sur de maigres paillasses à même le sol, et n'avaient pour vivre que la même allocation que Mohammed : même pas cent francs par mois. Il y avait parmi eux des Ethiopiens, des Erythréens et des Somaliens ; mais il n'y avait plus de politique ni de différence entre eux. l'essentiel de leurs journées se passait à ressasser le seul problème qui comptât pour eux, en dehors des moyens de survivre : l'éducation. Si on leur permettait de continuer leurs études, tout leur serait égal, m'ont-ils dit. Le problème, c'est l'argent. Ils ont tenté d'entrer à l'université au Kenya, au Nigeria, au Ghana, au Libéria. En vain. L'un d'eux, Tesager, en désespoir de cause, a écrit à une université américaine. Réponse : oui, mais les études coûtent six mille six cents dollars par an — plus de trente mille francs. Il a récrit pour demander s'il ne pourrait pas travailler, comme tant d'étudiants américains, pour payer ses études. Nouvelle réponse : « Les inscriptions sont fermées. Il n'y a plus de place. »

— C'est une dérision ! m'a dit Tesager.

A une autre extrémité du continent africain, presque à l'opposé de l'Ethiopie, j'ai vu la trace indélébile laissée sur des enfants par d'autres tragédies similaires. C'était au Maroc.

En novembre 1975, l'Espagne décida de remettre à la Mauritanie[1] et au Maroc ses territoires coloniaux de Sahara Occidental. L'Algérie, s'estimant lésée par cette décision, réagit vivement. Par mesure de rétorsion, presque du jour au lendemain, des milliers de Marocains vivant en terre algérienne depuis des générations furent expulsés, à la suite de rafles monstres où hommes, femmes, enfants, vieilles gens, malades et invalides furent bouclés, soumis à de rudes interrogatoires, brutalisés, le tout se terminant par des fournées d'exilés de force, déversées à la frontière, aux abords de la ville marocaine d'Oujda.

Trois ans plus tard, si une grande partie de ces « refoulés » avait fait l'objet d'un mouvement de solidarité et d'assimilation qui mérite d'être signalé, tant l'exemple est rare (voyez le phénomène de rejet pour tant de « pieds noirs » français ou tant d'autres réfugiés dans le monde), trois ans plus tard j'ai pu visiter le camp de tentes d'Oujda et constater qu'il y reste des familles désemparées de déracinés.

Encore faut-il préciser qu'il s'agit de familles écartelées — c'est le cas même pour beaucoup de celles qui ont pu être absorbées dans la nation marocaine et y reprendre une existence relativement normale.

J'ai été bouleversé par l'infinie tristesse d'Ahmed, ce père debout sous sa tente, avec un pilon à une jambe. Il était entouré de ses cinq enfants. Ce fut l'aîné, le petit Ali, tenant par la main sa sœur

---

1. En août 1979, la Mauritanie a cédé sa part de territoire saharien au Polisario, mouvement de libération du peuple sahraoui.

284

jumelle, Tisslem, qui parla. Il me raconta la nuit où la police avait emmené son père. Comme il suppliait : « Laissez-moi prendre avec moi mes enfants ! » on le chassa à coups de pieds, pour toute réponse. C'était la mère qui, un an plus tard, avait réussi à lui envoyer les enfants. Elle aurait voulu suivre, mais son frère, l'oncle d'Ali, le lui avait interdit : « Tu n'as pas le droit. Toi, tu es algérienne. Eux, ils sont marocains. »

— Maman est morte depuis, m'a dit Ali.

Il s'est mis à pleurer. Tisslem aussi. Et Ahmed et les trois petits. Je n'ai jamais vu une famille aussi malheureuse.

Un directeur de camp avait failli perdre tous ses enfants. Expulsé parmi les premiers, il avait dû laisser sa famille entière derrière lui en Algérie. Neuf mois passèrent sans nouvelles, puis un coup de téléphone l'avertit que ses enfants allaient être envoyés au camp de Tindouf, dans le désert :

— Cela signifiait que je ne les reverrais jamais. Pris de désespoir, je suis parvenu à les faire venir clandestinement, à grands risques.

— Vous craigniez vraiment qu'il n'y ait pas d'espoir qu'ils reviennent de Tindouf ? demandai-je.

— Je *savais* pertinemment qu'il n'y avait *aucun* espoir.

A l'hôpital d'Oujda, le médecin-chef, le Dr Mramar m'a ouvert ses registres : durant les trois premières semaines de l'exode forcé, en 1975, cent quarante-sept admissions de malades de tous âges, dont six, parmi lesquels quatre enfants, sont décédés. Notamment, un petit diabétique : chassé de chez lui avec ses parents, sans vêtements, sans insuline, il était arrivé à Oujda dans le coma déjà. Une fillette infirme incapable de se déplacer avait eu son fauteuil roulant confisqué juste avant de franchir la frontière. On avait dépêché par camion des jeunes mères enceintes : deux accouchèrent en route, une troisième sur les marches de l'hôpital d'Oujda où on la transportait. Une quatrième, jetée à la porte de l'hôpital algérien où elle se trouvait, après une césarienne, et « embarquée » aussi en camion, toute plaie ouverte, ne fut recousue qu'à Oujda.

Pendant que les Algériens expulsaient de chez eux les Marocains, les hommes du Polisario (soutenus de leur côté par Alger) enlevaient, eux, des Sahraouis (les habitants nomades de l'ex-Sahara espagnol remis à la Mauritanie et au Maroc) — bien entendu au nom de la libération de ces mêmes populations — et les emmenaient à Tindouf.

Que l'on me comprenne bien. Je ne juge pas les motifs ni les « causes » dans ce livre, je ne le répéterai jamais assez. Je livre des *faits* au jugement de la raison et de la conscience humaines.

Mais je crois que n'importe quel être humain digne de ce nom partagera les sentiments et le deuil de ces Sahraouis auxquels j'ai pu parler à la *Jefatura* (la préfecture) d'El Ayoun, « capitale » du Sahara marocain. Tel ce Mohammed, dont la femme et le fils, Ali, jeune adolescent, partis un jour en Land Rover pour aller s'occuper des troupeaux, pendant qu'il était lui-même en ville pour affaires, ne sont jamais revenus. Enlevés tous deux, c'est tout ce que l'on a pu établir.

Tel encore Rahali.

Un soir où un ami l'avait invité à passer la soirée chez lui, il tombe dans un piège — il ignorait que l'ami en question était en cheville avec le Polisario. Saisi, ligoté avec du fil de fer (j'ai vu les cicatrices), il est embarqué dans une Land Rover. Parvenu à un oued, on le jette dehors et, pendant vingt-quatre heures, on l'interroge et le torture : « Dis-nous où sont tes tentes et tes troupeaux ? » Rahali possédait en effet du bétail et une vingtaine de dromadaires. Après qu'on lui eut brisé les deux bras et trois côtes, il finit par avouer. Sur quoi, il entendit les hommes dire : « Il ne reste plus qu'à le tuer. » Heureusement, l'un d'eux protesta : « C'est un honnête homme, nous n'avons rien contre lui. » Laissant donc Rahali souffrir le martyre, ils partirent, découvrirent les tentes et emportèrent tout, y compris Lahbib et Oum Lakhout, deux des enfants de Rahali (il en avait douze). Puis ils revinrent à l'oued, ramassèrent Rahali, le ligotèrent avec ses enfants et les emmenèrent tous les trois à Tindouf.

Là, Rahali est séparé de ses enfants. Cinq mois durant, on le traîne d'un camp à un autre, jusqu'à ce que, dans l'un d'eux, il retrouve par hasard ses enfants. Il lui vient alors une idée d'évasion : « Je suis un vieil homme, explique-t-il à ses geôliers. Je rêve de voir La Mecque avant ma mort. Permettez-moi d'exaucer ce voeu, ou alors tuez-moi tout de suite. »

Il avait vu juste en misant sur la foi de ses gardiens. Peu de temps après qu'il eut laissé derrière lui une fois de plus ses enfants à Tindouf, on le retrouve dans les rues de La Mecque, discrètement surveillé par deux Algériens. Son seul but est de repérer des Marocains dans la foule. Il en aperçoit un, ancien champion de poids et haltères, qui n'est autre que le célèbre Boujemaa. Il parvient à lui glisser à l'oreille : « Je suis prisonnier de ces deux Algériens, viens à mon secours. » Et cette rue de la Ville Sainte devint en quelques secondes le théâtre d'une bagarre brève, mais décisive.

Libéré, Rahali ne tarda pas à entrer au Maroc. Il y a retrouvé sa femme et ses dix autres enfants. Avec eux, il ne cesse de pleurer son fils Lahbib et sa sœur Oum Lakhout, restés à Tindouf avec des milliers d'autres, séquestrés dans le désert.

26

Des enfants torturés devant leurs parents pour arracher à ceux-ci des aveux

J'ai déjà fait allusion, dans un précédent chapitre, à cette Amérique Latine qui semble former pendant, par-delà l'océan, au continent africain. L'allusion concernait les indications que j'avais eues en passant, lors d'un voyage en voiture autour du monde en 1957, sur la situation dans ces régions. Déjà, l'on pouvait sentir remuer sourdement certains pays où régnait un véritable servage, à défaut d'esclavage.

Au Pérou, par exemple, on m'avait expliqué que toute la richesse de la nation était entre les mains d'un dixième de la population. Dans plusieurs autres Etats du continent, le système de la *criada*, comme on dit en Bolivie, existait sous d'autres noms. En vertu de ce système, les *Indios* misérables remettaient leurs enfants à des familles de Blancs, dans l'espoir de leur assurer ainsi un avenir meilleur. Au lieu de quoi, l'enfant, quand c'était une fille — cas le plus fréquent — devenait une sorte de serve non payée et disponible, en dehors des corvées ménagères, pour assouvir les besoins sexuels des mâles de la famille.

Au Paraguay, des chasses à l'homme dirigées contre les Indiens *aché* fournissaient un approvisionnement régulier en orphelins vendus en esclavage ou pour la prostitution. Aussi récemment qu'en 1977, dans ce pays, le général président Alfredo Stroessner fut dénoncé par le *Washington Post,* sur la foi de témoins sous serment, comme étant un client assidu d'une maison d'une banlieue de la capitale, le Barrio Sajonia, « où de petites paysannes (dont certaines âgées de neuf ans), achetées à leurs parents dans la misère, étaient à la disposition des hauts personnages paraguayens ».

De 1957 à 1979, le fait est, en tout cas, que l'Amérique Latine a été déchirée par des convulsions résultant de la montée régulière de mouvements populaires de gauche, attirant notamment au Chili et en Argentine des réactions brutales de la part du pouvoir.

En septembre 1973, dans le premier de ces deux pays, le gouvernement socialiste du président Salvador Allende était renversé par un coup d'Etat militaire, où Allende lui-même trouvait la mort. Une junte, avec le général Augusto Pinochet à sa tête, prit le pouvoir. Des milliers de partisans de l'ancien président furent internés avec leurs enfants. Des milliers d'autres ont fui le pays. La Commission des Droits de l'Homme des Nations Unies, la Commission internationale des Juristes et la Commission des droits de l'Homme de l'Organisation des Etats Américains ont été amenées à dénoncer, après enquête, « des violations extrêmement graves » desdits droits par la junte.

L'euphémisme bureaucratique de la formule se traduit dans la réalité par des actes d'une cruauté diabolique de la part de la D.I.N.A. (forces secrètes de sécurité) à l'égard d'enfants. Certains, en bas âge, ont été torturés sous les yeux de leurs parents, dans l'espoir de faire parler ceux-ci. Inversement, d'autres ont été forcés d'assister à la torture et à l'exécution des parents. Ernestina Aiguila, fillette de treize ans, est devenue folle après avoir été emprisonnée avec les siens dans un centre de torture — les centres de cet ordre étaient baptisés « discothèques », parce qu'on y couvrait les cris des victimes sous des flots de musique diffusée à plein volume.

Au début de 1975, le magazine américain *Newsweek* signalait que Macarena Aguilo Marchi, trois ans, fille de Herman Aguilo Martinez, chef en fuite du M.I.R. (le mouvement révolutionnaire de gauche) avait été arrêtée par cette même D.I.N.A., dans l'idée d'inciter son père à se livrer. En mai 1975, le grand journal de Stockholm *Dagens Nyheter,* raconta l'histoire de Tamara, trois ans aussi, fille d'un ouvrier du bâtiment chilien réfugié en Suède avec sa famille.

Tamara avait été torturée en juillet 1974, au camp de Cerro Chesia, au Chili, devant ses parents, pour tenter de leur arracher leur « confession ». Ainsi que le déclara son père, lors d'une conférence de presse organisée par le Comité suédois de secours aux réfugiés, des parents craquent plus facilement à la vue de leurs enfants torturés que s'ils sont eux-mêmes soumis à la torture.

La mère de Tamara décrivit la scène : « On a déshabillé ma fille et on l'a fouettée avec un fouet de cuir. On l'a plongée dans un tonneau d'eau glacée en lui maintenant la tête sous l'eau, jusqu'à ce qu'elle soit presque noyée. » Elle dut assister à ce genre de torture quatre fois par jour, durant quatre jours. Après quoi, la D.I.N.A., admettant que les parents de Tamara n'avaient rien à confesser, les relâcha.

Il n'en alla pas de même pour Lumi Videla et Sergio Perez Molina, le père et la mère de Dagoberto, quatre ans. Les coups et les chocs électriques qu'on administra à leur fils devant eux leur arrachèrent l'aveu de leur appartenance au M.I.R. La D.I.N.A. n'en demandait pas plus : cela signifiait pour eux la mort. Pour Dago, cela veut dire un chagrin qui ne guérira jamais.

Une autre forme de torture fut infligée par la D.I.N.A. aux trois enfants, tous âgés de moins de six ans, d'une mère anonyme, militante socialiste, dont on les força à regarder le martyre. En mai 1974, trois hommes de la D.I.N.A., armés, après avoir fait irruption chez elle, la violèrent successivement. La semaine suivante, ce fut le tour de trois autres, qui répétèrent la chose devant les enfants. Un peu plus tard, en juillet, il en vint encore d'autres, mais qui, cette fois, avaient apporté un fer à souder, à l'aide duquel ils imprimèrent sur la cuisse de la jeune femme la faucille et le marteau. Le président Pinochet, averti de l'outrage par six magistrats, interrogea par téléphone Manuel Contreras, le chef de la D.I.N.A. Contreras jura sur son honneur de soldat que le rapport était faux. Et « l'incident » fut clos.

Des enfants, des adolescents ont été victimes de mesures et d'actes de coercition et de répression. Après que la Commission internationale de juristes eut révélé, en novembre 1974, les plans de la junte pour la création de camps d'internement pour enfants, le grand quotidien mexicain *Excelsior* dévoila à son tour, en avril 1975, l'existence d'un *seminario permanente* à Osorno, à huit cents kilomètres au sud de Santiago. Près d'une centaine d'enfants, dont les parents avaient soutenu le gouvernement d'Allende, y étaient soumis aux travaux forcés et au lavage de cerveau.

D'autres rapports signalèrent que les familles de prisonniers politiques (lesquels se comptaient par milliers) étaient invitées à confier les enfants de ceux-ci aux soins d'un organisme dirigé par les épouses de hauts dirigeants de la junte. Cet organisme, le C.E.A.P., déclarait ostensiblement avoir pour objectif de fournir, aux frais de l'Etat, une éducation (naturellement conforme à l'idéologie officielle) qui, de l'école, conduirait les enfants pauvres jusqu'au service militaire. Un premier pas fut fait en ce sens avec l'ouverture de quatre camps-écoles, dans les environs de Santiago, pour enfants de deux à douze ans. Le C.E.A.P. assumait seul l'entière autorité sur tous les enfants entrant dans ces camps.

D'autre part, en octobre 1974, la Commission internationale de juristes attirait l'attention sur le fait que des officiers de l'armée étaient affectés à toutes les écoles du Chili. Le règlement dont ils devaient assurer l'application prévoyait notamment « la dénonciation vigoureuse des maîtres et du personnel administratif et auxiliaire » suspectés de s'écarter de l'idéologie gouvernementale. Même les élèves n'échappaient pas à la dénonciation. Parmi les « crimes » la méritant, l'un des plus graves était, « la diffusion de plaisanteries et d'histoires sur le gouvernement de la junte et ses membres ».

En Argentine, *la violencia* existe à l'état culturel, pour ainsi dire. En juin 1973, le retour de l'ex-président Juan Peron, après trente ans d'exil, fut salué par la mort de cinquante contremanifestants par balles ou sous les matraques de la police. Dans les douze mois qui suivirent sa mort, en juillet 1974, le terrorisme politique fit cinq cents victimes, et dans les deux premiers mois de 1976, quatre-vingt-seize autres.

Sur quoi, le 1er mars, la veuve de Peron, Isabel (sa seconde femme), était renversée par un putsch militaire, qui portait à la tête de la junte et de l'Etat le général Jorge Videla, père de six enfants, anticommuniste convaincu, catholique fervent (il consulte fréquemment l'aumônier principal de l'armée, Mgr Adolfo Tortolo) et réputé excellent chef militaire. Depuis son accession au pouvoir, il s'est appliqué de toutes ses forces à lutter contre le terrorisme. Par « terroriste », il entend, comme il l'a dit lui-même à des journalistes britanniques en février 1978, « non pas simplement quelqu'un qui tient une arme à feu ou une bombe, mais aussi celui qui répand des idées contraires à la civilisation chrétienne et occidentale ».

Bien qu'il se soit engagé publiquement à respecter la législation des Droits de l'Homme, la conduite de ses forces de sécurité à l'égard des « terroristes », terme qui englobe aussi bien des adultes que des étudiants, des enfants et même des nourrissons, a scandalisé le monde. Et ce à tel point que l'assemblée permanente des Nations Unies, la Fédération internationale pour la défense des Droits de l'homme et, entre autres hautes personnalités, le président Giscard d'Estaing, ont demandé des comptes au général Videla sur la disparition de quelque quinze mille personnes (estimation à la mi-78) dont on n'a plus aucune trace.

A Buenos Aires, les familles des disparus se sont formées en *Comité de Familiares des Desaparecidos y Detenidos por Razones Politicos* (Comité des familles des disparus et détenus pour raisons politiques). C'est ainsi que, tous les jeudi, on assiste à une démonstration, devant le palais du gouvernement, de celles que l'on appelle « les Mères folles de la Plaza de Mayo ». C'est également ainsi que, en mai 1978, treize femmes, à la recherche de leurs enfants et petits-enfants disparus, ont formé un groupement sous le nom de « Grand-mères de la Plaza de Mayo ».

A cette même date, il y avait un an et demi que la petite-fille de l'actrice argentine Matilde Artes, Carla, trois ans, et sa mère Graciela, vingt-six ans, étaient disparues. Quant à Matilde elle-même, si elle ne fait pas partie des « Grand-mères de la Plaza de Mayo », c'est que, m'a-t-elle dit : « Si je retournais en Argentine, je n'en ressortirais jamais. » Mais elle s'est offerte à me raconter les détails de la disparition de Graciela et de Carla.

Graciela, bien que citoyenne argentine, vivait depuis l'âge de neuf ans en Bolivie. C'est là, à Oruro exactement, dans le sud du pays, qu'elle fut arrêtée, apparemment parce que, membre d'une organisation estudiantine, elle avait pris part à une grève de mineurs d'étain, genre d'acte que des actrices célèbres comme Jane Fonda et Vanessa Redgrave ont souvent commis sans les conséquences terribles échues à Graciela.

Pendant toute la nuit et une partie de la journée qui suivirent son arrestation, elle fut battue dans les bureaux du *Departamento de Orden Politico* bolivien, tandis que Carla, « arrêtée » en même temps qu'elle, restait sans nourriture. Puis mère et fille furent transférées dans la capitale, La Paz, où on les sépara. Tandis que Carla était inscrite à l'orphelinat « Hogar Carlos Villegas », sa jeune mère aurait enduré de nouvelles tortures des mains d'un certain Gernio, fonctionnaire du ministère de l'Intérieur bolivien. On amenait Carla pour qu'elle assiste aux séances.

Heureusement, la Croix-Rouge internationale réussit à réunir de nouveau, en août, Graciela et sa fille. Il y a cependant de fortes raisons de croire que, dans les jours qui suivirent, Graciela fut encore soumise à d'horribles tortures, électrochocs, coups administrés avec un garrot de cuir, sans compter l'infâme « sous-marin uruguayen », où l'on plonge la tête de la victime dans de l'eau additionnée de détergent, innovation argentine. Car, selon Matilde Artes, ce fut en fait la police fédérale argentine qui, déjà en territoire bolivien, tortura Graciela, avant de la « rapatrier » avec son enfant en Argentine (on sait qu'elles franchirent la frontière à Quiaca).

Lorsque Matilde Artes me fit ce récit pathétique, en août 1978, on avait perdu toute trace de sa fille et de sa petite-fille, et ses suppliques à des hommes d'Etat et aux plus grandes instances humanitaires internationales n'avaient pu arracher la moindre information au gouvernement argentin.

Veronica Handl-Alvarez, vingt-quatre ans, bénéficiant de la double nationalité argentine et autrichienne, était une des nombreuses jeunes mères enceintes enlevées durant ces années. Elle faisait ses études à l'université de Buenos Aires lorsque, en septembre 1976, elle disparut. Deux mois plus tard, ses parents furent avisés qu'elle se trouvait à la prison « modèle » de Villa Devoto, purgatoire conçu pour deux mille cinq cents détenus et où, en 1978, on comptait plus de quatre mille personnes, entassées dans des conditions si effroyables qu'elles constituaient un défi aux « Conditions minimales de traitement des Prisonniers » édictées par les Nations Unies. Des femmes de dix-sept à cinquante ans y étaient enfermées avec des enfants en bas âge. Selon le témoignage d'une ex-pensionnaire : « Dès que l'enfant a six mois, l'article 955 du règlement prévoit qu'il doit être retiré à sa mère pour être remis à des parents. »

L'enfant de Veronica n'était pas encore né. Avant qu'il ait vu le jour, des hommes la torturèrent, la frappant à coups de poings et de pieds, ou avec une tige de fer sur la tête, la poitrine et le ventre. Elle fut traitée à l'électrochoc, surtout aux parties génitales. On la plongea dans l'eau froide, la jeta au secret dans une cellule, les yeux bandés ; on la priva de sommeil, l'humilia par des simulacres de viol, la terrorisa par des simulacres d'exécution.

Le 11 avril 1977, elle fut prise de douleurs. Durant cinq heures, on la garda liée pieds et poings à un lit, sans le moindre soin jusqu'aux toutes dernières minutes. Elle donna naissance à un fils qui eut pour tout berceau le sol de la cellule infestée de rats.

Veronica, profondément atteinte dans son corps et dans son

esprit, fut relâchée par la suite. Son fils a survécu. Miracle de la nature humaine, sa santé est indemne.

La plupart des milliers d'hommes et de femmes d'Argentine qui ont disparu n'ont laissé aucune trace. Floreal Avellanada, quinze ans, fils d'un ancien leader syndicaliste, constitue une rarissime exception.

Aux premières heures du 15 avril 1976, les hommes de Videla firent sauter à la mitraillette la porte du logis de sa famille. Ils cherchaient son père, qui n'y était pas. Ils mirent à sac la maison et rossèrent Floreal et sa mère, puis les emmenèrent au poste de police de Villa Martelli, où ils furent séparés et torturés à l'électricité. De sa cellule, la *señora* Avellanada entendait les cris de son fils. Floreal fut brièvement réuni avec sa mère, avant le transfert de celle-ci dans une autre prison d'où, après de nouvelles tortures, elle fut relâchée.

Mais du jeune Floreal, plus le moindre signe de vie — jusqu'à la mi-août 1976 où plusieurs corps furent rejetés sur la rive uruguayenne du Rio de la Plata. L'un de ces corps était celui d'un adolescent. Il portait, tatoué dans sa chair, un cœur avec les initiales F.A. C'est la seule trace reconnaissable que l'on ait retrouvée de Floreal Avellanada.

27

Les enfants
des « boat-people »vietnamiens

Après le retrait des Français, en 1954, le Viet-nam, comme la Corée avant lui, fut divisé, lors de la Conférence de Genève, en deux pays de part et d'autre du 38ᵉ parallèle : le Nord et le Sud, capitales respectives Hanoi et Saigon. Un demi-million de réfugiés refluèrent du Nord communiste vers le Sud. Le Nord ne cachait pas son objectif : neutraliser le régime de Saigon et réunifier le pays en un seul Etat. Les Etats-Unis soutenaient Saigon en lui envoyant du matériel et des conseillers. Mais, en février 1965, commença « l'américanisation » du conflit lorsque le président Johnson ordonna le bombardement aérien massif du Nord Viet-nam. Pendant les sept années qui suivirent, et durant lesquelles le conflit s'étendit au Cambodge et au Laos, le nombre des effectifs américains engagés en Indochine atteignit le demi-million. Ils ne devaient se retirer qu'en 1972.

Jamais, accuse le Nord Viet-nam, les principes du droit et de la morale internationaux n'ont été plus grossièrement violés que sur la terre vietnamienne par l'armée américaine. Indéniablement, celle-ci a commis, notamment à l'égard des enfants, un crime monstrueux et impardonnable — d'autant plus impardonnable que les Américains, par nature et par profession de foi, sont les premiers à prendre la défense des victimes innocentes d'agressions dans le monde. Avec leurs bombes au napalm, les bombardiers américains ont brûlé ou défiguré de jeunes corps, tué des milliers d'enfants, souvent avec une lenteur d'une infinie cruauté, grâce aux bombes à fragmentation, bourrées de billes d'acier, lesquelles, impossibles à extraire, s'infiltrent insidieusement et mortellement dans les tissus et dans le sang. Et comme si ces crimes contre l'humanité ne suffisaient pas, la nature elle-même fut martyrisée à l'aide de bombes chimiques et de défoliants, dont les effets dévastateurs n'épargnaient pas les paysans eux-mêmes et leurs familles.

Un pilote américain fait prisonnier résuma en ces termes le *briefing* de ses supérieurs avant l'envol en mission de l'escadrille : « Foncez tout droit, d'abord avec les bombes au napalm, et suivez avec les bombes à fragmentation pour liquider les fuyards. Et ne craignez rien, messieurs : les défenses ennemies sont presque nulles. Il n'y a que des femmes et des enfants. »

Au cours d'un raid aérien sur la petite ville de Hiep-Hoa, un éclat de bombe perça le ventre d'une jeune femme, Le Thi Khuong, alors qu'elle était en train d'accoucher, et vint se loger dans la tempe gauche de l'enfant à naître. Tous deux en réchappèrent par miracle.

A l'hôpital de district de Huong-Khe, un jour d'avril 1967, un bébé venait juste de voir le jour à la suite d'une césarienne. Quelques minutes plus tard, une bombe américaine écrasait la mère et l'enfant. Dans le même secteur, l'école de Huong-Phuc subit quarante-trois raids de l'aviation américaine. L'un d'eux tua trente-trois élèves. Peu après, l'école du village de Ha-Phu fut atteinte par des bombes à fragmentation : soixante-et-un enfants tués ou blessés. Dans les deux premières années de cette guerre aérienne à outrance, deux cent quatre-vingt seize écoles furent touchées.

En mars 1968, le président Johnson ordonna le bombardement de cibles limitées, ajoutant que l'ennemi pouvait compter sur sa bonne volonté d'épargner femmes et enfants. Ce fut durant cette période que les agglomérations civiles reçurent le plus fort tonnage d'explosifs jamais déversé dans l'histoire. En octobre de la même année, Johnson ordonna l'arrêt des bombardements. Ils furent repris sous la présidence de Nixon qui, durant les négociations de paix commencées en 1970, battit le record de Johnson. En même temps,

Nixon proclamait sa volonté de « tout faire en son pouvoir pour assurer aux enfants du monde entier une existence dans l'amitié et la paix ».

Etant donné que ma demande de visa pour le Viet-nam fut repoussée, il m'a été impossible de parler aux enfants qui avaient si cruellement souffert. En revanche, il m'a été donné d'entendre d'autres voix : celles d'enfants qui avaient fui le Viet-nam après que la prise de Saigon par l'armée nord-vietnamienne, le 30 avril 1975, eut mis fin à la guerre. Tous s'étaient échappés, non par terre ni par air, mais par mer : c'étaient ceux que l'on a très vite appelés les *boat-people*. On en retrouve un peu partout dans le monde, parfois dans les endroits les plus invraisemblables.

Les premiers que j'ai rencontrés étaient des enfants flânant en groupe sur un quai d'Oslo. C'est que les Norvégiens, vrais gens de mer, ont sauvé nombre de *boat-people* voguant à la dérive. Dans le groupe, il y avait les cinq fils d'un pêcheur vietnamien, Phuong. Phuong était passé par les plus terribles épreuves. Il avait même été réduit au cannibalisme. Il n'avait jamais entendu parler de la Norvège et, maintenant qu'il y était, continuait à ne pas pouvoir dire où cela se situe sur le globe. Tout ce qu'il savait, c'était qu'il s'agissait d'un monde totalement différent de celui de son village de pêcheurs. Il avait maintenant pour foyer un appartement moderne entouré de forêts de pins et, en hiver, de neige. Et il vivait parmi des voisins à tête blonde, géants, massifs et se plaignant des habitudes de ces nouveaux locataires, qui demeuraient naturellement celles d'un pauvre village de pêcheurs vietnamien. Et par-dessus le marché, les cinq fils de cet homme parlaient maintenant le norvégien !

Tous les *boat-people* vietnamiens n'ont pas abordé à des terres aussi lointaines que Lik et sa famille. La moitié d'entre eux environ n'est même arrivée nulle part, à cela près qu'elle repose quelque part au fond de l'océan. Quant aux autres, certains, par leurs propres moyens ou grâce à des sauveteurs, ont accosté dans un pays libre. Mais souvent, avec ce manque de compassion qui est le propre des riches et des nantis on les a rejetés.

Trois petits naufragés, Vu, un garçon, et ses deux sœurs, Trang et Thao, âgés respectivement de six, sept et deux ans, avaient été recueillis en haute mer et amenés au Japon, où j'ai fait leur connaissance dans un faubourg paisible de Tamakura, au sud de Tokyo. Ils étaient là « en transit ». A la mi-78, le Japon, le plus riche de tous les pays d'Asie, n'avait pas encore admis sur son sol un seul immigrant vietnamien [1].

Vu, tout petit bonhomme au visage adorable et beau, aux yeux brillants d'intelligence, m'a dit se souvenir que son père était très grand et qu'il l'aimait beaucoup. « Se souvenir », parce qu'il y a toute chance qu'il ne revoie jamais ce père, officier de l'armée sud-vietnamienne placé par le régime d'Hanoi en « camp de rééducation » depuis trois ans. Leur mère, une belle jeune femme, après avoir attendu son mari pendant deux ans, avait renoncé à tout espoir. Un jour, elle est montée avec ses trois enfants dans un pick-up et a roulé en direction de la mer, jusqu'à Da Nang. Puis abandonnant le véhicule, elle est partie à pied dans la nuit, parcourant dix kilomètres en pleine montagne en portant Thao, pendant que Vu et Trang marchaient à côté d'elle.

— Tu n'étais pas fatiguée ? ai-je demandé à Trang.

— Non. Maman nous disait sans arrêt de continuer, sans quoi la police nous attraperait.

Un bateau attendait au large et, à 2 heures du matin, la petite famille, avec quatre-vingts autres passagers, fut conduite à bord, à la rame. Presque aussitôt, le bateau rencontra de la grosse mer. Tout le monde était malade et personne ne pouvait dormir. Le lendemain, ce fut la soif plus même que la faim qui tortura. Le capitaine ordonna : une demi tasse d'eau chacun, pas plus. Pour ceux qui en avaient envie, permission de boire de l'eau de mer. Trang n'en eut pas le courage. Vu essaya, mais recracha aussitôt. En bas, il faisait une telle chaleur que personne n'y restait et qu'on montait s'allonger sur le pont, tendu de bâches qui protégeaient à la fois du soleil et du danger de repérage par une vedette ou un navire en patrouille.

L'extraordinaire était que ces deux angelots, qu'étaient venus rejoindre près de moi deux autres chérubins, une petite fille, Diep, et un garçon, Ngang, me racontaient tout cela, coudes sur la table, menton dans la main, comme s'il s'était agi d'une promenade en bateau-mouche sur la Seine ou la Tamise. Même, Vu bâillait et avait

---

1. A l'heure où je terminais ce livre, en mai 1979, le Japon venait de décider d'accueillir cinq cents réfugiés vietnamiens. Il convient d'ajouter que le Japon s'inscrit en tête des nations sur le plan des contributions financières versées aux Nations Unies pour l'établissement des *boat-people*.

l'air de trouver cela ennuyeux au possible. Et quand se fut ajoutée à eux une minuscule poupée de chair du nom de Thao, je me demandai en les regardant comment de si délicates œuvres d'art modelées par la nature avaient pu survivre, intactes, à cette aventure. Car il était clair, d'après leur récit — si fastidieux que le trouvât Vu — que jamais les quatre-vingt-trois passagers et leur bateau n'auraient accosté à une terre amie par leurs propres moyens. Mais, alors qu'ils gisaient tous sous les bâches, épuisés, mourant de soif, malades, incapables de bouger, un navire — pavillon libérien, équipage chinois, capitaine britannique — les sauva à temps.

Tout juste si, de leur séjour sur ce second bateau, ces adorables enfants ne se souvenaient pas comme d'une longue récréation : « Le capitaine jouait avec nous et nous donnait des bonbons. Il nous montrait les machines et nous prenait avec lui sur la passerelle. Et, avant de nous débarquer à Yokohama, il a donné une fête pour les enfants et il a dansé avec nous. »

Heureusement, il ne manquait pas de bateaux au Viet-nam.

Grand-mère Thoan en avait dissimulé un dans les roseaux de la rivière de Saigon, ville d'où elle comptait s'enfuir grâce à cela, avec son fils Tho, la famille de celui-ci et quelques amis. La patrouille fluviale ayant découvert la cachette, Grand-mère Thoan acheta un second bateau — mais cette fois à quatre cent cinquante kilomètres de Saigon (elle m'a supplié de ne pas révéler le nom de l'endroit).

C'est à Singapour que j'ai rencontré Thoan et, avec elle, Tho, sa femme, leur petit garçon de neuf ans, Thai, ainsi qu'un couple ami de Tho et ses deux enfants, Nga, une fillette, huit ans, et Duc, son frère, sept ans.

Thai et Nga allaient à l'école à Saigon. La ville tombée aux mains du Viet-cong, l'existence scolaire changea : il fallait travailler plus dur, faire le ménage dans la classe, balayer, repeindre, cultiver des fleurs et des légumes dans le jardin de l'école, apprendre que le président Ho Chi Minh était un homme bon et intelligent et que les Français et les Américains étaient des affreux. Thai ne comprenait pas très bien ce dernier point : les soldats américains qu'il avait connus étaient tous gentils et jouaient souvent avec lui et ses petits amis. Nga avait opté pour un compromis : elle continuerait à aimer bien les Américains dans son cœur, mais elle mettrait le président Ho Chi Minh à côté d'eux, puisque la maîtresse expliquait qu'il était si bon.

301

Quant à Tho, leur père, comme son ami Ben, la vie leur devint difficile : chacun à leur modeste échelon, ils avaient été fidèles à l'ancien régime. Le nouveau ne leur faisait guère d'espoir en l'avenir. Ils étaient constamment surveillés par la police. Donc, plutôt fuir.

Grand-mère Thoan organisa tout, bateau et point de départ : une île inhabitée proche de la côte. Et ils seraient au total vingt-trois à embarquer.

— Sur un bateau de quelle dimension ?

— Neuf mètres de long, et muni d'un moteur Diesel.

Déguisés en pêcheurs, les adultes se répartirent avec les enfants entre plusieurs sampans et gagnèrent à la rame le point de ralliement de l'îlot. Là, pendant que Tho, qui avait été dans la marine, allait chercher le bateau dans sa cache, ils se dissimulèrent pendant trois jours dans une grotte. La nuit, ils entendaient passer les vedettes de la police côtière, dont les projecteurs balayaient les rochers de leur cachette. A chaque bruit de moteur ils s'aplatissaient dans la grotte. Comme je demandais au petit frère de Nga, Duc, s'il avait eu très peur, alors, il me répondit : « Non, c'était très bien. Je dormais. »

La troisième nuit, vers 1 heure du matin, Tho arriva. Il avait eu une mer démontée et, à cause de cela, n'avait pu charger que vingt litres d'eau douce — pour vingt-trois personnes et pour tenir jusqu'à leur but : la côte malaise ! Au plus noir de la nuit, ils embarquèrent. On avait administré un somnifère aux plus jeunes enfants, pour qu'ils ne crient ni ne pleurent.

Naviguant au plus loin des routes empruntées par les gros navires, ils gagnèrent le large. La mer était très mauvaise. Bientôt, presque tout le monde fut malade. Au troisième jour, la maigre provision d'eau était épuisée. Il fallait compter au moins quatre jours de plus, toujours par gros temps, pour atteindre la Malaisie.

— Moi, me dit Thai, j'ai bu mon urine, mais c'était salé et ça sentait mauvais.

— On t'avait dit de la boire ?

— Non. J'ai eu l'idée tout seul, et j'ai bien fait, parce que, après, je n'avais plus soif.

Nga, elle, eut une moins bonne idée : par-dessus le bord qui était très bas, elle puisa de l'eau de mer dans une tasse en plastique — « Mais plus j'en buvais, plus j'avais soif. » Alors, elle imita Thai et but son urine.

— Qu'est-ce que tu préférais ?

— L'eau de mer, me répondit-elle en riant. Ça a bien meilleur goût !

Tous n'en furent pas moins réduits à faire comme les enfants.

Mais il n'y avait pas que le manque d'eau ; il y avait la chaleur et l'épuisement du mal de mer. Si les hommes trouvaient encore la force — il le fallait bien — de s'acquitter des manœuvres de bord, les autres restaient allongés, silencieux ou priant tout bas, avec juste l'énergie nécessaire pour doucher de temps à autre leur fièvre à l'eau de mer.

— J'étais si malade, me dit la femme de Tho, que je ne m'apercevais même pas que mon plus jeune fils, Thuan, était presque mourant, alors que la femme de Ben, elle, a pu voir que son petit Nhut était dans un état désespéré : il ne bougeait plus, les yeux injectés de sang, le regard déjà mort. Aucun de nous n'avait de connaissances médicales ; nous ne savions que faire, sauf prier.

— C'était de pire en pire, dit à son tour Thai. Je sentais une fatigue terrible et parfois je perdais connaissance. Je rêvais tout le temps d'eau et j'attendais la mort.

— Cela te faisait peur, la mort ?

— Oui.

Nga délirait aussi ; mais, au lieu d'eau, elle rêvait de jolies robes.

— Tu aimais les jolies robes ?

— Non, pas spécialement. Maman m'avait donné des vêtements à elle, et ils n'étaient pas beaux du tout.

Quant au plus jeune, Duc, il ne se rappelle rien : il était dans le coma.

Ils en étaient là, presque tous résignés à la mort, lorsque le moteur tomba en panne. Bien qu'il n'eût plus de force, Ben, après cinq heures de travail tâtonnant, parvint à le faire repartir, à 1 heure du matin — le matin de leur septième jour en mer — en pleine obscurité, car il n'y avait pas de lumière à bord.

Cette nuit-là, dans le noir lui aussi, Tho employa le peu de force qui lui restait à tenter d'empêcher la dernière étincelle de vie de s'éteindre dans le corps de Thuan. Dans le noir, aveuglément, il lui massa le cœur, essaya la respiration bouche à bouche. Rien n'y fit. Serrant contre lui le petit corps qu'il ne pouvait même pas distinguer, il le sentit se refroidir, se raidir peu à peu. A 5 heures du matin, c'était fini.

L'après-midi, sans autre cérémonie qu'une prière muette de tous, le corps de Thuan fut jeté à la mer.

Une heure plus tard, un navire marchand les sauvait.

Mais tel était leur état d'épuisement que l'équipage de ce navire — le *Cys Hope*, battant pavillon libérien — mit deux heures à transporter à son bord les vingt-deux survivants, et que le petit Nhut, malgré tous les soins qu'on lui prodigua, rendit l'âme à son tour quelques heures plus tard. Ben, son père, m'a montré copie du certificat qu'il signa : « Mort d'épuisement à la suite d'une exposition aux intempéries, sept jours durant, depuis notre évasion du Viet-nam en haute mer, sur un petit bateau en bois... J'ai enseveli en mer mon enfant mort à 7 h 30 ce matin, de mes propres mains, approximativement par 05-35 degrés nord et 107-53 degrés est. »

A la fin de notre entretien, Ben et Tho m'ont déclaré qu'il leur reste un espoir : que cette évasion pour laquelle ils ont payé chacun le lourd et tragique tribut d'un fils n'ait pas été en vain pour leurs autres enfants, et que ceux-ci puissent oublier.

J'avais terminé mon périple lorsque la presse mondiale, enfin alertée, a commencé à dénoncer l'abominable sort réservé à tant de *boat-people* vietnamiens, au fur et à mesure que s'accéléraient et se multipliaient les évasions. Je ne peux donc dire ici que ce que, moi-même, j'ai vu, entendu, appris.

C'est ainsi que, à Singapour également, An, un jeune Vietnamien de quinze ans, d'origine chinoise, m'a parlé des « tarifs » appliqués par les organisateurs de ces départs clandestins.

Ils étaient (du moins en 1978) au nombre de deux, me dit An : un pour les Chinois, un autre pour les Vietnamiens mêmes. Ceux-ci, en général moins riches, devaient se contenter d'un bateau plus petit et de moins de « confort ». Le prix, par tête de passager, variait de sept à dix lingots d'or, valant chacun deux cents dollars — en gros mille francs actuels. On payait le plus cher pour les nourrissons et les enfants en bas âge, à cause du risque : cris, pleurs, maladie... L'argent versé était affecté à l'achat du bateau, des vivres, du carburant. Les Chinois payaient le prix fort : deux fois plus que les Vietnamiens, vingt lingots d'or par tête. Mais la moitié, dix lingots, allait à l'achat de complicités (policiers, soldats, gardes-côtes), donc de sécurité plus grande, et aussi de bateaux plus grands. Partant souvent par « cargaisons » de trois cents, me dit An, les Chinois représentaient « un commerce d'exportation florissant ».

Rien de cela n'arrêta Linh, une petite Chinoise de treize ans qui se fit un plaisir de me raconter, à Kuala Lumpur, son odyssée très personnelle.

Personne ne lui avait soufflé l'idée de partir. Le nouveau régime lui faisait peur. Elle déclara un jour à ses parents qu'elle voulait s'en aller. On eut beau la raisonner, lui dire qu'elle était trop jeune pour courir pareille aventure toute seule, rien n'y fit. Son obstination finit par impressionner ses deux sœurs aînées, qui décidèrent de faire comme elle. Mais il n'y avait plus qu'une place à bord du bateau proposé par la filière qu'elles connaissaient. Priorité, dirent alors les parents, à la grande aînée de dix-sept ans. Laquelle, au bout du compte, refusa de partir sans le garçon dont elle était amoureuse. Quant à la seconde, sa date de naissance la plaçait sous le signe du Lapin, et le « chef de bateau » ne voulait à aucun prix de passagers nés sous ce signe, porte-malheur selon lui. Mais il accepta avec joie Linh, née sous le signe bénéfique du Dragon. Elle partit donc, déchirée entre la joie de l'évasion et le chagrin de la séparation.

Hormis une brève escarmouche avec des pirates thaïs en mer, le voyage se passa bien. De Kuala Lumpur, Linh devait gagner Hong-Kong, où l'attendait une grand-mère. Je l'y ai revue en passant. La grand-mère était aux petits soins pour elle, mais derrière le sourire et les fossettes de sa petite-fille, il y avait la tristesse que je connais bien, commune à tous ces enfants arrachés par le sort à leur vraie patrie, à leur vraie famille.

A Hong-Kong, où j'étais donc venu, ce fut dans un immeuble de Des Vœux Road que deux jeunes Vietnamiens, Qung et Da, me narrèrent eux aussi une étrange aventure. Alors que nous parlions dans une grande chambre manquant d'air sous les toits, d'autres *boat-people*, pères, mères, enfants, se rassemblèrent peu à peu autour de nous ; sur des lits superposés, les petits enfants dormaient, certains dans les bras les uns des autres.

Qung faisait partie d'un groupe de neuf jeunes étudiants qui avaient décidé de fuir le communisme. Défiant les patrouilles navales, ils entassèrent sur leur bateau de bois de neuf mètres vivres et carburant (sans oublier le bois pour la cuisine) et se faufilèrent une nuit hors des eaux d'un village du Nord. Tenant le cap sur Hong-Kong, à neuf cents kilomètres de là, ils tombèrent sur la tempête. Deux jours et deux nuits, ils durent écoper sans relâche : « Nous n'osions pas ralentir, dit Qung, sous peine de voir le bateau se remplir et couler. » C'était la première fois que les neuf garçons prenaient la mer : « Nous étions absolument terrifiés. Jamais nous n'aurions imaginé qu'un bateau pourrait paraître aussi petit, perdu et impuissant au milieu de ces vagues énormes. Heureusement, le moteur ne flancha pas. »

Il les amena finalement sains et saufs en vue d'un rivage où, parmi de forts brisants, ils parvinrent à accoster sans dégâts. Mais quelle ne fut pas leur stupeur quand ils découvrirent qu'ils étaient sur l'île de Haïnan — laquelle appartient à la Chine.

Ainsi donc, fuyant le Viet-cong communiste, ils tombaient sur les communistes chinois. Mais, autre surprise, ces pêcheurs étaient d'une hospitalité « exceptionnelle », dit Qung. Non seulement ils les aidèrent à tirer la barque à terre, mais ils leur donnèrent à manger. Même les autorités locales offrirent leur secours. Si bien que, six jours plus tard, nos intrépides étudiants réembarquaient pour poursuivre leur périlleuse traversée et leur idée fixe : Hong-Kong.

Hélas ! un seul jour en mer, et leur moteur, si fidèle jusqu'alors, tomba en panne. Par mer forte, à la rame, ils revinrent à Haïnan. Mais, cette fois, les brisants étaient trop forts : le bateau chavira.

— Nous étions si à bout de force, raconte Qung, que nous avons tout juste réussi à tituber jusqu'à la plage et à nous jeter sur le sable.

Une fois de plus, les pêcheurs et les autorités locales vinrent à la rescousse. Ils apprirent aux jeunes gens que treize autres réfugiés venaient d'arriver et qu'on allait les leur faire rencontrer.

Il s'agissait de la famille Da : père, mère, dix enfants et une nièce. Da, fils de la mer et superstitieux, essayait d'oublier qu'ils étaient treize. C'étaient, m'a-t-il confié, ses plus grands enfants qui l'avaient poussé à partir ; ils n'acceptaient pas l'enseignement idéologique dispensé en classe. Da lui-même avait dû suivre un cours de rééducation de quinze jours. Ancien enseignant, se retrouvant sans travail sous le nouveau régime, il s'était finalement converti à la pêche, métier qu'il avait appris dans sa jeunesse. Mais faute d'arriver à joindre les deux bouts, il avait, au bout du compte, écouté ses enfants, malgré sa connaissance des dangers de la mer.

Sans dire au revoir à personne, la famille s'était enfoncée un jour dans la nuit. Bien qu'il n'eût pas emporté de carte, Da avait soigneusement étudié et gravé dans sa mémoire le parcours. Mettant le cap à 40 degrés sur Hong-Kong, il avait calculé que, sur son bateau de pêche de neuf mètres, équipé avec un diesel de 10 CV, il pourrait y arriver en cinq jours environ. Poussé par un vent violent, il alla plus vite qu'il ne s'y était attendu. Mais, à cause des fortes vagues qui suivirent, le bateau embarqua beaucoup d'eau ; avec ses deux fils aînés, Da dut alterner l'écopage et la barre.

Lorsqu'il avait aperçu enfin une côte, tout de suite il avait su qu'il s'agissait de Haïnan. Avec la tempête qu'il y avait, il ne restait d'autre ressource que d'essayer d'accoster. Les brisants aidant, l'opération faillit leur coûter la vie à tous et le bateau, le cher bateau de Da, qui avait été tout son gagne-pain, succomba. Mais, comme pour Qung, les pêcheurs chinois étaient là. Ils aidèrent les enfants à franchir les brisants parmi les épaves du bateau brisé.

La famille Da et les neuf étudiants, après avoir fait connaissance — « Il n'y eut pas d'effusions inutiles, dit Qung. Rien que des poignées de mains. » — résolurent d'unir leurs forces et d'acheter un autre bateau.

Ce qui suivit mérite d'être affiché au tableau d'honneur de la solidarité humaine et réconforte le cœur, en rachetant bien des horreurs.

Chaque groupe de réfugiés souscrivit trois mille huit cents piastres chinoises pour l'achat. Plus exactement, la famille Da et la petite bande d'adolescents signèrent chacune une reconnaissance de dette pour cette somme. Les pêcheurs chinois se contentèrent de leur déclarer : « Si vous avez assez d'argent un jour, vous nous rembourserez. Sinon, n'y pensez plus. »

— Si j'arrive à gagner ma vie, m'a dit Qung, la première chose que je ferai, dès que je le pourrai, sera de payer cette dette. Ces pêcheurs étaient très pauvres eux-mêmes, mais quelle richesse ils avaient dans le cœur !

De fait, non seulement ils savaient qu'ils faisaient cadeau de ce bateau, mais ils le chargèrent d'assez de vivres pour tenir jusqu'à Hong-Kong...

Dans la grande pièce étouffante, en conclusion de leur récit, ces réfugiés ajoutèrent encore une chose émouvante. Ils me remercièrent d'être venu les écouter comme je l'avais fait, parce que, me déclara Da, « trop souvent les *boat-people* ont le sentiment d'être considérés et *traités* pis encore que comme des épaves rejetées par la mer ».

Sur la côte orientale du golfe de Siam, dans le sud de la Thaïlande, à Laemsing, au fond d'une petite anse, j'ai visité un camp de ces « épaves ».

Les bateaux qui avaient amené ces pauvres gens étaient tirés à terre. Certains n'étaient plus que des coques à demi pourries ; d'autres servaient d'habitations : on y avait ajouté quelques claies de bambou et on y vivait perpétuellement courbé. Un peu plus loin, d'étroits sentiers rocheux jonchés de détritus et d'ordures couraient parmi les huttes de bambou d'une petite communauté.

Dans une de ces huttes s'entassaient Lan, sa femme et trois de leurs enfants, lorsque j'y suis entré. Assis parmi eux et par terre, j'ai écouté leurs variations personnelles sur le thème des *boat-people*, pendant que se pressaient autour de nous quelques-uns de leurs compagnons et voisins.

L'histoire de Lan me remplit de tristesse ; j'en connais peu d'aussi pathétiques. C'est d'abord celle d'un pêcheur vivant dans un village du Sud-Ouest indochinois. Il était catholique et tenait à ce que ses enfants fussent élevés dans une école de cette confession. Le jour où il se rendit compte que le nouveau régime entendait les forcer à poursuivre leur instruction dans des écoles publiques de l'Etat d'où toute religion chrétienne était bannie, ce pêcheur à l'esprit et au cœur simples n'hésita pas : « J'ai pensé que je devais aller chercher ailleurs la liberté de conscience et de religion et l'éducation que je voulais donner à mes enfants. » — il en avait dix, âgés de un à vingt-deux ans.

Avec son frère, pêcheur comme lui, il tira des plans pour un départ qui utiliserait trois bateaux : le sien, de six mètres et demi, doté d'un diesel de 10 CV, et deux autres, plus gros et plus puissants, propriété de son frère. Ils convinrent de répartir les femmes et les enfants sur ces deux derniers — à part la propre épouse et trois des enfants de Lan, qu'il prendrait à son bord. Puis ils se fixèrent un rendez-vous en mer.

Malheureusement, les deux frères se manquèrent, et Lan, son bateau plus petit en difficulté, dut se réfugier sur une île, et s'y cacher. A force de patience et de ruse, il parvint à faire tenir un message à un de ses neveux qui, ayant résolu à son tour de risquer l'évasion, parvint à le rejoindre et à le prendre à bord avec sa femme et les trois enfants.

— J'ai pleuré, dit Lan, quand j'ai dû abandonner mon petit bateau. Pendant dix ans il avait été mon seul gagne-pain.

Sur le bateau du neveu, ils atteignirent la Thaïlande et Laemsing.

Ceux du frère ne sont jamais arrivés. Il y avait quatre mois que Lan attendait.

Et ce qu'il attendait, ce n'était pas seulement son frère — c'étaient ses sept autres enfants.

Il n'avait plus d'espoir, il me l'a dit :

— Tout s'est évanoui avec eux dans la mer. Plus rien ne nous retient à la vie, ma femme et moi. S'il n'y avait pas ces trois-là qui nous restent, nous n'aurions plus le cœur à rien. Une fois qu'ils seront élevés...

Il m'a dit aussi qu'il n'était pas de moments qu'il redoutât plus au monde que le lever et le coucher du soleil :

— Le lever, parce que c'est l'heure où ceux qui ne sont plus venaient me demander leur argent de poche pour la journée, et que nous riions beaucoup. Et le coucher du soleil, parce que, alors, tous les jours, la famille se réunissait et chacun racontait sa journée.

Parmi ceux qui s'étaient assis alentour pendant que j'écoutais Lan et que flottait dans l'air, apportée par la brise de mer, je me le rappelle, la bonne odeur âcre d'un feu de charbon de bois, se trouvait un jeune couple : Son, garçon de dix-huit ans à l'aspect frêle et délicat, et sa toute jeune femme, Laon, charmante et jolie fille de dix-sept ans. Ils incarnaient, je l'appris, un exemple du triomphe de l'amour sur l'adversité et la mort.

Avant même de tomber amoureux de Laon, Son, qui était apprenti joaillier, avait déjà arrêté sa décision de s'évader à tout prix. Puis il découvrit Laon et ce fut le coup de foudre. Alors, tout simplement, il résolut de faire d'une pierre deux coups : il proposa à la jeune fille de l'épouser et de fuir avec lui.

Jamais l'idée de quitter son pays n'était venue à Laon. Sage et bien élevée comme ses douze frères et sœurs, elle demanda l'avis de ses parents. Ceux-ci répondirent : « Tu as envie d'épouser ce garçon, et il veut partir ? Tu es notre fille chérie et tu nous manqueras beaucoup, mais tu dois le suivre. Et puisse l'avenir vous sourire ! » En me répétant ces paroles de son père, Laon pleurait. Elle me pria de l'excuser :

— C'est la première fois que je suis loin de ma famille, me dit-elle avec un sourire triste au milieu de ses larmes.

Son vivait au bord de la mer et connaissait bien le monde des pêcheurs. Il était parfaitement conscient et au courant des périls que comportait son projet.

— Vous en aviez prévenu Laon ? demandai-je.

— Non. J'aurais eu bien trop peur qu'elle ne change d'idée.

La nuit où ils partirent, la lune brillait, pleine. Mais rien n'était plus loin de leur esprit que le romantique. Il leur fallut marcher à travers bois jusqu'à un certain endroit de la côte. De là, sous un clair de lune éclatant, ils durent franchir environ cinq cents mètres à la nage pour atteindre le bateau qui attendait.

En mer, ils souffrirent cruellement : mal de mer, insolation, brûlures de soleil, soif intenable. Pour couronner le tout : les pirates, qui forcèrent le bateau à stopper, montèrent à l'abordage, armés de revolvers. Son et Laon crurent leur dernière heure venue. Toutefois, les pirates repartirent après s'être contentés de dépouiller les quarante-six passagers de tout ce qu'ils possédaient : lingots d'or, bijoux, argent — tout ce qui représentait pour ces malheureux leur seul espoir d'une aide pour recommencer leur vie — « Ils m'ont même pris mon alliance », dit Laon.

Mais enfin ils étaient ensemble, à Laemsing, deux adolescents toujours aussi amoureux l'un de l'autre. Qu'espéraient-ils à présent ? Pouvoir s'installer en Australie, dont la politique d'immigration, jusqu'alors exclusivement favorable à « une Australie blanche », venait de s'ouvrir, imitant celle des Etats-Unis. (Et c'est un fait que l'Australie, depuis, a accueilli plus de Vietnamiens qu'aucun des pays qui ont accepté d'en recevoir sur leur sol, mis à part les Etats-Unis.)

— Et vous pensez, leur ai-je demandé, que l'amour sera plus fort que tous les obstacles qui vous attendent encore ?

Ils ont ri tous les deux, et Laon m'a répondu :

— Après tout ce que nous avons subi, oui, nous en sommes sûrs.

Leur rire éclaire pour moi d'un rayon d'espérance les pages sombres de ce livre.

28

La lamentation
des orphelins birmans

Voisin immédiat du Viet-nam, le Cambodge passait depuis toujours pour un des pays les plus aimables du monde. Le 18 mars 1970, un coup d'Etat, machiné par les Etats-Unis dans leurs efforts pour défaire le Nord-Viet-nam, aboutissait à la déposition du prince Sihanouk, chef de l'Etat cambodgien (le Kampuchea). Lui succédait le général Lon Nol. Aussitôt, le prince Sihanouk, connu pour ses sympathies communistes, rejoignait les groupes de résistance au nouveau gouvernement et à sa république. Cinq années plus tard, les Khmers rouges — nom qu'avaient pris les organisations de la résistance — entraient dans la capitale, Pnom Penh, sur les talons de l'armée américaine qui se retirait. C'était en avril 1975. Sihanouk ne tardait pas à être débordé et laissait la place à la république démocratique du Kampuchea. Mais la paysannerie qui, en 1970, s'était soulevée à l'appel du prince, se retournait maintenant et organisait une résistance à rebours.

L'un des plus jeunes membres de ce nouveau mouvement était un garçon de quatorze ans, nommé Chan Chiep. J'ai fait sa connaissance à Kamput, dans le sud de la Thaïlande, dans un camp de réfugiés, plutôt semblable à un village moderne, avec ses larges allées entre les bâtiments en dur, au toit de tôle ondulée, son marché, ses boutiques, son école.

Le « travail » de Chan Chiep était de se mêler aux paysans et de recueillir des renseignements sur les mouvements des forces des Khmers rouges — mission dangereuse entre toutes : pris, il aurait été fusillé sur place. Avec lui, à Kamput, se trouvait justement un petit paysan, Sam Nang, douze ans, qui en savait effectivement long sur les soldats du nouveau régime.

Un jour où il était dans les rizières, gardant les buffles de son père, il vit arriver par un sentier un groupe d'une quinzaine d'enfants conduits par une femme. Derrière, marchait un Khmer rouge en uniforme, portant une arme automatique. D'où il était, à une vingtaine de mètres, tapi dans l'eau parmi les tiges de riz, Sam Nang entendit cet homme crier : « Avancez, avancez ! Je m'arrête un peu pour souffler. » L'instant d'après, il braquait son arme et tirait jusqu'à ce que tout le groupe d'enfants fût fauché. Puis il repartit, seul.

Après un long moment, Sam Nang s'enhardit jusqu'à pousser ses buffles vers la forêt, de peur qu'ils ne fussent découverts par l'homme ou par ses compagnons s'il en avait. Les buffles étaient toute la fortune de la famille. Chaque soir, on les conduisait dans un endroit sûr, tant on craignait les réquisitions et les voleurs. Mais les Khmers rouges finirent par trouver ceux-là et, le soir même, la famille apprit qu'ils avaient juré de revenir et de massacrer tout le monde. Dans la nuit, le père et quelques voisins rampèrent jusqu'aux deux soldats restés pour garder le village en attendant, les tuèrent à coups de haches, puis s'enfuirent avec femmes et enfants dans la forêt, jusqu'en Thaïlande.

Sam Nang, lui, n'a aucun esprit de vengeance. A ma question : « Aimerais-tu être paysan et retrouver tes buffles ? » il a répondu : « Je dois laisser cela à Dieu. — Oui, mais que souhaites-tu qu'Il fasse ? ai-je insisté. — Que je sois paysan tout le reste de ma vie. »

C'est à Kamput aussi, dans une salle de classe de l'école, qu'il m'a été donné d'entendre deux des témoins oculaires les plus lucides

312

que j'aie vus au cours de tout mon périple. C'étaient deux fillettes khmères : San Sina, douze ans, et sa sœur, San Sinuol, dix ans. Avec une sorte de terrible nonchalance, elles m'ont décrit, dans ses détails les plus minutieux, une scène d'une telle atrocité que j'ai hésité à la transcrire ici. Mais le plus horrible était encore, je le répète, l'espèce d'indifférence avec laquelle ces deux fillettes, qui, à l'époque où la chose s'était passée, avaient respectivement neuf et sept ans (c'était en 1975), semblaient avoir regardé la cruelle boucherie à laquelle elles avaient assisté. Et leurs camarades de classe, qui nous entouraient, et qui écoutaient intensément sans perdre une parole, semblaient également ne ressentir pas la moindre émotion.

Sina et Sinuol vivaient à Pailin, ville de l'ouest du pays. Après la prise de pouvoir des Khmers rouges, leur père, paysan, fut arrêté. On n'entendit plus parler de lui. Quant à leur mère et à elles, on les transféra dans un village portant le nom de Sala Krao, en leur interdisant d'emporter quoi que ce soit. Là, faute du moindre outil agricole, « nous devions travailler la terre avec nos mains nues et nos ongles », m'a dit Sinuol de sa voix calme et précise.

Un jour, étant allées à la pêche toutes les deux — « dans l'espoir d'attraper un peu de poisson et peut-être quelques crabes pour améliorer la nourriture ; mais la chance ne semblait pas être pour nous » — elles virent arriver, tandis qu'elles pataugeaient jusqu'aux genoux dans la rivière, une escouade d'une dizaine de soldats. Il y avait parmi eux de jeunes garçons de quatorze ou quinze ans. Tous portaient l'uniforme des Khmers rouges : blouse et pantalon noirs, foulard rouge autour du cou. Ils marchaient le long de la rive et poussaient devant eux un misérable groupe d'une douzaine d'hommes, mains liées derrière le dos.

Ici, intervention de Sinuol dans le récit de sa sœur, qu'elle pousse du coude en disant :

— Tu te rappelles ? Parmi ces hommes il y en avait qui pleuraient.

— Oui, c'est vrai, répond Sina. Et d'autres qui regardaient seulement tout droit devant eux.

Puis le récit reprend. Sachant parfaitement à quoi s'en tenir sur le sort des condamnés, Sina et Sinuol n'en étaient pas moins curieuses de voir comment pouvait se passer une exécution. Laissant donc derrière elles leurs filets, elles suivirent le petit cortège à distance discrète. Elles allèrent ainsi jusqu'à la forêt où, les soldats et leurs prisonniers ayant fait halte, elles se dissimulèrent derrière un arbre pour continuer à regarder.

— Vous étiez loin, derrière votre arbre ? demandai-je.

313

— Pas plus que d'ici à celui-ci, répondit-elle en me montrant un arbre dans la cour de l'école, à une vingtaine de mètres de nous. Mais nous n'avions pas peur : les Khmers rouges ne pouvaient pas nous voir.

Ici, je transcris le dialogue :

SINA. — Chacun des prisonniers a été attaché à un tronc d'arbre par une corde à la hauteur de la taille. Tous, ils suppliaient les Khmers rouges de les épargner.

SINUOL. — Ils criaient : « Pitié ! Pitié ! »

SINA. — Alors, les soldats les ont battus à coups de crosses. Ensuite, ils ont commencé à tirer. Ils en ont tué comme ça une demi-douzaine. Chaque fois, quand l'homme était mort, de la façon dont il était attaché à l'arbre, le bas du corps avec les jambes restaient tout droit. Il n'y avait que le haut, au-dessus de la taille, qui avait l'air de se casser et tombait en avant, la tête touchant le sol.

« Après, à la vue du sang qui coulait, les soldats se sont mis à crier : « Traîtres, traîtres, c'est votre sang, ce n'est pas le nôtre ! » Et nous, nous avons eu très peur parce qu'il y avait beaucoup de sang... (*De ses mains, Sina — je la revois à ce moment — me montre sur sa blouse l'emplacement du cœur, où coulait le sang.*) Et s'il y en avait qui n'étaient pas tout à fait morts, les Khmers rouges leur coupaient la tête. (*Ce disant elle sourit. Sa sœur aussi.*)

MOI. — Ce n'est pas affreux, de voir couper la tête à des gens ?

SINUOL et SINA (*ensemble*). — Non, pas si affreux que ça.

SINA. — Et nous sommes restées, parce que nous étions curieuses de voir ce qu'ils allaient faire aux six autres.

SINUOL. — Ils les ont égorgés.

SINA. — Oui. Un soldat prenait d'une main le prisonnier par les cheveux, et puis de l'autre main, avec un couteau... (*Là aussi, je la revois et la reverrai toujours : de sa main gauche, elle saisit ses propres cheveux et tire violemment, renversant sa tête en arrière. Puis de la main droite...*) Avec son couteau il faisait comme ça, plusieurs fois, sur la gorge de la victime... (*...elle mime un mouvement de scie sur sa propre gorge*). Et il y avait des soldats qui continuaient jusqu'à ce que toute la tête vienne ; d'autres qui laissaient le prisonnier avec juste la gorge tranchée. Ceux qui ne mouraient pas tout de suite criaient, et les soldats se moquaient en imitant leurs cris et leur disaient : « A bas les traîtres ! Vive les Khmers rouges ! » Ensuite, ils ont défait les cordes autour des victimes. C'était sûrement pour les garder pour le massacre suivant.

Les soldats partis, elles m'ont avoué s'être mises à trembler et n'avoir rien eu de plus pressé, dès qu'elles l'ont pu, que de courir raconter la chose à leur mère.

SINA. — En courant, je pleurais de pitié pour ces pauvres gens.
La mère prévint les deux fillettes : « Pas un mot à personne, sinon ce sera notre mort à tous. » Et, craignant pour leur vie, la mère attendit encore trois mois, jusqu'au jour où les villageois de Sala Krao partirent en masse pour franchir la frontière thaïlandaise. Ensuite, trois jours durant, pieds nus à côté de leur mère, leurs chairs enflées et déchirées par les épines et les pierres, Sina et Sinuol marchèrent.

Toutes les deux m'ont dit, dans la salle de classe de Kamput, qu'elles ne cessent d'avoir des cauchemars la nuit.

SINA. — Parfois, quand je dors, je vois une boule de feu qui tourne, tourne. Puis elle disparaît dans la forêt. Mais plus tard, elle revient.

Toutes deux m'ont dit aussi que jamais, jamais, tant que les Khmers rouges seront là, elles ne retourneront dans leur pays.

Au nord de la Thaïlande et touchant au Viet-Nam, le Laos était considéré comme le « pays du sourire ». Immédiatement après la chute de Saigon et de Pnom Penh, le Pathet Lao, Front patriotique de tendance communiste, à la tête duquel se trouvait, comme au Cambodge, un « prince rouge », Souphanouvong, déclencha des démonstrations contre « l'occupant » américain et la puissante féodalité qui tenait le pays. En juillet 1975, les Américains finissaient de plier bagage et, en août, Luang Prabang, la capitale royale, ainsi que Vientiane, siège du gouvernement, étaient « libérées ». Le Pathet Lao s'emparait entièrement du pouvoir, abolissait la monarchie vieille de six siècles et proclamait la république. Il s'agissait, bien entendu, d'une révolution « démocratique ». Le fait est que j'ai entendu des Laotiens la qualifier de révolution « des chants et des danses ».

J'ai aussi entendu un autre son de cloche. Et notamment celui de Lien, que je trouvai au camp de Ubon, dans l'est de la Thaïlande, où sont regroupés vingt-sept mille de ses compatriotes, tous ayant fui la révolution « démocratique ». Plus encore qu'à Kamput, on a là une véritable ville, avec marchés, restaurants, écoles, charpentiers qui manient la scie et le rabot, jardiniers au travail sur leurs légumes et leurs fleurs, poules qui picorent et canards qui se dandinent. Le tout reflétant fidèlement le caractère laotien, qui est aimable, rieur et profondément attaché à la terre.

Lien était un simple petit paysan qui, avec l'amour de la terre, précisément, aidait à cultiver de l'aube au crépuscule les champs de son père. Quand on saisit ceux-ci pour les intégrer dans un projet de ferme communale, l'enfant se révolta, rangea ses outils et partit droit pour la montagne. Au bout de trois jours, il arriva à un Q. G. de la résistance. Trois mois passèrent avant qu'on lui remît une mitraillette M-16 prise au Pathet Lao. Pour son premier engagement, on lui octroya huit balles, qu'il tira toutes — « et après, je me suis senti mieux ». Il ajouta amèrement qu'il avait une telle haine pour le régime du Pathet Lao qu'il lui était égal de tuer ceux de ses compatriotes qui avaient embrassé cette cause. Et il m'avoua en avoir tué, et avec plaisir.

De fait, l'engagement suivant l'opposa à des troupes gouvernementales, dans un village proche de la frontière cambodgienne. L'un de ses amis fut tué ; lui-même fut grièvement blessé à la jambe par un éclat d'obus de mortier. Ses camarades le pansèrent avec des chiffons et le ramenèrent, avec le corps de son ami, à dos d'homme et à travers la montagne, au cours d'une marche de trois jours, au camp des guérilleros. De là, sa plaie infectée toujours enveloppée de loques, on le porta sur une civière dix jours durant, jusqu'en Thaïlande.

Lien m'a montré sa blessure, fort laide et non encore complètement guérie, et qui a failli lui coûter sa jambe droite.

— Je n'attends qu'une chose : le moment de retourner dans mon pays, m'a-t-il dit. Je voudrais tuer les Pathet Lao. Ils m'ont volé ma terre.

C'est-à-dire tout ce qu'aime au monde ce petit paysan.

Bons et honorables citoyens, Souvannamacho et sa femme Sanga avaient la ferme intention d'élever leurs enfants selon leurs principes. Et c'est précisément ce qui provoqua leur inquiétude quand s'installa le régime du Pathet Lao. Le système éducatif subit un changement fondamental ; notamment, l'enseignement de toute langue étrangère fut supprimé. En outre, il y avait l'endoctrinement politique. Si bien que le chrétien qu'était Souvannamacho prit très vite la décision de partir. Des raisons de famille l'empêchèrent cependant pendant deux ans de la mettre à exécution. Au bout de ce délai, il démissionna de son emploi de comptable et retourna dans son village, sur les rives du Mékong, ce puissant fleuve qui prend sa source sur les plateaux du Tibet, puis coule vers le sud à travers le Laos, dont il marque en partie la frontière avec la Thaïlande, et continue à travers le Cambodge et le Viet-Nam pour se jeter dans la mer à l'ouest de Saigon.

Mon entretien avec Souvannamacho a eu pour cadre une petite maison de bois, agréable, au camp de Ubon. Il me montra des photos de sa femme, Sanga, très belle, de la joli sœur de celle-ci, Hué, seize ans, et de ses trois enfants, Malivan, quatre ans, Duong Chay, trois ans, Pierre, six mois. Il me présenta aussi à son beau-frère, Vixay, dix-huit ans, qui partageait le même toit. Puis il entama son récit.

Le soir choisi pour le départ, la famille se mit en route, juste après le coucher du soleil, à pied, pour le lieu de rendez-vous. Sanga portait le petit Pierre ; Duong Chay était dans les bras de son père. Malivan marchait en donnant la main à Hué, et Vixay s'était chargé d'un sac contenant des vêtements d'enfant, un peu d'or et des billets de banque.

La traversée du Mékong est extrêmement dangereuse à cet endroit : deux kilomètres et demi d'eau, balayés par un courant très fort, séparent la rive laotienne du bord thaïlandais. Des vedettes armées étaient ancrées aux points stratégiques, tandis que d'autres patrouillaient, projecteurs allumés pour fouiller le fleuve et ses abords. Parvenue au lieu du rendez-vous, la famille dut attendre son bateau, car un autre était déjà engagé dans la traversée. Soudain, les canons des vedettes ouvrirent le feu sur ce dernier. Au bruit de la canonnade, Souvannamacho demanda à Sanga (qui était plutôt timide, précise-t-il) : « Es-tu toujours aussi sûre de vouloir continuer ? — Oui, répliqua-t-elle. Je suis prête à tout risquer pour les enfants. »

A la fin, leur embarcation, avec deux jeunes hommes aux rames, arriva et la famille monta à bord. Vers le milieu du fleuve, il y a une île, inhabitée alors, à ce que l'on croyait, et à la hauteur de laquelle la barque devait virer vers l'aval sur une certaine distance, avant de remettre le cap sur l'autre rive.

Comme l'embarcation dépassait l'île, ses passagers furent surpris d'apercevoir des silhouettes d'hommes sur la plage, à moins d'une centaine de mètres. Pour la première fois, cette nuit-là, on y avait installé une batterie. On ouvrit le feu sur eux à la mitrailleuse et au canon antichar B-40. Par miracle, sous la grêle des projectiles, aucun des passagers ne fut touché ; mais la barque elle-même chavira sous l'effet d'un obus de B-40, qui la rata de peu. Tout le monde tomba à l'eau, très peu profonde à cet endroit. Comme les tirs continuaient, Sanga serra Pierre contre elle, tandis que Souvannamacho prenait dans ses bras Malivan et Duong Chay. Pendant ce temps, les autres réussissaient à redresser la barque — mais, dans la confusion, le sac contenant tous leurs biens les plus précieux fut perdu. Pis : une rame aussi.

Tout le monde étant remonté à bord, Souvannamacho et les deux jeunes rameurs entreprirent de pousser l'embarcation tout en nageant. En vain. De plus, la batterie de l'île ne cessait de tirer presque à bout portant.

Ce fut un obus de mortier qui fit chavirer de nouveau la barque, mais cette fois en eau profonde. Souvannamacho vit Sanga, serrant toujours contre elle le petit Pierre, précipitée à l'eau. Il l'entendit crier très fort — si fort qu'il la crut touchée. Il l'entendit encore dire : « Ne vous inquiétez pas de moi, pensez à vous ! » Puis plus rien, pas le moindre écho des voix de sa femme et de son petit garçon.

A la nage, Souvannamacho tâcha de rejoindre Vixay qui, toujours sous une grêle de projectiles, s'efforçait de maintenir les deux fillettes la tête hors de l'eau. Entendant sa sœur Hué appeler au secours, le jeune homme voulut se diriger vers elle. Trop tard : Hué avait disparu.

Souvannamacho rejoignit enfin Vixay, mais pas assez vite pour sauver Malivan qui venait d'échapper à la main de son beau-frère. Il empoigna l'autre petite fille et, hors d'haleine, demanda à Vixay : « Peux-tu encore tenir jusqu'à l'autre rive ? » Bien que Vixay fût épuisé, il parvint avec Souvannamacho, qui tenait Duong Chay, à parcourir à la nage les cinq cents mètres qui les ramenèrent à la rive laotienne.

Là, ils furent aussitôt arrêtés. Ils restèrent six mois en prison avant d'être relâchés sous caution. Deux semaines après sa libération, Vixay, cramponné à une chambre à air gonflée, réussit à traverser le Mékong à la nage jusqu'en Thaïlande. Et Souvannamacho, seul à bord d'une petite barque avec sa fille de trois ans, réussit à passer lui aussi à la rame.

Pendant que je parlais à Souvannamacho, une minuscule petite fille, vêtue d'un large pantalon vert et d'un T-shirt orné d'un superbe Donald Duck, dormait tout près de nous, une tétine bleue entre les lèvres, bras et jambes abandonnés. C'était Duong Chay, miraculeusement indemne malgré les mitrailleuses, les mortiers et les canons antichars des démocrates du Pathet Lao. Elle est l'unique et dernière consolation de son père, Souvannamacho.

A l'ouest du Laos et de la Thaïlande, la Birmanie est un pays à prédominance bouddhiste. Depuis son accession à l'indépendance en

1948, la minorité musulmane était l'objet de harcèlements incessants. En 1958, ces harcèlements se changèrent en pressions pour tenter de contraindre trente mille musulmans à quitter le pays en les refoulant jusqu'au Pakistan Oriental (devenu, depuis, le Bangla Desh). Vingt ans durant, cette situation devait persister pour aboutir cette fois à un exode plus formidable encore de réfugiés. Ils furent plus de deux cents mille à déferler sur le Bangla Desh pour se retrouver hébergés, épuisés et à demi morts de faim, dans des camps organisés à la hâte.

J'ai fait le tour d'un de ces camps, Kutupalong-2, dans le sud-est du Bangla Desh. J'y ai vu plus de quinze mille créatures humaines — avec la proportion d'enfants que l'on imagine — vivant dans des huttes collectives dressées par elles-mêmes avec des branchages et des broussailles, sans autre toit qu'une surface de plastique noir qui, s'il absorbe les rayons d'un soleil torride, arrête du moins la pluie de la mousson. Il faut entrer à quatre pattes et se dépêcher de s'asseoir sur la natte qu'on vous offre — il n'y a pas d'autre choix, tant le « plafond » est bas. Dans une hutte de cinq mètres sur six vivent cinquante personnes, c'est-à-dire souvent une dizaine de familles, chacune ayant, comme je l'ai vu tant de fois ailleurs, son minuscule espace délimité.

Saiful Alam, le directeur du camp — on l'appelle « le Magistrat » — me reçut dans sa salle d'audience, une hutte, petite aussi, mais du moins aérée et en bambou. Il m'y montra des chiffres sur un tableau noir : 15 242 « pensionnaires » ; à ce jour, vingt-deux naissances et cent soixante-neuf décès ; cas de viols (en Birmanie et avant l'exode), cent soixante. Une demi-douzaine environ de ces jeunes infortunées étaient accroupies sur le sol de terre battue.

La première à s'avancer vers nous s'appelait Hazara et avait seize ans. Petite et très mince, elle détournait la tête en parlant, tenant son voile d'une main pour se cacher le visage, de sorte que, seuls, ses deux yeux bruns étaient visibles. D'une voix calme, elle décrivit son viol par deux hommes de la tribu locale, les Mogs, enrôlés comme auxiliaires par l'armée birmane. Quand c'est arrivé, elle était déjà enceinte des œuvres de son mari (qui était présent avec elle). Ce jour-là, il était parti à son travail, quand les Mogs arrivèrent, se saisirent d'elle, la jetèrent à terre, arrachèrent son *longyi* (sarong) et le leur aussi bien. A ce point de son histoire, pour cacher sa timidité, Hazara s'accroupit à côté de la table. Puis, serrant encore plus son voile sur son visage, elle poursuivit d'une voix douce : « Je n'ai pas résisté. Je ne pouvais pas. Ces deux hommes avaient chacun un poignard ; ils m'auraient tuée. » Elle ajouta, en dissimulant entièrement son visage derrière son voile :

— Mes amis n'ont pas honte de moi : mais, moi, j'ai honte. Comme on peut s'y attendre, les histoires de toutes ces très jeunes femmes ou filles ne variaient que par la bestialité des détails.

Abdul Quedus, qui, lui, était un garçonnet de huit ans, aurait aimé, me dit-il, tuer les soldats birmans qui s'en étaient pris à sa sœur. Il avait beau être petit, il avait essayé de toutes ses forces, avec son père, de la défendre. Il s'était même emparé d'une arme des soldats, mais ceux-ci s'étaient alors jetés sur lui à la baïonnette : il me montra une blessure au dos, et une autre, plus profonde, à la cuisse droite. Sa sœur criait : « Frère, sauve-moi ! Père, viens à mon secours ! » Mais ni l'un ni l'autre n'osaient plus faire un geste : cette fois, ils se seraient fait tuer — comme la jeune fille. Seulement, elle fut violée jusqu'à ce que mort s'ensuive.

Parmi les victimes des attaques les plus forcenées des Mogs, il faut compter les petits chevriers chargés de garder les troupeaux familiaux. Parmi ces bergers, j'ai rencontré le jeune Rahamat Ullah, qui essaya de se défendre, seul contre une bande de Mogs qui avaient pris deux vaches du troupeau paternel. Poignardé au bras droit — la cicatrice est là — il fut poursuivi jusque chez lui où, après une brève bagarre, les Mogs maîtrisèrent son père. Pendant que huit des bandits saisissaient cet homme et l'entraînaient, deux autres s'emparaient de l'enfant et le poignardaient de nouveau, à la jambe droite, cette fois. Après m'avoir montré cette autre blessure, le petit poursuivit d'une voix sans expression :

— Ils nous ont tous deux traînés dans la jungle. Pendant qu'ils me tenaient, ils ont forcé mon père à s'allonger sur le dos. Ils lui ont écartelé les bras et les jambes. Un Mog maintenait chaque membre. Un cinquième a tiré sur mon père, d'abord dans le ventre ; ensuite il lui a enfoncé de force le canon dans la bouche et il a tiré de nouveau.

Les assassins, a-t-il ajouté, riaient et dansaient autour du corps. Ensuite, ils ont lâché l'enfant. Il est rentré en courant, il a tout raconté à sa mère et avec elle il a pleuré, « très fort et très longtemps ».

Rahamat Ullah qui avait parlé si calmement, était maintenant soudain tout bouleversé en parlant de sa mère. Après un bref silence, il a dit :

— J'aimerais manger la chair des Mogs.

Un autre de ces petits bergers m'expliqua que, si peur que les gens eussent des Mogs, ils redoutaient encore plus les soldats

320

birmans, plus violents et qui tuaient pour un oui ou un non. A ce propos, des enfants vivant au plus récent des camps, celui de Marichyapalong, m'ont apporté des témoignages difficilement supportables.

C'étaient les jeunes êtres les plus pathétiques que j'aie vus. En arrivant au camp à 7 heures du matin, juste comme la brume se levait sur les rizières et que les tourterelles commençaient à roucouler, je remarquai un groupe d'une trentaine d'entre eux, accroupis ensemble d'un côté d'une petite place. Ils parlaient doucement entre eux ; puis deux ou trois se mirent soudain à pleurer, imités peu à peu par les autres, jusqu'à ce que du groupe entier s'élevât la plus lugubre des lamentations. Oui, c'était bien le son le plus triste que l'on puisse imaginer.

Lorsque je demandai ce que cela signifiait, on me répondit :

— Ils sont tous orphelins, et ils sont venus pour vous parler.

L'un d'entre eux s'approcha, toujours pleurant, et s'assit près de moi. Il était habillé d'un *longyi* sale et d'un T-shirt. Il s'appelait Fuzal Ahmed ; il avait sept ans et était très petit pour son âge. Comme tant d'autres enfants, il avait mené une existence heureuse dans son village de Sindipran, jusqu'au matin où, avant le premier repas de la journée et alors que la famille entière était rassemblée, tout à coup les soldats avaient surgi, hurlant et assaillant les villageois terrifiés.

Fuzal Ahmed était debout près de ses parents, quand — il a mimé le geste de ses mains — ils furent abattus à bout portant. Tout en parlant, il sanglotait et tordait ses petites mains.

— J'ai laissé mes parents là où ils étaient tombés, poursuivit-il, et je suis parti en courant et en tenant mon petit frère de quatre ans par la main. Partout les gens couraient aussi, pendant que les soldats leur tiraient dessus.

Des jours durant, Fuzal et son petit frère marchèrent avec les colonnes de réfugiés en direction du Bangla Desh. Parfois il portait le petit.

Depuis son arrivée au camp, m'a-t-il encore dit en pleurant, la vie est peut-être dure, mais peu importe : « Je ne veux plus jamais retourner à Sindipran. »

La route pour le Bangla Desh était très vite devenue dangereuse. Le premier flot de réfugiés était passé sans encombre, mais les soldats birmans étaient là, cachés, pour attendre ceux qui suivraient. Une petite fille, Mahmoudia, qui essayait de cacher ses larmes derrière son voile, m'a raconté comment, cheminant avec ses parents et sa sœur dans la jungle ils avaient été surpris par des soldats. Ces hommes se saisirent de sa sœur, et comme le père les suppliait, ils le tuèrent net.

Mahmoudia et sa mère purent s'échapper dans la jungle. A en juger par la détresse qu'on pouvait lire dans son regard, elle resterait toujours hantée par la dernière vision qu'elle garde de son père assassiné.

Un garçon de douze ans sortit à son tour du groupe des orphelins, qui pleuraient toujours, et se dirigea vers moi. Visiblement, ses pensées l'emportaient très loin de là et il avait du mal à parler. C'est surtout par gestes qu'il m'a conté comment des soldats, armés de *dahs*, avaient taillé en pièces son père et sa mère, les laissant morts sur la route. Tendant bien droit les bras et collant étroitement ses petites mains l'une contre l'autre, il imita le mouvement d'un couperet, pour me montrer comment les soldats avaient fait. Puis, penchant la tête un peu de côté, les yeux baissés vers le sol, il se reprit à pleurer.

Syda, qui se cachait la figure jusqu'aux yeux avec le bord de son voile pour cacher ses sanglots, me raconta une histoire semblable, à cela près qu'elle avait vu son père matraqué à mort et sa mère transpercée à la baïonnette. Syda avait douze ans. Elle aussi avait marché pieds nus jusqu'au Bangla Desh, tenant par la main ses deux sœurs plus jeunes.

Elles étaient toutes deux là-bas, dans le groupe des orphelins. Et jamais l'impression de chagrin inconsolable et de désolation complète que m'a laissée celui-ci ne s'effacera [1].

---

1. En septembre 1978, un certain nombre de musulmans birmans, encouragés par des garanties du gouvernement birman et par l'aide des Nations Unies, ont pris peu à peu le chemin du retour. Mais on a peine à croire qu'il y ait eu parmi eux aucun de ces orphelins terrifiés.

lesquels les enfants y étaient non seulement, comme je l'avais vu dans tant d'autres pays, des victimes involontaires, mais aussi des agents de mort (la leur comprise) utilisés sciemment et souvent diaboliquement par des adultes à leurs fins de destruction.

La situation à Belfast était lourde et tendue, quand j'y passai quelque temps vers la mi-78. Lourde de méfiance, de peur, de haine — avec, heureusement, cette gentillesse et cette bonne humeur propres aux Irlandais. En raison de cette atmosphère, j'ai dû, pour éviter un surcroît d'ennuis à d'honnêtes gens qui en avaient eu déjà leur soûl, changer ou omettre ici certains noms, certaines références.

Il faut avoir pu voir et observer pour mesurer à quel point les enfants, pris dans ce climat comme dans un piège, finissent par être emportés par le courant de la violence, sans aucun espoir d'y échapper.

Ce sont les secteurs les plus pauvres, ceux des classes les plus laborieuses, qui servent de champs de bataille. Ceux-ci sont sillonnés ou quadrillés par les « Brits », les jeunes hommes de l'armée britannique et de la Royal Ulster Constabulary (la police de l'Ulster) qui, patrouillant à pied ou dans leurs command-cars verts, se partagent la dangereuse et peu enviable tâche d'empêcher les affrontements entre deux camps d'ennemis jurés, c'est-à-dire de les protéger l'un de l'autre — tout en se protégeant eux-mêmes contre les deux.

Du côté catholique (ou des *Taigs* ou des *Micks*, pour les protestants), il y a surtout l'I.R.A. (armée républicaine irlandaise), elle-même scindée en I.R.A. « officielle » (surnommée « les autocollants », à cause de leurs insignes adhésifs) et I.R.A. « provisoire » (ou « provos »), plus activiste. Du côté des protestants — les *Orangies* (en souvenir de Guillaume d'Orange, champion du protestantisme) ou les *Prods,* pour les catholiques — on trouve trois groupes : l'U.V.F. (Volontaires de l'Ulster), l'U.F.F. (Combattants de la liberté de l'Ulster) et l'U.D.A. (Association pour la défense de l'Ulster). Ajoutons que le conflit, foncièrement politique et social, a tourné à la guerre de religion entre catholiques, « républicains », et protestants, « loyalistes », fidèles à la Couronne. Entre les deux, comme toujours. la grande masse de la population rêve de vivre en paix.

L'atmosphère de peur et d'incertitude atteint son maximum dans les « endroits malsains ». La frange autour de la « ligne de paix » qui sépare secteurs catholique et protestant est une zone de désolation totale : rues jonchées de détritus et d'ordures, alignements de maisons de brique rouge abandonnées, tombant en ruine, toit manquant en partie ou entièrement, fenêtres fracassées et béantes ou murées au ciment. Les ardoises grises des toits squelettiques ont été volées par les enfants ; ils les revendent pour cinq *pence* pièce, argent qui, le plus souvent, part en boissons alcoolisées.

Byron Street, dans un des quartiers protestants du nord de Belfast, est entourée de maisons comme celles-là. La rue est située dans le « triangle de la mort », où quelque trois cents personnes ont été abattues de sang-froid. C'est là que j'ai rencontré Paddy, dix-sept ans, sa sœur Moyra, dix-neuf ans, chez leur père, Patrick. Celui-ci, qui a un travail de nuit, m'a dit tout de suite : « J'en ai assez de ces batailles ; j'ai peur pour la vie des enfants. » Moyra m'a dit de son côté : « Je suis si morte de peur, la nuit, que je ne peux pas dormir. » Quant à Paddy, il m'avoua détester les catholiques :

— Pas parce qu'ils sont catholiques, me précisa-t-il. Nous le sommes tous, à cela près qu'eux sont « romains ». Mais parce qu'ils me flanquent des trempes quand je vais au travail. Et le soir, je rentre toujours avant la nuit, de crainte de me faire tirer comme un lapin.

Ses deux passions dans la vie, m'expliqua-t-il, sont le « foot » et la natation, et il tient à arborer le foulard de son club *prod*, même si cela fait le même effet aux *Micks* que la muleta au taureau.

Cela dit, voilà plus d'une année qu'il n'osait plus aller à la piscine, à cause de ces mêmes *Micks*. Pourtant, ce n'est pas l'agressivité qui lui manque, à en juger par sa façon de croiser des bras tatoués jusqu'au coude. Au fond c'était un tendre ; les circonstances l'avaient durci. Il me dévoila que, à treize ans, il avait eu des ennuis avec la police. Un jour qu'il était dans l'autobus avec une « mignonne », une autre « mignonne », catholique celle-ci, lui donna un coup, qu'il rendit. Sur quoi, une nuée d'autres « mignonnes », catholiques aussi, lui tombèrent dessus. Commissariat de police, juge de paix et, finalement, pour Paddy, centre de redressement — « C'était affreux, dit-il. Tout le monde vous regardait. » Ramené par son père après une évasion, puis, le moment venu, libéré, il avait fini par trouver son présent travail : livreur de journaux.

— C'est mieux que rien, mais ça ne suffit pas. Je voudrais partir d'ici, au-delà des mers. Autrefois on pouvait se balader tranquillement ; maintenant on risque tout le temps sa peau. Et on est piégé, à la merci des uns et des autres.

Ces « uns ou ces autres », ce sont les « parrains ». Et les « parrains », ce sont les chefs des groupes paramilitaires des deux camps, qui attisent le feu depuis dix ans.

De temps à autre, Dieu merci, m'explique encore Paddy, il y a une « pause », grâce aux « Brits » — grâce, très exactement, à un camp pour enfants organisé par l'armée britannique à Ballykinler, pour permettre aux petits et aux jeunes — catholiques et protestants indifféremment — de changer d'air. Et je crois bien que l'expression, dans son sens le plus large, n'a jamais été plus appropriée.

Dans ce camp : on fait de la natation, de la voile, de la pêche, de l'escalade de rochers. Le sergent Bryan, qui le dirige, m'a dit sa surprise de la maturité de ces garçons et filles de douze ans et au-dessus, parfaitement détendus entre eux et qui fument, parlent de « sexe » et de tout sauf, le plus naturellement du monde, de politique :

— Je suis sûr que, laissés à eux-mêmes, ils s'entendraient parfaitement et oublieraient toute animosité, religieuse ou autre.

Paddy, à qui j'en parlai, était entièrement de cet avis : « Jamais on ne pense à se bagarrer entre *Micks* et *Prods,* à ce camp. On rigole et c'est tout. » Il a été ravi de découvrir que les *Micks* ont la même passion que les *Prods* comme lui pour le « foot ».

« Week-ends de relations communautaires », tel est le nom donné par l'armée britannique à ces réunions d'enfants. Inutile de le préciser, cette initiative, comme toutes les autres qui vont dans le même sens, est violemment dénoncée par les « parrains ». Et violemment est ici employé au sens le plus littéral. La guerre doit continuer jusqu'à la victoire. Tous les moyens d'intimidation sont bons.

A cause de cela, Paddy est pessimiste : dans dix ans, la situation sera la même — si elle n'a pas empiré. Puis, soudain, une phrase où on sent toute la force du « piège » :

— Même si je le voulais, je ne pourrais pas partir, parce que si jamais il y avait vraiment la guerre civile, je devrais me battre.

Et voilà ! Après Ballykinler, retour à Belfast et à Byron Street, et les « petits gars » remettraient cela contre les *Micks.* Pourtant, Paddy a cet aveu :

— Tout de même, ça fait trois semaines que je n'ai pas bagarré.

Soupir :

— La vie serait formidable s'il n'y avait pas la guerre !...

Dans le bas d'Albert Bridge Road (toujours à Belfast), où un jeune *Tommy,* sans lâcher sa mitraillette, riait avec deux petits enfants, et où, aux temps héroïques, les protestants se battaient à l'arc et à la flèche avec les catholiques, je suis arrivé à une maison proche de Short Strand dont les chéneaux laissaient ruisseler l'eau de pluie en cascades le long des murs, parce que, me dit-on, tous les tuyaux de descente avaient été transformés en caches d'armes. Même chose pour les égouts, devenus inutilisables. Bien entendu, la maison était vide et sans toit ; les oiseaux nichaient entre les poutres, imités par les souris et les rats, qui avaient crevé là. Vide — sauf deux pièces du premier étage où couchaient neuf des enfants du couple Maguire — lui-même couchant dans le living-room du rez-de-chaussée. Dans le plafond des deux chambres du haut, j'ai vu les trous creusés à coups de bec par les oiseaux, pour essayer de pénétrer jusque-là, de l'étage supérieur sans plafond ni toit.

En bas, j'ai parlé à M. Maguire. Sa mauvaise santé lui avait coûté son emploi ; c'était la femme qui faisait bouillir la marmite. C'étaient d'honnêtes gens, catholiques, dont le principal souci, hormis le pain de la famille, était de s'efforcer de tenir Jim et Paddy, leurs deux fils adolescents, à l'écart des « ennuis », c'est-à-dire de l'I.R.A. Et ils avaient du mal.

Jim avait déjà eu maille à partir avec la police, pour jet de pierres et insultes. Et, une nuit où un véhicule de l'armée passait dans la rue, les deux frères avaient lancé des bouteilles. Les soldats les avaient attrapés, fouillés, collés face au mur, mains en l'air, jambes écartées. Au bout d'un quart d'heure de cette position inconfortable, on leur avait dit : « Allez ! »

— Pourquoi ces actes ? demandai-je.

— On fait ça tout le temps, répondit Jim. Sinon, on n'a pas l'impression de faire la guerre.

— Et vous pensez gagner comment ?

— On les forcera à partir en les affamant. Y a que la guerre civile. Que ça.

Mais il faut aller à Ardmonagh, avec son silence et ses rues désertes entre les maisons vides aux fenêtres brisées ou murées à la brique, pour avoir froid dans le dos. Car, malgré le silence et le vide, on se sent partout épié. Ardmonagh est un bastion de l'I.R.A. où les *Provos*, les « durs de durs », sont maîtres. Et le fait est qu'il faut être endurci pour y vivre. Détritus et décombres recouvrent presque les rues ainsi que le terrain vague qui descend en pente douce vers le cimetière et où se dresse une masure abandonnée dont un mur sert aux exercices de tir. On s'est battu durement à Ardmonagh, entre « Brits » et *Provos*.

Sheelagh, une petite fille de douze ans, jolie, mais aux lèvres qui ne plaisantaient pas, m'a raconté qu'elle avait participé à plusieurs de ces batailles. Elle dédaignait de rester derrière, « avec les mioches », et se mêlait aux « grands », en première ligne, pour lapider les « Brits ». Jamais, m'a-t-elle assuré, elle n'oublierait celui qu'elle avait atteint en pleine figure — « J'ai vu le sang », m'a-t-elle dit sans une once d'émotion.

Quand je l'avais rencontré, le sergent Bryan, des « Week-ends de relations communautaires », qui emmenait au bord de la mer à Ballykinler des petits catholiques et à qui d'autres petits catholiques avaient aussi jeté des pierres, m'avait expliqué : « Les gosses qui lancent ces pierres ont tous de dix à quinze ans. Quand ils commencent à lapider, les soldats se retirent et attendent qu'ils en aient assez ou qu'ils aient épuisé leurs « munitions ». Alors, la troupe avance. Mais on sème la haine dans le cœur de ces enfants depuis l'âge de cinq ans, c'est cela la question.

— Les « Brits », je les hais, me dit Sheelagh. Ils ont emmené mon père.

Et c'est vrai : son père est « au trou » depuis deux ans et lui manque terriblement. Elle reprend !

— Je hais les « Brits » et leurs automitrailleuses.

— Et les protestants ?

— Je hais les protestants.

— Sheelagh, dis-je, je suis protestant, tu sais, bien que ma femme et mes enfants soient catholiques. Et ils ne me haïssent pas. Et toi ?

Interloquée, elle me regarde et reste muette. Pourtant je n'avais pas l'intention de la snober — au contraire, j'avais pitié de cette enfant, malheureuse parce qu'on lui avait pris son père. Il était emprisonné à Longkesh, cette sorte de camp militaire à l'extérieur de Belfast, baptisé « the Maze » (le labyrinthe), avec ses murs gris sale, sa haute ceinture de barbelés et son mirador à droite de l'entrée. Une fois dedans, l'impression est moins redoutable. Les détenus comme le père de Sheelagh peuvent voir leur famille une demi-heure par semaine — sous surveillance, certes, mais une surveillance assez lâche parfois, au point d'avoir même permis à un détenu d'approcher sa femme d'assez près pour lui faire un enfant. Depuis, l'enfant a dû naître. Si sa mère l'emmène voir son père, les premières images qu'il aura de celui-ci seront d'un homme en prison. Elles lui seront sans doute moins pénibles que ne le sont pour Sheelagh celles d'un père que, neuf ans durant, elle a connu, jour après jour, libre, alors qu'elle ne l'entrevoit plus qu'une fois par semaine. Et c'est pourquoi elle hait les « Brits ».

Annie, qui avait une quinzaine d'années, jouait un jour avec ses petites amies quand elles se trouvèrent prises entre les feux croisés des *Provos* et des « Brits ». D'habitude, me dit-elle, les ménagères et les enfants avertissent de l'approche des soldats en tapant sur des boîtes à biscuits et des couvercles de poubelles et en soufflant dans des sifflets (même les chiens sont spécialement dressés à aboyer à la vue des uniformes). Mais, cette fois, les balles se mirent à siffler brusquement autour des fillettes. Terrifiées, elles s'aplatirent par terre. Seul, tout près, un petit garçon voulait aller jeter des pierres. Annie n'était pas d'accord.

— Dans ma famille, nous pensons tous que, l'I.R.A., c'est de la foutaise. Moi, je ne marche pas dans leur truc.

Il n'empêche que lorsque, catholique, elle a voulu sortir régulièrement avec un petit ami protestant, on l'a menacée et elle a dû renoncer, et que, bien qu'elle ait envie de parler parfois aux soldats anglais, elle n'ose pas.

Elle vit dans Springfield Road, secteur « dur », non loin d'un poste de police protégé par une cage de grillage, haute de cinq mètres, et par des blocs de ciment interdisant de garer des voitures qui pourraient être piégées. Il n'y avait pas très longtemps de cela, une mère, qui avait affaire au poste de police, laissa son enfant dans sa poussette, dehors. Elle venait d'entrer quand sortent des parachutistes. L'un d'eux repère aussitôt une bombe, manifestement à mouvement d'horlogerie, déposée près de l'entrée à leur intention, mais à deux ou trois mètres de la poussette. En un éclair, l'un d'eux se jette sur celle-ci, couvrant l'enfant de son corps. Le para est mort, pas l'enfant.

Moyard, autre secteur « dur », est un nid de l'I.R.A. « officielle ». Il n'y a pas d'éclairage public, ce qui rend les nuits moins dangereuses pour les patrouilles de l'armée et de la police, mais crée pour les habitants du quartier une situation « terrifiante », comme l'a qualifiée l'un d'eux devant moi.

Cela dit, Moyard n'est pas le seul quartier dans ce cas. Et cette privation d'éclairage public, ajoutée au reste, est une des raisons pour lesquelles il n'y a plus de vie sociale pour les jeunes — mis à part les « petits caïds », les adolescents qui hantent les *shebeens*, les clubs illicites où l'on boit, tenus et patronnés par les différentes organisations paramilitaires. Ce sont tous des jeunes qui ont gagné leurs étoiles en première ligne, en se battant pour la liberté, s'ils sont républicains, pour la fidélité à la Grande-Bretagne, s'ils sont loyalistes.

A l'incitation des « parrains » — bien trop avisés pour s'en mêler directement — ces adolescents ont, aux yeux de la loi commune à toutes les sociétés, commis des crimes et des atrocités. Mais on leur explique qu'ils se conduisent « en hommes » (hélas, ce n'est que trop vrai !) et, au même titre que les camarades, ils ont droit à leur « pot de bière »[1].

Du côté *prod*, le secteur clé est Newtownards Road, où se tient le Q.G. de l'U.D.A. (l'Association pour la défense de l'Ulster), bâtiment plutôt délabré déployant toute la panoplie de la fidélité à la Couronne britannique. S'il s'y passe quelque chose d'important, on le sait à voir le jeune garçon qui, mine de rien, « fait le pet », adossé au mur.

Comme dans tous les *pubs* et *shebeens* du quartier, tous les guetteurs et les « chiens de garde » sont de jeunes adolescents, utilisés en permanence et récompensés, à l'heure de la relève, par une ou deux chopes de bière aux frais de la maison. Lors de mon passage, le repaire de l'U.D.A. était un *pub* à l'angle de Templemore Avenue, célèbre pour ses bagarres, ses prostituées et ses beuveries passé l'heure légale. Il servait d'antichambre à la vie d'adulte aux jeunes des *corner groups* — très exactement : les traîne-cul.

Mais rien ne valait d'être admis dans l'organisation des jeunes de l'U.D.A., les « Jeunes Newton », qui étendait son « autorité » à tout le quartier. Ces jeunes portaient tatoués aux deux bras leur nom de baptême et les mots « *Jeune Newton — U.D.A.* ». Ils parlaient avec feu des exécutions et des meurtres perpétrés dans le secteur. La plupart d'entre eux avaient manipulé des armes et certains savaient fabriquer des bombes.

Appartenir activement à une organisation paramilitaire permettait à ces adolescents désœuvrés, méprisés, souvent rejetés, de se donner de l'importance, d'acquérir une popularité dans leur public et donc de remonter dans leur propre estime. Les filles étaient fières

---

1. Au moment où je relis ces pages, on me signale que la police et l'armée sont intervenues pour « briser » ces clubs illégaux.

de se montrer avec eux ; les « parrains » des deux camps, bien trop ravis de rester dans l'ombre pendant que ces jeunes troupes fanatisées se portaient volontairement en première ligne.

Les « parrains » !
— Ils ne sont pas fous, ceux-là. La police les tient à l'œil dans leurs moindres mouvements, mais jamais ils ne mettent le pied ou le doigt là où il ne faut pas.

Ainsi me parlait un « salaud de Brit », comme on dit là-bas. (Appelons-le le sergent Bob.) Et il parlait en connaissance de cause. Il avait fini par devenir familier d'un de ces « parrains » — homme marié, père de plusieurs enfants :

— Mais si vous croyez qu'il les laisserait militer dans l'I.R.A. ! Jamais ! Lui-même est chef de brigade dans l'organisation, mais reconnaît au maximum mériter le titre de « conseiller ».

Moi aussi, j'en ai connu un de près, pour avoir passé une heure avec lui. Rory (disons) était une des têtes d'un groupe particulièrement militant. C'était un dur, qui avait fait la preuve de son propre militantisme. Avec cela, doux comme un agneau d'aspect, et me recevant discrètement, mais amicalement (malgré les regards noirs de ceux qui l'entouraient).

Il me parla ouvertement, de sa voix tranquille, des « Jeunes Fianna », les jeunes de l'I.R.A. qui, dès l'âge de huit ans, peuvent jouer en première ligne des rôles mineurs, mais vitaux : ceux de guetteurs ou d'éclaireurs, signalant par des coups de sifflet ou, dans le noir, à l'aide de lampes électriques, l'approche des soldats ou de la police, et servant de messagers. — « Ils sont très forts, ces petits gosses », m'avait déjà dit le sergent Bryan.

L'I.R.A. a d'autant plus besoin de ce jeune sang, m'indiqua Rory, que beaucoup de ses vétérans sont en prison. L'endoctrinement, ajouta-t-il, commence très tôt : sur les genoux de la mère, et encore mieux de la grand-mère. Après l'initiation — le stade de l'éclaireur-guetteur — les adolescents, et même les plus jeunes, passent à la phase des lanceurs de pierres, puis, selon l'âge et le « talent », à celle où on leur confie des armes à feu. Les « grands » peuvent devenir « capitaines » dans l'I.R.A. à dix-huit ans.

Du côté des protestants, m'expliqua aussi Rory, il y a « l'Ordre d'Orange », qui recrute à partir de l'âge de neuf ans pour son organisation de jeunes. On y instruit les enfants dans leur religion et dans la lutte pour sa défense. Plus militants encore sont les Y.C.V., les Jeunes Citoyens Volontaires de l'U.V.F. (Force des volontaires de l'Ulster), singulièrement dure. Ceux-là, on les trouve sur le « front » dès l'âge de douze ans, comme lanceurs de pierres couvrant les tireurs d'élite embusqués.

Dans tous ces mouvements, la discipline est très stricte — Rory a beaucoup insisté sur ce point. La délation, le renseignement pour le compte de « l'ennemi », le vol, le commerce et la pratique de la drogue (extrêmement rares en Irlande du Nord), sont sévèrement punis. Les moins de quatorze ans sont « traités » dans la « salle de récréation » : une demi-heure de correction à coups de poing, de pied et de bâtons cloutés.

Pour les « délits » et « crimes » des plus de seize ans — filles et garçons indifféremment — c'est le « truc du genou ». Invention de l'I.R.A., m'a précisé Rory, mais adoptée par les *Prods* aussi. A la date à laquelle nous parlions (la mi-78, je le rappelle), on en comptait six cent cinquante cas depuis le début des troubles. Il y a trois degrés : une balle de revolver au-dessus du genou, entraînant l'infirmité temporaire — une balle dans le devant du genou, la blessure étant alors plus grave et causant une invalidité permanente — une balle en plein jarret, derrière, qui détruit à jamais l'articulation.

Il existe également un raffinement, qui consiste à exécuter la chose à l'aide d'une perceuse électrique — c'est ce qu'on appelle le « truc à la Black-and-Decker » (les fabricants de l'instrument en question n'y sont pour rien).

Enfin, le tarif suprême est le « truc à la tête » — une balle dans le crâne — pour les plus de dix-sept ans.

Ayant dit, Rory m'offrit aimablement un verre. Je l'acceptai — j'en avais grand besoin. Le levant à sa santé, je vis au mur la photo de la reine d'Angleterre, dont le regard et le sourire bienveillants semblaient se pencher sur Rory, son loyal sujet.

30

Dans les camps de Palestiniens
près du Jourdain
et de Gaza

J'avais retenu pour dernière étape de mon itinéraire les régions qui me ramenaient au début de son trajet historique, et donc de ce livre. Il se trouve que c'est, aujourd'hui, ou plutôt que cela reste un des points les plus « chauds » du globe. On verra tout de suite ce qu'il en est.

Quatre-vingt-cinq pour cent de la population arabe d'origine palestinienne, soit trois millions d'âmes (musulmans et chrétiens réunis), vivent hors de la Palestine. De cette *diaspora* palestinienne, la grande majorité est dispersée entre les pays arabes voisins, dont des parties, telles la bande de Gaza et la rive occidentale du Jourdain, restent occupées par Israël depuis la guerre des Six Jours de 1967.

Le 7 juin de cette année-là, un écrivain palestinien bien connu, directeur de l'institut d'Etudes palestiniennes de Beyrouth, Sami Hadawi, debout sur la rive orientale du Jourdain, assiste à une scène qu'il décrit ainsi : « Une masse humaine traversait à gué. par milliers, les eaux du fleuve... tandis que d'autres se bousculaient, poussés, aiguillonnés comme un troupeau, parfois par des volées de balles tirées au-dessus des têtes pour presser le mouvement... Des nourrissons, des enfants en bas âge passaient au-dessus des têtes, de mains en mains, comme des ballots ou des paquets. » Sami Hadawi déclare aussi n'être pas près d'oublier les regards de deux innocents de six et sept ans, brûlés de la tête aux pieds par le napalm d'une bombe israélienne : « Le regard d'incrédulité avec lequel leurs yeux vous interrogeaient et semblaient demander : " Qu'est-ce que cela signifie ? " était pitoyable et tragique. »

Dans le paysage de collines des environs de Bethléem, j'ai rencontré, moi aussi, des « ex-enfants » qui avaient vécu la guerre des Six Jours, mais étaient restés sur la rive occidentale du Jourdain et, depuis, résidaient dans le camp de réfugiés d'El Aïda.

Parmi eux, je me rappelle Mohammed et Mahmoud, qui avaient respectivement cinq et six ans en 1967 et qui n'ont presque jamais connu d'autre existence que celle du camp. Très intelligents tous deux, ils étaient allés aussi loin dans leurs études que le permettait l'école ouverte pour les réfugiés par l'O.N.U. Mais, sans un sou pour pouvoir continuer, ils n'avaient devant eux que la perspective, équivalente à une mort lente de l'esprit et de l'être, de finir le reste de leurs jours au camp d'El Aïda. Leur unique désir était d'échapper à ce sort. Mahmoud aurait aimé retourner en Palestine, c'est-à-dire en Israël, et au village natal de son père, situé dans la bande de Gaza et qu'il ne connaît pas. Mohammed rêve de quitter ces régions trop agitées et voudrait aller tenter sa chance en Amérique — sauf si on lui rendait la terre et la ferme paternelles.

Quand je leur parlai de l'entraînement militaire clandestin qui a lieu dans certains camps, tous d'eux m'ont répondu :

— Oui. A condition que ce soit pour devenir de vrais soldats, et pas pour faire comme les terroristes : tuer des enfants et des innocents.

Je me souviens aussi de Halil. C'était cette fois au camp de Shati, près de Gaza. A quinze ans, Halil avait entendu arriver, dans un grand fracas céleste, l'armée israélienne de la guerre des Six Jours. Il ne pouvait voir les soldats : il est aveugle. Quand un Israélien lui cria à distance de décliner son identité, les autres Arabes autour de lui dirent aux soldats : « Il est aveugle ! » Mais Halil se leva et alla droit aux Israéliens en leur tendant ses papiers. Ce qui fit que les soldats, croyant qu'on se moquait d'eux, et furieux, devinrent menaçants. « Voyez vous-mêmes », leur dit Halil en ôtant vivement ses lunettes. Et les Israéliens se confondirent en excuses et en admiration. J'ai pu moi-même admirer l'extrême dextérité de ce jeune aveugle vêtu de noir, avec ses lunettes cerclées d'acier et sa canne blanche dont il frappait vivement le sol pour guider sa marche rapide.

Je ne l'en prévins pas moins que j'étais accompagné de trois fonctionnaires israéliens. Cela ne refréna nullement ses sentiments — et je dois souligner que mes compagnons lui laissèrent une entière liberté d'expression.

— Je suis, me dit-il, un Palestinien que l'on a chassé de sa terre.

— Vous la rappelez-vous, cette terre ? demandai-je.

— Non. Mais mon père me l'a si souvent décrite que c'est comme si j'y avais vécu. La vie était simple et mon père soignait ses oliviers et cultivait des légumes. Ce que je ne comprends pas, c'est pourquoi le gouvernement israélien demande à des juifs qui vivent en paix dans d'autres pays de venir peupler le mien, quand moi, qui y suis né, je n'ai pas le droit d'y vivre.

S'il ne cachait pas sa sympathie pour la résistance des fedayin, il exprimait des réserves sur leur action :

— Nous ne voulons plus de guerres ni de désastres. Je n'aime pas le meurtre... même s'il s'agit d'Israéliens. Mais ceux-ci ont porté la mort dans nos camps, avec leurs bombes et leurs canons. Ils ont tué nos enfants et les nôtres tuent les leurs en retour. Moi, je n'aime pas cet échange de tueries.

Comme, de toute façon, sa cécité lui interdisait de rejoindre les rangs des fedayin, il s'est jeté dans l'étude. Avec un courage et une ténacité exemplaires, il a obtenu par son travail personnel une bourse d'étudiant ; en même temps, pendant les vacances, il emploie ses mains d'aveugle dans une usine et, avec ce salaire, fait vivre ses parents et lui-même — « Ma famille, dit-il, est une des plus pauvres de tout le camp. »

Il m'a emmené chez lui. Suivi d'une petite foule d'enfants curieux et surexcités, nous avons longé la plage jusqu'à une large agglomération de cabanes et de masures, coupée par des ruelles en zigzag, gluantes de vase et d'ordures. Au-dessus de ce décor de désolation se dressait une forêt d'antennes de télévision.

Les abords du logis de Halil étaient gardés par une clôture : bribes de barbelés rouillés servant plus ou moins de lien à un déploiement de vieux châlits, de fûts à essence et de vieilles casseroles, avec, çà et là, les vestiges d'une bicyclette. Passé le linge tendu sur une corde, on arrivait à une cabane basse à toit de tôle : une seule pièce donnant sur un bout d'espace libre, mais terriblement encombré. C'est là que dort Halil, par terre, en face d'un trou dans le sol qui sert de cabinets — une petite cruche tient lieu de chasse d'eau.

Et là, Halil l'aveugle prépare un diplôme de sciences sociales, avec un seul but en tête : aider à améliorer le sort des Palestiniens, ses frères — les aider à réaliser peut-être un jour, pacifiquement, le rêve qui leur garde une âme vivante au milieu de la laideur, de la misère et de l'entassement humain des camps : revoir leur terre sainte, le sol sacré de la Palestine.

Pourtant, tous les Palestiniens ne vivent pas dans des camps. Il en est qui résident dans des villas et de riches demeures (comme on en voit surplomber le camp de Shati) ou dans de vraies maisons, si humbles et délabrées soient-elles. Il y a aussi des enfants qui n'ont pas de vrai foyer. Par exemple Lamiel, qui avait treize ans quand je l'ai vue.

Avant 1948 et la création de l'Etat d'Israël, le père de Lamiel, Mohammed, était lui-même un jeune garçon qui gardait le bétail et les chameaux et aidait à cultiver la vigne de son propre père, près de Gaza. Lors de ma visite, Mohammed était en prison, et ce fut sa mère — donc la grand-mère de Lamiel — vieille Bédouine pleine de dignité dans son voile noir et ses longs vêtements ornés de perles et de sequins, qui me conta ce qu'il en était. Autour d'elle, toute une troupe d'enfants des deux sexes était rassemblée dans la petite baraque branlante fermée de trois côtés par des plaques de plastique et de tôle rouillée, avec de l'herbe tressée en guise de toit. Ce décor misérable étant sans rapport avec la chaleur hospitalière que rayonnait l'admirable vieille dame.

Les épreuves avaient commencé avec les combats entre Israéliens et Egyptiens en 1948, autour de Gaza. Sa maison bombardée, la famille, parents, enfants, troupeaux, pêle-mêle, avait fui — « Allah m'est témoin, m'a dit la grand-mère. J'ai couru de toutes mes jambes, coiffée d'une casserole que je tenais pas la queue, pour me protéger des éclats. » Après deux jours de marche forcée, ayant abandonné en route le bétail, la famille atteignit Gaza où, depuis trente ans, elle vivait dans la misère noire.

— Allah soit loué d'avoir inspiré aux Nations Unies de nous donner alors la nourriture ! m'a dit aussi la vieille dame.

Mohammed, après de brillantes études, était devenu fonctionnaire dans l'administration israélienne. La petite Lamiel avait deux ans en 1967, et c'était à la suite de la guerre des Six Jours que son père avait été arrêté, sous l'accusation d'aide aux fedayin. Depuis, Lamiel a le droit d'aller voir Mohammed en prison — mais sans l'approcher — un quart d'heure par mois. Depuis aussi, c'était à la Croix-Rouge internationale qu'Allah avait soufflé d'assurer la maigre substance de la famille. Malgré quoi, on était toujours à court de nourriture *et même d'eau* et contraint de vivre dans une misère abjecte — toutes choses que j'ai pu vérifier.

— Notre vie est pareille à de la boue. Nous étions beaucoup mieux quand les Anglais étaient les maîtres. (L'aveu était inattendu.)

Et Lamiel, qui se taisait en tortillant timidement une boucle de ses cheveux, que pensait-elle ? Avec une violence tout aussi inattendue, cette douce enfant m'a répondu, sans se soucier des deux Israéliens qui étaient avec moi :

— La malédiction d'Allah soit sur tous les Israéliens ! Je voudrais pouvoir les égorger, tous.

— Même les enfants ?

— Qu'ils aillent au diable !

Je me suis tourné vers Khalid, garçon de quinze ans au visage très intelligent. Je n'avais pas ouvert la bouche qu'il me disait déjà :

— Mon père a été tué. Tué en combattant pour les fedayin.

Puis, me montrant une médaille pendant à son cou au bout d'une chaîne et portant le mot *LOVE* (amour) :

— C'est pour montrer mon amour pour mon pays. Je ne l'ai jamais vu, mais mon grand-père m'en parle tout le temps. Il me parle du village d'où nous venons. Je me le représente comme un endroit avec plein de terres et très beau.

— Quel est ton plus grand désir ? ai-je demandé.

— Faire partie des fedayin.

— Tu trouves qu'il est juste et bien de tuer des enfants ?

— Tu dois dire non ! coupa soudain la grand-mère.

Mais, calmement, Khalid :

— Jeunes et vieux, je leur trancherai la tête.

Puis, de la même voix tranquille :

— Si je suis tué, un autre prendra ma place.

Non loin de Gaza encore, il y a, dans une orangeraie, un tas de pierres qui est le seul vestige de la maison de Khalil Taha. Un soir de Ramadan, en 1971, sa femme, ses trois filles, ses trois fils (dont deux étaient des fedayin) achevaient avec lui le repas du soir quand la porte s'ouvrit violemment sous un coup de pied et des soldats israéliens firent irruption. Quelques brèves questions, une longue rafale d'arme automatique, deux grenades à main qui roulent, la porte qui claque sur la sortie précipitée des soldats. L'instant d'après, tout n'est que fracas, chaos, carnage. Dans la fumée, indemne, Hayat (elle avait onze ans) entend un des soldats crier : « *Beseder !* » (O.K.). Elle voit sur le sol sa mère, un de ses frères, une de ses sœurs, morts tous les trois, et à côté d'eux son père et sa sœur de quinze ans, Farida, blessés. Son plus jeune frère est indemne aussi. Le troisième, qui est fedayin, a réussi à s'échapper.

Dans une autre orangeraie non loin de là, j'ai écouté, sept ans après, les survivants de ce massacre : Khalil, Hayat, Farida et Khamis, le frère cadet. L'autre frère fedayin était absent. Hayat, belle jeune fille de dix-huit ans au regard clair et droit, me dit :

— Les soldats ont demandé : « Avez-vous vu ici des armes appartenant à vos frères ? » Evidemment, je savais que mes deux frères aînés étaient des fedayin, mais j'ai répondu, ce qui était vrai : « Les seules armes que je voie sont celles que vous portez. » C'est là-dessus qu'ils ont tiré. Quand j'ai vu ma mère morte, je me suis jetée près d'elle et j'ai pensé devenir folle.

Khamis, qui n'avait que sept ans à ce moment-là, garde un souvenir confus de la scène : « On se serait cru dans un abattoir, avec plein de chair et de sang partout. »

Quant à Farida, le destin la poursuivait. Déjà, pendant la guerre de Six Jours, elle était sortie pour tirer de l'eau et s'était laissé prendre par le couvre-feu. Sur le chemin du retour, près de chez elle, une patrouille lui avait tiré dessus. J'ai vu les deux trous de la balle qui, entrant par le derrière du crâne, était sortie par le front. Une autre l'avait blessée au bras. Elle avait douze ans. Elle était restée partiellement paralysée, depuis.

La nuit de 1971 où d'autres soldats firent irruption dans la maison, des éclats de grenade l'atteignirent à la jambe, au ventre et près de l'œil gauche. Gisant impuissante et blessée, elle criait : « Israéliens, *khawaja !* Au secours ! Vous ne pouvez pas laisser des enfants blessés parmi des morts ! Je vous en supplie, transportez-nous à l'hôpital. »

— Ils ont répondu : « C'est la faute des fedayin si on vous a tiré dessus, pas la nôtre. » Mais à la fin ils ont cédé et ils m'ont emmenée avec mon père en ambulance.

Sur quoi, Khalil, le père :

— Elle serait mieux morte ! Qui s'occupera d'elle ? Elle n'est qu'une moitié d'être humain, même pas bonne pour être la femme de personne. Que vais-je faire d'elle ?

Et Farida :

— Oui, mieux vaudrait que je sois morte. Ce serait mieux que cette existence de demi-morte.

Hayat à son tour :

— Moi, je regrette que nous ne soyons pas tous morts. Quand je vois un Israélien, j'aimerais mieux rencontrer la Mort en personne.

Un Israélien, présent avec moi :

— Et quand vous allez à l'assistance sociale israélienne pour toucher l'allocation de secours ?

Khalil :

— Cela ne change rien, je ne veux pas les voir.

Et, la tête dans les mains, il a pleuré — chose humiliante entre toutes pour un Arabe, plus que pour aucun autre homme. Puis, montrant du doigt le ciel, il a dit :

— C'est la volonté d'Allah, mais Allah jugera.

31

Au doux Liban on a drogué des adolescents pour les jeter au combat

Les Palestiniens, je les ai retrouvés au Liban, où, en 1975, ils étaient plus d'un quart de million, s'ajoutant à une population de quelque deux millions neuf cent mille âmes, à peu près également distribuée entre musulmans (de différentes sectes) et chrétiens.

Il est de notoriété publique que, dans les camps de réfugiés palestiniens situés autour de Beyrouth, de Tyr, de Saïda et de Nabatich, se faisait l'entraînement des fedayin, combattants de la liberté dont l'endoctrinement politico-révolutionnaire commence dès un très jeune âge, tant au sein qu'en dehors de la famille.

Quant à l'initiation militaire, elle se situe aux environs de neuf ans, lorsque petites filles et petits garçons sont intégrés dans une unité et, revêtus d'une sorte de *battle-dress*, apprennent le maniement des armes légères. Légères, pour la bonne raison que ces recrues seraient bien en peine d'en manier de plus lourdes. Ce sont des fusils de bois, ou vrais mais inutilisables. Les armes réelles ne

341

sont confiées qu'aux « aînés » — c'est-à-dire aux enfants de plus de dix ans.

Tous ces jeunes fedayin apprennent le maniement des armes individuelles et collectives sous la direction d'instructeurs guère plus âgés qu'eux. Et tout cela se passe hors des regards indiscrets. Au visiteur trop curieux qui s'étonne de ne pas voir d'enfants dans le camp, on expliquera qu'ils sont à une réunion de chants folkloriques ou à une répétition pour une fête au camp. La discipline est rigoureuse, mais en général librement consentie, à cause de l'enthousiasme fanatisé des enfants.

Les attaques parties de ces camps contre Israël ont entraîné, on le sait, des réactions en chaîne. Israël a riposté violemment, poussant les représailles jusqu'en territoire libanais. Et les Libanais eux-mêmes, notamment les chrétiens de droite — « Chamounistes » (appelés ainsi du nom de leur chef, Camille Chamoun) et « Phalangistes » de Pierre Gemayel — lassés des turbulences de leurs « hôtes » palestiniens, passèrent à l'action contre eux.

En avril 1975, à Beyrouth, dans le quartier d'Aïn-Remaneh, des phalangistes ouvrirent le feu sur un car de Palestiniens : vingt-six morts. Ce massacre fut le détonateur d'une guerre civile qui, par sa sauvagerie, ses tueries aveugles et systématiques, son acharnement à détruire, a été rarement égalée. Ce n'est pas une guerre de soldats ; c'est une guerre de *gens*, mais où les adultes ont, comme en Irlande, sciemment et méthodiquement employé les enfants. D'où son côté singulièrement monstrueux.

Si l'on a vu, dans les rues et sur les barricades de Beyrouth, des petits chrétiens de quatorze, douze et même neuf ans, armés jusqu'aux dents et grenades à la ceinture, de part et d'autre on a cyniquement exploité l'inconscience des jeunes et leur ignorance du danger, qui leur permettaient de se glisser dans des positions fortement défendues, pour y jouer les francs-tireurs et les dynamiteurs, voire pour tuer à bout portant — et d'ordinaire se faire tuer en retour. Aux funérailles de son fils de quatorze ans, une mère chrétienne lut un poème exaltant sa mort glorieuse et proclamant que personne n'en était plus fière qu'elle. L'amour de leur religion et de leur doux Liban inspirait ces jeunes gens.

Mais, si l'héroïsme spontané n'a pas manqué dans le camp chrétien, la drogue non plus, qui était presque inconnue de la jeunesse libanaise avant cette guerre. C'est un jeune Libanais (dont je dois taire le nom) qui m'a lui-même éclairé sur ce chapitre. Et, par la force des choses, je ne peux non plus entrer dans tous les détails.

A l'en croire, depuis le début de la guerre civile le trafic d'une variété spéciale de haschich, cultivée en Turquie et importée par un aérodrome secret proche de Baalbek, s'est développé dans tout le pays. Et si, dans les rangs de la milice chrétienne, se trouvaient des garçons venus là par fidélité à leur idéal, cette organisation n'était pas seulement un parangon de vertu : le vice y avait sa part, sous la forme de la drogue, dont on se servait pour attirer et recruter les adolescents. Nabir, un garçon qu'il connaissait, s'était enrôlé non pour la cause, mais « pour avoir plus de drogue ». Le seul but poursuivit par les jeunes comme Nabir, continua mon interlocuteur, était de devenir, grâce au haschich, un être neuf, un héros, plus fort qu'un taureau. Un autre garçon lui avait déclaré que, sous l'effet du haschich, il se sentait « fort et heureux au combat ». « Surtout quand je vois le sang, car plus il y a de sang, plus cela fait de haschich pour moi. » Et mon informateur d'ajouter :

— On ne leur donne pas de médailles pour leur bravoure, on leur donne plus de drogue.

Il me cita aussi le cas d'un tout jeune adolescent — je l'appellerai Ali — inconsolable de la perte de son père, tué dans la guerre, et qui, pour cela, prit contact avec la Phalange par esprit de vengeance. On lui donna un fusil et lui disant : « Sers-t'en ; rien n'est plus simple. » Comme il avouait sa peur, on lui donna aussi une « cigarette » : « Tu verras, tu te sentiras mieux. » C'était vrai : « Tout semblait plus facile, confia-t-il à mon informateur. Je me sentais de taille à me battre à un contre dix. »

Et le processus infernal commença : plus Ali tuait, plus il se sentait brave et plus il fumait de haschich. Drogué, sanguinaire, il tuait, tuait n'importe qui, vieilles gens, femmes, enfants comme lui — uniquement pour l'ivresse de la tuerie.

Puis, dans un moment de lucidité, il s'effondra, de remords et de chagrin : « Il est venu me trouver, m'a dit mon informateur, et m'a supplié en pleurant de l'aider à en sortir. Mais il n'y avait plus rien à faire : il était devenu un instrument précieux, il connaissait certains secrets. Qu'il parte, lui déclara-t-on, et c'était son arrêt de mort. Il resta. »

Parmi les victimes de la fureur de la milice, je range les six enfants d'une famille musulmane, rencontrés aux abords de Beyrouth. La famille habitait le quartier pauvre de Maslakh, dans le nord de cette ville, lorsque, en janvier 1976, un terrible après-midi, les miliciens prirent d'assaut le secteur. Tandis que les fedayin essayaient de tenir tête, la population tenta de fuir. Les assaillants rattrapèrent la colonne de fuyards où se trouvaient les six enfants (trois frères, Ahmed, seize ans, Abed, onze, Jafar, dix, et trois filles, Sabah, quatorze ans, Wafa, sept, Sana, cinq) et leurs parents. Un des miliciens tira, blessant la petite Sana, puis tua le père de deux balles à bout portant, une dans la bouche, une autre dans la poitrine, tua ensuite la mère, net, d'une balle dans un œil.

Paralysés de peur autour des corps de leurs parents, les six enfants regardèrent, hébétés, la suite du massacre.

— J'ai vu ces hommes, m'a raconté Sabah, saisir des filles de mon âge et même plus jeunes. Il y en avait qu'ils violaient. Quand ils ont eu fini le carnage, ils nous ont dit, à d'autres enfants et à moi, d'aller ramasser les armes des combattants morts pour les leur apporter, pendant que, eux, ils restaient à l'abri des tireurs isolés.

Abed, de son côté, m'a juré avoir vu des miliciens pendre des gens à une barre de fer horizontale, à l'aide de crochets de boucherie plantés sous le menton, et un voisin, qu'il reconnut, les jambes attachées à deux voitures qui l'écartelèrent et le déchirèrent en deux, ainsi que des gens arrosés de pétrole, puis « allumés ». (Ses nerfs ne s'en sont jamais remis. Nerveusement, à treize ans, Abed est une épave.)

Les miliciens partis, les enfants, ne sachant où aller, campèrent pour la nuit à côté des cadavres de leur père et de leur mère. Le matin venu, Sabah et Abed essayèrent de tirer le corps de leur mère à l'écart de la chaussée ; mais il était trop lourd pour eux.

Là-dessus, retour des miliciens, qui commencent à dépouiller les morts. Au cadavre du père, ils arrachent un médaillon en or. L'un d'eux lit le mot *Palestine* gravé dans le métal, saisit sa mitraillette et tire dans le corps en dessinant avec son arme le signe de la croix. Même chose pour la mère, une fois ses bijoux volés.

Ensuite, on emmène les six enfants dans un bâtiment où on les enferme à clé. On revient leur donner du lait — mais salé — et raser les cheveux de Sabah, pendant qu'on ligote les poignets d'Abed avec un fil de fer et qu'on découpe et prélève sur la cuisse d'Ahmed une lanière de peau. Après quoi on le pousse dans un groupe destiné à être exécuté. Comme il se met à prier Allah tout haut, un Libanais lui chuchote : « Tais-toi, ou bien ils vont te prendre pour un Palestinien. Viens près de nous ; ils nous épargneront. »

Aujourd'hui, à dix-huit ans, Ahmed travaille comme il peut pour faire vivre ses cinq frères et sœurs, et Sabah dit : « Je n'ai pas de haine pour les chrétiens. Mais les miliciens, non, je ne peux pas leur pardonner ce qu'ils ont fait. »

Le même mois de janvier 1976, les fedayin se vengeaient férocement sur les chrétiens d'un village montagnard, au sud de la capitale : Damour.

Il était minuit, et Toufic Eid, neuf ans, et ses jeunes frères et sœurs, Tony et Soumia, dormaient à poings fermés comme lui. Je laisse parler Toufic :

— Avec nos parents, nous étions hébergés par un voisin qui avait une grande maison à côté de l'église. Nous avons été réveillés par de grands coups frappés aux fenêtres. Dehors, des voix d'hommes criaient : « Ouvrez ! » Tout le monde avait très peur, mais personne n'a bougé ni rien dit. Puis un bébé s'est mis à pleurer. Alors, les hommes qui étaient dehors ont commencé à briser la porte pour l'enfoncer et, quelques instants plus tard, nous nous sommes trouvés en face de deux fedayin. Ils réclamaient mon oncle, qu'ils venaient chercher. Mon père s'est avancé, dans l'espoir de nous sauver tous. En l'emmenant, les fedayin lui donnaient de grands coups sur la tête et dans le dos.

« Ensuite, ils sont revenus et ils ont demandé : « Où est sa femme ? » Ils ont emmené aussi ma mère. Nous l'avons vue avec mon père ; ils étaient en tout deux hommes, trois femmes et quatre garçons, alignés contre le mur de l'église. On ne nous a pas forcés à sortir pour regarder, mais nous avions si peur pour papa et maman que nous voulions absolument savoir ce qu'on allait leur faire. Cela s'est passé très vite. Les fedayin ont tiré, les criblant de balles, tous les neuf. Les quatre garçons étaient mes amis, je les connaissais bien. Ils s'appelaient Boulos, Pierre, Eli et Tanyos, et ils avaient, dans l'ordre, douze, quinze, dix-huit et vingt ans.

— Un des fedayin voulait qu'on nous tue aussi. L'autre ne voulait pas, il disait : « Non, il ne faut pas, ce sont des enfants. » Ils se sont disputés furieusement, pendant que nous nous demandions ce qui nous attendait. A la fin, le second a gagné. Ils nous ont conduits dans l'église et enfermés à clé. Nous sommes restés là toute la journée.

J'ai voulu savoir ce que Toufic pensait de ces deux hommes qui avaient tué ses parents et ses amis :

— Je leur pardonne au nom de Jésus, avec joie, m'a-t-il répondu sans hésiter.

— Moi aussi, m'ont dit presque d'une seule voix Tony et Soumia.

Réponse tout aussi spontanée que celle des villageois de Damour la veille du massacre, lorsque leur prêtre, les ayant rassemblés, pour

345

les préparer à la mort, leur demanda : « Etes-vous prêts à pardonner à tous ceux qui chercheront à vous tuer ? » Il y eut un silence, puis l'assistance répondit : « Oui », unanimement.

Le père Mansour Labaki qui vécut cette tragédie avec ses paroissiens, fonda par la suite, avec la bénédiction de l'évêque de Beyrouth, un foyer pour les orphelins de cette communauté, foyer qu'il a baptisé « Notre-Dame-de-la-Joie ». Musicien, le père Labaki a écrit les paroles et composé la musique de chansons sur le drame libanais, et créé une chorale avec ses orphelins. Je l'ai rencontré :

— Il s'agit d'enfants, m'a-t-il déclaré, que la haine divisait naguère et que la charité a rapprochés aujourd'hui. A leur tour, ils vont se répandre en chants d'amour, même pour ceux qui leur ont fait tant de mal.

Et c'est un fait que, au Liban, les chants du père Labaki et de ses petits orphelins ont été adoptés par les musulmans comme par les chrétiens ; ils ont même gagné les pays arabes voisins.

Il n'était pas question de charité chrétienne entre les milices portant cependant le même nom et leurs frères en religion vivant au camp de Jisr al-Basha, dans un faubourg nord-est de Beyrouth — et ce, pour la bonne raison que ceux-ci, tout chrétiens qu'ils étaient, n'en étaient pas moins des Palestiniens.

Le 29 juin 1976, les milices déclenchèrent un assaut décisif contre Jisr al-Basha. Parmi les centaines d'enfants soumis à un déluge de tirs d'artillerie ce jour-là, il y avait trois petits Palestiniens chrétiens, Boutros, onze ans, son frère cadet, Elias, et la minuscule Eugénie. Lors de ma visite au foyer pour enfants palestiniens de Beit Atfal Alsomoud, qui est un havre de paix, deux années avaient passé depuis la journée de terreur où ils étaient demeurés tapis dans un abri. Avec un sens des responsabilités communes étonnant pour son âge, Boutros me dit :

— Nous ne voulions pas nous battre, mais c'était une question de vie ou de mort. Nous étions assiégés depuis des mois par les miliciens et nous n'avions pour ainsi dire plus rien, plus de vivres, ni d'eau, ni de munitions. Il y avait même des garçons et des filles de douze ans qui se battaient. Tout à la fin, mon père a été grièvement blessé. Quand je l'ai vu, je me suis évanoui. Deux jours plus tard, il a succombé à sa blessure. Si je rencontrais celui qui lui a fait cela, je lui demanderais : « Pourquoi avez-vous tué mon père ? » Les miliciens sont de mauvais hommes.

346

— Ce sont pourtant des chrétiens ? lui fis-je remarquer.

— Oui, mais de mauvais chrétiens, très mauvais. Quand je sortirai de l'école, je voudrais entrer chez les fedayin.

Elias, le jeune frère, qui nous avait écoutés avec une extrême attention, se mit à pleurer :

— Je suis trop triste, dit-il entre ses larmes. Moi aussi, je voudrais devenir fedayin pour venger mon père.

A moins d'un kilomètre au nord-est de Jisr al-Basha, se trouvait situé un autre camp de Palestiniens : Tal-al-Zaatar. Je dis de Palestiniens parce que là, sur trois hectares d'une sorte de bidon-ville, vivaient quelque trente mille réfugiés de la guerre fratricide, en majorité palestiniens. Le gouvernement libanais avait fourni le terrain ; le camp était sous administration de l'O.N.U. Il comptait huit écoles et un hôpital, dont s'occupait la Croix-Rouge palesti-nienne.

Dès avril 1975, les milices chrétiennes organisèrent le blocus. Le siège proprement dit commença le 22 juin 1976 : ce seul jour-là, huit mille obus tombèrent sur Tal-al-Zaatar. Au début de juillet, il ne restait presque plus une cabane debout, presque plus rien des seules réserves de vivres : *hadas* (lentilles), *boghrol* (blé broyé) et viande en boîte. Les mères qui allaitaient n'avaient plus de lait. Les réserves de lait en poudre étaient épuisées. Les nourrissons et enfants en bas âge mouraient.

Le problème le plus tragique était l'eau. Tous les jours, une quinzaine d'enfants mouraient de soif, au sens total et absolu du terme. Toutes les conduites d'arrivée étant coupées, restait un puits. Et il était soumis aux tirs mortels des tireurs d'élite chrétiens qui, tels des chasseurs de fauves, guettaient la proie assoiffée.

Ils firent plus de deux cents morts — femmes, jeunes filles et fillettes, presque uniquement, parce que c'était à elles qu'incombait la « corvée d'eau ».

Claude, l'un de ces chasseurs chrétiens, déclara un jour, tout en mâchant du chewing-gum et en montrant le puits à un reporter du magazine allemand *Der Stern*, assis à côté de lui à son poste de guet : « C'est là que je chasse. Je n'ai qu'à attendre que le soleil soit assez haut pour faire sortir les rats du trou. »

A Beyrouth, un de ces « rats » — elle s'appelle Zainad et elle avait quatorze ans — m'a raconté :

— Nous allions au puits à six ou sept ensemble, chaque fois.

Parfois, deux seulement revenaient. Je ne sais pas comment j'ai fait pour être de celles-ci.

Une autre fillette, Samira, quatorze ans également, prit la place de sa mère, tuée d'une balle près du puits, non seulement pour la corvée d'eau, mais auprès de ses quatre frères, plus jeunes. Malheureusement, elle ne pouvait se substituer à elle pour allaiter le bébé dernier-né : faute de lait, il mourut.

Fadi, trois ans, réussit à survivre sans le lait de sa mère.

La famille vivait sous une tente à Tal-al-Zaatar. Un jour, vers la fin de juillet, la mère partit une fois de plus pour le puits. Fatima, sa petite fille de dix ans, voulait la suivre. La mère le lui interdit et lui confia Fadi. Les deux enfants la suivirent des yeux. Elle atteignit le puits. De l'école (l'école de l'O.N.U., il faut le noter), où les miliciens étaient retranchés, les balles commencèrent à siffler. Soudain, le petit Fadi s'échappa et se mit à courir vers sa mère, avant qu'on ait pu le retenir. Il était presque parvenu jusqu'à elle, lorsqu'elle tomba.

D'une voix presque inaudible, Fadi m'a murmuré :

— Elle était par terre, et le sang coulait.

Il y avait de cela deux ans. Et, depuis, ce spectacle hante l'esprit de Fadi. Il dessine et surtout il peint. Sur chacune de ses peintures qu'il m'a montrées, on voit invariablement une pompe à eau grossièrement esquissée et une représentation de forme humaine grotesquement allongée, doigts et orteils largement déployés, et, tout autour, de grosses éclaboussures de peinture rouge.

Fatima, qui avait, comme son frère, vu sa mère tomber et s'était aussi élancée vers elle, fut blessée par le feu des tireurs d'élite, mais sauvée. Sa sœur aînée, Mariam, douze ans, qui s'était précipitée de son côté, avait reculé sous les balles.

Les trois malheureux enfants n'étaient pas au bout de leurs épreuves. Tôt le matin du 12 août, les milices chrétiennes vinrent à bout des derniers défenseurs du camp. Auparavant, elles avaient accepté que la Croix-Rouge évacue les blessés et les non-combattants. Le père, sa femme morte, se dirigea vers une voiture de la Croix-Rouge, portant le plus jeune de ses fils, qui ne pouvait marcher, et donnant la main à Fadi. Les autres suivaient. Mariam portait sa petite sœur. Les miliciens les arrêtèrent : « Pose le bébé », ordonnèrent-ils au père. Sans même lui en laisser le temps, ils l'abattirent. Et Mariam dit à ses frères et sœurs, qui poussaient des cris de terreur, de se taire : « Sinon, ils nous tueront aussi. »

J'ai emporté dans ma mémoire l'image du petit Fadi : pendant que ses trois sœurs pleuraient au souvenir de ces événements, il demeura là, muet, pâle, droit, comme pétrifié, les yeux secs. Il

n'avait pas l'air d'entendre. Il resterait non seulement marqué, mais
« choqué » à vie.

Tandis que l'évacuation de Tal-al-Zaatar était en cours, les
Palestiniens (mâles) de seize à quarante ans qui tombaient entre les
mains de la milice chrétienne étaient systématiquement liquidés.

Une personne de la Croix-Rouge m'a cité le cas d'une mère qui
fuyait avec ses quatre jeunes fils et à qui l'on ordonna : « Choisis-en
un, nous nous chargeons des autres. » Epouvantée, elle serra le plus
jeune contre elle. Les trois plus âgés furent abattus et, l'instant
d'après, celui qui avait été épargné était tué d'une balle par les
miliciens, sous les yeux de sa mère et malgré ses supplications. L'un
des hommes lui déclara : « Tous les jeunes Palestiniens doivent
mourir. »

Hassan et Issan, deux cousins du même âge : huit ans, avaient
l'air de parler presque avec insouciance de leur fuite de Tal-al-
Zaatar. Et pourtant, l'expérience laissait en eux des traces profondes : Hassan avait un œil qui tressautait sans arrêt, et sa voix fluette
déraillait constamment comme celle d'un vieillard. Il ne tenait pas
en place et ne cessait de taquiner Issan, qui commença par glousser
sottement de rire, pour finir par un fou rire hystérique, tout en me
décrivant comment une roquette l'avait blessé d'un éclat en même
temps que le père d'Hassan périssait écrasé sous une porte, à la suite
de l'explosion.

A ma question : « Pourquoi croyez-vous que ces hommes voulaient vous tuer ? » Issan me fournit cette réponse qui ne manque pas
d'ingéniosité :

— Parce que, avant la guerre, il y a eu un film à la télé qui
s'appelait *Dix petits nègres*. Je l'ai vu. Il y avait des hommes armés de
revolvers qui en tuaient d'autres. Alors, après, au Liban, il y a eu des
hommes qui étaient jaloux de ceux du film et qui ont acheté des
revolvers pour nous tuer. C'est pour ça que mon papa et celui
d'Hassan ont été tués.

Zainad, la fillette qui se demandait comment elle avait survécu
à la corvée d'eau, ne trouvait pas non plus d'explication à cette
guerre, à cette boucherie, aux cadavres enflés devant lesquels elle
passait chaque fois qu'elle allait au puits :

— Je ne sais pas du tout à quoi servait cette guerre. Tout ce que
je sais, c'est que ce sont les gens qui paient. Et je sais aussi que, à
Damour (devenu aujourd'hui un camp palestinien), presque toutes

les femmes sont des veuves, chacune avec une demi-douzaine d'enfants au moins sur les bras.

Tel est le cas de Samira, devenue, on s'en souvient, la « mère » de ses quatre jeunes frères, bien qu'elle fût encore, lorsque je la rencontrai dans une classe de broderie, qu'une adolescente penchée sur son ouvrage. Je revois son teint olivâtre, ses yeux sombres et brillants. Elle portait autour du cou un collier avec une médaille de la Sainte Vierge — « Elle est des nôtres », m'avait-elle dit. Elle était l'image même de la jeune fille innocente.

Elle avait quatorze ans à l'époque du siège de Tal-al-Zaatar. Un jour que les obus faisaient rage, il y eut soudain une accalmie et les haut-parleurs des assiégeants crièrent aux Palestiniens : « Sortez de vos abris et rendez-vous. On ne vous fera pas de mal. » Les hommes, y compris le père de Samira et le plus âgé de ses frères, venaient juste de quitter l'abri, quand il y eut une violente explosion. Samira se précipita dehors : partout, des corps déchiquetés, des bras, des jambes projetés. Il y avait dix morts, dont son père, et elle aida à transporter son frère blessé à l'infirmerie : il y mourut deux heures plus tard.

Ce récit, elle me le fit de cette voix douce que j'ai souvent entendue et en souriant.

— Où trouves-tu encore le courage de sourire ? lui demandai-je.

— Je souris peut-être, mais vous ne savez pas comme mon cœur bat fort.

Sur quoi, tout à coup, elle enfouit son visage dans ses mains et éclata en sanglots. Toutefois, elle ne tarda pas à se ressaisir et me conduisit, parmi des tas de décombres, jusqu'à sa maison, dont les abords étaient jonchés d'ordures, tandis que l'intérieur offrait une propreté immaculée. Là, elle me présenta ses jeunes frères qui, manifestement, l'adoraient. Comme je lui demandais si elle pensait souvent à la terre palestinienne, bien qu'elle ne l'ait jamais vue, son visage s'illumina et elle me répondit qu'elle y rêvait sans arrêt.

— Et le mariage, tu y penses aussi ?

— Non. D'abord je dois élever mes frères.

— Et après, quel est ton vœu le plus cher ?

De nouveau son visage s'illumina et, avec son sourire désarmant, elle répondit :

— J'aimerais devenir comme Dalal.

Dalal était une terroriste, morte au cours d'un coup de main fedayin en terre israélienne, le 11 mars 1978, jour de Sabbat, sur la route de Haïfa à Tel Aviv.

Peu de jours après mon entretien avec Samira, j'ai eu l'occasion de parler, dans une maison des collines proches de Jérusalem, à des victimes de Dalal et de ses compagnons : Sharona, israélienne, mère de sept enfants, Adiel, son fils de seize ans, et Reviva et Coroneth, jumelles de treize ans. Sharona me brossa à grands traits le tableau des événements.

Avec son mari, ses fils Adiel et Imri (qui allait avoir quinze ans) et les jumelles, elle roulait vers Haïfa dans la familiale 404 Peugeot, pour aller rendre visite à sa fille aînée mariée. Son mari conduisait. Entre Haïfa et Hadera, ils aperçurent de loin ce qu'ils prirent pour un énorme bouchon de la circulation : un car rouge bloquait la route. Ayant ralenti, ils dépassèrent un cadavre gisant sur le bas-côté : ils pensèrent tous qu'il s'agissait d'un accident. Adiel m'a raconté la suite :

— D'abord nous avons vu un homme en uniforme de soldat qui accourait vers nous et nous avons cru que c'était un des nôtres, jusqu'à ce qu'il braque son arme. J'ai crié : « Baissez-vous, baissez-vous tous ! » Au même moment, l'homme s'est mis à tirer ; ça sentait la poudre et toutes les glaces ont sauté. Derrière le volant, mon père, qui n'avait pu se baisser, criait : « Mon bras, mon bras ! » en même temps que la voiture dérapait et s'arrêtait. A ce moment-là, ma mère, assise sur la banquette du milieu, se retourna vers Imri, à l'arrière et lui demanda : « Ça va ? » Il n'a rien répondu. Il était mort. Il avait quatorze ans.

Sharona m'a dit :

— Il était beau et très musicien. C'était un excellent clarinettiste. Trois jours avant sa mort, nous lui avions fait cadeau d'un bon instrument tout neuf. C'était la joie de sa vie. Quand nous sommes rentrés à la maison et que j'ai vu cette clarinette dans le vestibule, j'ai eu tout juste la force de m'asseoir sur l'escalier et de pleurer... Je ne pense pas que l'on puisse jamais se remettre de la douleur d'avoir perdu un enfant, ajouta-t-elle après un instant de silence.

Pourtant, malgré sa douleur, Sharona a tenu à me dire, à propos de ces autres jeunes hommes qui lui avaient tué un fils :

— Je suis triste pour eux, parce que ce sont des garçons à qui dès l'âge d'Imri, et même plus jeunes, on a appris à ne plus avoir d'humanité. J'ai vu un film montrant comment on encourage de jeunes combattants de la liberté à aimer un animal, puis à le tuer brutalement. C'est ainsi qu'on les endurcit à assassiner des innocents.

Adiel, lui, jugeait qu'il n'y avait d'autre solution que d'attaquer leurs camps.

En riposte à l'attentat qui avait coûté la vie à Imri et à une quarantaine d'autres innocents, les forces israéliennes frappèrent des camps palestiniens et des villages, dont Damour, au Liban.

A l'hôpital Rambam, à Haïfa, en Israël, j'ai découvert deux petits Libanais dans une salle ouvrant sur la mer. L'un d'eux, Ibrahim, cinq ans, se tenait debout. De l'extrémité d'une jambe de son pyjama bleu sortait un pied nu, de l'autre, un appareil métallique qui, à côté du pied, paraissait énorme. La jambe avait été amputée au-dessus du genou. Pourtant le visage d'Ibrahim était constamment éclairé d'un sourire. Il était là, entourant de ses bras la jambe valide d'un autre jeune garçon, court et trapu : son frère Hussein, dix ans, qui, lui, n'avait rien.

Un jour, aux petites heures du matin, leur village de Randourieh, au Sud-Liban, avait été réveillé par le long hurlement des avions israéliens volant bas et l'explosion des bombes. L'une de celles-ci avait écrasé la maison des deux enfants et, quand Ibrahim avait repris connaissance, il avait horriblement mal à une jambe. Mais ce n'était que le soir venu que des soldats israéliens, après avoir occupé le village, avaient dégagé des décombres l'enfant et son frère Hussein, ainsi que le père, la mère et leur sœur de dix-sept ans — mais ces trois derniers étaient morts.

Les Israéliens transportèrent Ibrahim à l'hôpital de Haïfa par avion, et Hussein, indemne, mais se refusant obstinément à quitter son petit frère, suivit.

Hussein m'a dit qu'il était plein de gratitude pour les Israéliens ; mais a-t-il ajouté, dès que son frère serait complètement rétabli, il voulait retourner à Randourieh pour travailler la terre. Sur quoi, Ibrahim l'a interrompu :

— Moi, je veux rester ici.

— Même si je retourne là-bas ? demanda Hussein, un peu blessé.

— Ça m'est égal, je veux rester. Si tous ces gens ont envie de se tuer les uns les autres, qu'ils le fassent. Eux, c'est eux, et nous, c'est nous. Ils peuvent mourir s'ils veulent. Moi, je veux vivre. Et c'est grâce aux Israéliens que je suis encore de ce monde.

Ibrahim, avec la sagesse de ses cinq ans, avait, en quelques mots, mis exactement le doigt sur l'absurdité totale de la guerre.

Épilogue

Le 2 juillet 1978, jour où j'avais pris l'avion à Paris pour Beyrouth, on m'avait dit : « Ça recommence là-bas, au Liban. » La veille, la « Force de paix » syrienne, installée à Beyrouth pour aider l'armée libanaise à maintenir l'ordre, venait de bombarder les quartiers est de la ville, c'est-à-dire essentiellement le quartier chrétien à l'est de la route de Damas. L'hôpital français, l'Hôtel-Dieu, avait admis vingt-quatre blessés ce jour-là. Le jour de mon arrivée, il en admit quarante-quatre et, au fur et à mesure que s'étendait la lutte aveugle et dévastatrice entre Syriens et milice chrétienne, le carnage ne cessait d'augmenter. Durant la semaine que je passai à Beyrouth, on compta plusieurs centaines de morts.

Neuf sur dix de ces victimes étaient des civils et des enfants.

Le 3 juillet, je pus lire dans *l'Orient-Le Jour*, le quotidien de Beyrouth : *Déluge de feu sur Achrafieh* (quartier est de Beyrouth), *Incendie monstre au port* et, dans la colonne voisine, *130 obus sur l'Hôtel-Dieu*. Suivait une déclaration digne et émouvante de la mère

353

supérieure qui dirigeait l'hôpital. J'estimais de mon devoir de rendre visite à cette femme admirable. Mais comment y aller ?

Traverser jusqu'aux quartiers est supposait le choix entre deux routes quasi suicidaires : le « Ring » ou le « Passage du Musée », tous deux sous la menace permanente et impitoyable de tireurs d'élite isolés. L'un de ceux-ci était réputé avoir tué, en son temps, plus d'une centaine de personnes. Il « préférait » les femmes et les enfants, et travaillait pour les deux camps. Des cadavres, que personne n'osait aller chercher, gisaient de part de d'autre de la chaussée. Un véhicule de la Croix-Rouge avait même été criblé de balles.

Le 4, il y eut une accalmie. Dans la voiture de mon ami français Bernard Lion, délégué de l'Union Internationale de Protection de l'Enfance, nous arrivâmes en vue du Passage du Musée : « On y va ? — D'accord, allons-y ! » Bernard écrasa l'accélérateur et nous fonçâmes, traversant la route de Damas pour déboucher, après quelques minutes d'extrême tension, sur l'hôpital.

Une heure plus tard, autant le dire tout de suite, nous en repartions mais dans des circonstances assez dramatiques cette fois-là. L'artillerie lourde et les mitrailleuses avaient recommencé de plus belle à tirer. De jeunes mères, leur bébé dans les bras, se rassemblaient dans les couloirs de l'hôpital, le visage tiré par l'angoisse et la peur. La mère supérieure qui dirigeait l'hôpital, avec son calme imperturbable, nous dit : « Si vous devez partir, partez vite. Et courez ! » Et le fait est que nous avons galopé, cependant que, inconfortablement près, une mitrailleuse jacassait.

Durant l'heure de notre visite à l'intérieur des murs blessés de l'Hôtel-Dieu, j'avais été témoin de l'affrontement direct entre forces du Bien et du Mal. Assise à son bureau fendu par un éclat d'obus, la mère supérieure m'avait déclaré :

— L'hôpital est ouvert à tous. Nous avons accueilli des Palestiniens et des Syriens, des musulmans et des chrétiens, des communistes et de ceux que l'on dit fascistes. Nous sommes neutres, ce qui ne nous a pas évité d'être sauvagement bombardés, sans raison.

Ensuite elle m'avait fait visiter les lieux, en me montrant les dommages : murs percés par les obus, salles dévastées, couloirs des étages supérieurs encombrés de débris. Les parturientes et les enfants avaient été installés dans les vestiaires et les couloirs des étages inférieurs. Défiant les tonnerres et les foudres de la canonnade, la mère supérieure et les membres de son personnel dévoué continuaient à sauver des vies, sans se soucier des leurs. Tout en marchant, elle me dit encore :

— Le front est dans les rues et les maisons. On nous a amené des enfants et des bébés au bras, parfois des familles entières, d'autres fois un seul enfant recueilli dans la rue et unique survivant. Presque tous nos blessés sont des civils. Depuis que les combats ont repris, nous n'avons eu que trois combattants. L'un d'eux, une balle dans la tête, a été traîné hier soir jusqu'à notre porte par un garçon de quatorze ans.

Le même soir, c'est-à-dire la veille de ma visite, on avait amené deux jeune garçons. Je me suis arrêté au chevet de l'un d'eux, Elic, encore sous le choc de sa terrifiante aventure. D'une voix à peine audible, il me raconta que, avec sa mère et son oncle, il descendait à l'abri quand un obus tiré par la Force de Paix syrienne avait explosé, tuant net l'oncle, le blessant lui-même au ventre et manquant de lui emporter une jambe — que l'on avait dû amputer à l'hôpital.

Dans une autre salle, gisait le second garçon, un Arabe chrétien de treize ans — l'âge de mon fils. Il s'appelait Joseph Assad. En arabe, que me traduisait la mère supérieure, il me raconta que, la veille au soir, durant une accalmie, la famille avait décidé de quitter l'abri pour remonter à l'appartement, au dernier étage, afin de regarder les informations à la télévision. Pendant qu'ils étaient tous devant le poste, un obus explosa dans la pièce, tuant le cousin de Joseph. Joseph lui-même, qui était debout, se retrouva brutalement projeté à terre et gisant, la jambe gauche tranchée net au-dessus du genou. Tout en parlant, il rejeta le drap et me montra le grotesque moignon de ce qui, vingt-quatre heures plus tôt, était encore une jambe musclée et pleine de vie d'un être dans toute la force de la jeunesse.

Rien, en vérité, n'avait changé dans la persécution des innocents, depuis cet autre enfant qui, il y a deux mille ans, avait fui les violences d'Hérode et le massacre de Bethléem, non loin de l'endroit où gisait maintenant le jeune Joseph. Ou alors, s'il y avait eu changement, ce ne pouvait être que pour le pire.

J'ai demandé à Joseph ce qu'il avait à dire de ceux qui lui avaient fait tout ce mal. Il hésita un instant, puis, me regardant, demanda :

— Dois-je dire du mal des Syriens ?

Et j'ai cru entendre, dans ces mots d'une infinie tristesse et d'une infinie pitié tombant de la bouche de cet enfant, l'écho des paroles de Celui qui, cloué sur une croix, trouva encore en lui l'amour de plaider pour ses bourreaux : « Pardonnez-leur, car ils ne savent pas ce qu'ils font » — paroles qui ont plus de force, au bout du compte dans le grand livre, que tout le mal que peuvent inventer les tyrans.

Remerciements de l'auteur

J'ai dit ailleurs dans ce livre que si, aujourd'hui plus encore que dans le passé, les enfants souffrent par la faute du monde des adultes, il se trouve dans celui-ci des hommes et des femmes qui se dévouent plus que jamais aussi à leur bien. Durant mes voyages pour le présent ouvrage, je suis entré en rapport avec toutes les personnes dont on trouvera ci-dessous les noms (à part celles dont la mention est précédée d'un astérisque). Toutes étaient habitées par la volonté de venir en aide aux enfants, et la plupart d'entre elles s'employaient à secourir, directement ou indirectement, ceux à qui j'ai parlé au milieu de milliers d'autres. Toutes furent pour moi autant de sources d'inspiration vivifiante et d'encouragement. Je les nomme ici sans aucun souci de préséance ou de protocole, en les remerciant de tout mon cœur de leur assistance spontanée et de leur chaleureuse hospitalité, et en les priant de croire à ma profonde admiration pour leur abnégation et leur dévouement à leur œuvre.

POUR LA SUISSE :
Mme Tara Baig, présidente de l'Union internationale pour la Protection de l'Enfance (U.I.P.E), ainsi que MM. Pierre Zumbach, secrétaire général, Jean Brémond, secrétaire général adjoint, et Mmes Audrey Mauser, consultante, Margareta Linnander, consultante, Eve Underhill, conseil juridique. Ma reconnaissance va tout spécialement, pour leur étroit concours, à Audrey, à Margareta et à Jean.

MM. Raymond Courvoisier, ancien délégué de la Croix-Rouge internationale, et P. Vibert, chef du service de Documentation de ce même organisme à Genève.

MM. Henrik Beer, secrétaire général de la Ligue des Sociétés de la Croix-Rouge, et J.-P. Robert-Tissot, directeur du bureau des Opérations de secours.

M. Gordon Carter, directeur de l'U.N.I.C.E.F. pour l'Europe, et Mme Christa Roth, son assistante, ainsi que MM. Jim McDougall, directeur de l'Année Internationale de l'Enfance pour l'U.N.I.C.E.F. Europe, et Don Allan, chef des services d'Information de l'U.N.I.C.E.F.

MM. Dale S. de Haan, haut-commissaire adjoint aux Réfugiés pour les Nations Unies, et John Woodward, chargé des liaisons avec les organismes extra-gouvernementaux, ainsi que Mme Nicole Spuhler, son assistante (grâce aux directives de John et aux efforts infatigables de Nicole, j'ai pu rencontrer des enfants partout dans le monde), et MM. Fritz Pijnacker Hordijk, chef du département Asie, et Philippe Labreveux, des services d'Information publique, à ce même haut commissariat.

Mme Henryka Veillard-Cybulska qui, si douloureux que ce fût pour elle, m'a fourni des renseignements de première main sur la Pologne pendant l'occupation nazie.

357

POUR LA FRANCE ·

MM. Gérard Orizet, directeur à la direction générale d'Air France, et Renaud de Failly, attaché au service de Manifestations. Mmes Marie-Claude Bozo, Gisèle Bataille et Dany Bouchet, de l'agence d'Air France, rue Scribe à Paris, grâce à l'expérience et à l'habileté desquelles je pus accomplir sans anicroche un premier périple, très compliqué, autour du monde, et un second à travers le continent africain. Je suis tout spécialement redevable à M. Gérard Orizet de l'aide exceptionnelle apportée par cette grande compagnie à l'organisation et à l'exécution de ma mission, compte tenu de son caractère humanitaire.

M. J. Jousselin, secrétaire général du Centre français de Protection de l'Enfance.

Mme Joyce Blau, pour les renseignements qu'elle m'a apportés sur les Kurdes.

Mme Françoise Renaudot, pour la documentation de presse qu'elle m'a fournie bénévolement.

POUR L'ANGLETERRE :

M. John Cumber, directeur général du Save the Children Fund International Union, et Mme Rachel Jenkins, directrice du Child Care dans ce même organisme.

Mme N. V. Morley-Fletcher, secrétaire générale du British Council for Aid to Refugees, et Mlle Rice-Jones, de la Standing Conference for Refugees, ainsi que Mmes Joyce Pierce, de la Ockenden Venture, et Joan Poole, de Amnesty International.

M. Tom Lawlot, secrétaire général de la Anglo-Rhodesian Society, et son assistante, Mme Jan Humphreys.

POUR L'IRLANDE DU NORD :

MM. Jim Mitchell, président du Save the Children Fund, et ses collaborateurs.

POUR LA NORVÈGE :

MM. Sigmund Groven, secrétaire général du Redd Bamen (Save the Children Fund norvégien), et Tore Schjoth, du Det Norske Flyktninggerad (conseil des Réfugiés).

POUR LA SUÈDE :

Le juge Gunnar Linnander. M. Häkan Landelius, secrétaire général du Rädda Barnens Riksförbund (Save the children Fund suédois). M. Aage Edfeldt, professeur à l'université de Stockholm. Dr Marion Attems.

POUR LA HONGRIE :

Le Dr Marion Attens.

POUR LE CANADA :

M. Kenric Marshall, consultant du Cansave (Save the Children Fund canadien).

358

POUR LES ÉTATS-UNIS :

Mme Bette Ambrosio, chargée de la coordination de l'information aux Holt International Childrens' Services Inc.

POUR LE MAROC :

Mme Fatima Hassar, présidente de la Ligue marocaine de Protection de l'Enfance.

S.E. le Dr Rahle Rahhali, ministre de la Santé. Mme Zohr Laaziri et M. Ghazi Bennani, du même ministère.

S.E. M. Kadiri, ministre de la Jeunesse et des Sports.

M. Belkohra, sous-secrétaire d'Etat au ministère des Affaires Etrangères. S.E. M. Ali Assou, gouverneur de la province d'El Ayoun, ainsi que M. Ouchen, secrétaire général, et le Dr Benmimoun el Ghouti, médecin chef.

S.E. M. Mohamed Doulbi Kadmiri, gouverneur de la province d'Oujda, et le Dr Mramar, médecin-chef.

POUR LE PORTUGAL :

Mmes Elvira Mil-Homens, du Commisariado Para os Desolofados, et Jeanne Franco, du ministère de la Justice.

POUR L'U.R.S.S. :

Mme X. Proskournikova, vice-présidente du comité des Femmes soviétiques, et M. Mkhaïl Privezentsev, directeur-adjoint de la V.A.A.P., ainsi que M. Jean Schnitzer, représentant à Paris de ce même organisme.

POUR LE LIBAN :

MM. Bernard Lion, délégué de l'Union internationale de Protection de l'Enfance, et A.M. Kohl, représentant régional du haut-commissariat aux Réfugiés des Nations Unies, ainsi que le Dr François Rémy, directeur régional de l'U.N.I.C.E.F., M. Bernard Mossar, chef de mission de l'U.N.W.R.A., Mmes Gerda Kernström, directrice du service infirmier, et Jamila, également de l'U.N.W.R.A. (qui me conduisit à l'orphelinat palestinien de Tal-al-Zaatar et me servit d'interprète), Nabila Brair, du conseil économique des Nations Unies pour l'Asie occidentale et de l'Union des Femmes de Palestine, M. Michel Cagneux, chef de mission de la Croix-Rouge internationale, Mlle Viviane et M. J.-M. Monod, de ce même organisme.

Les dames de la Croix-Rouge libanaise, qui accomplissaient leur devoir sous le feu, et l'admirable et courageuse mère supérieure de l'Hôtel-Dieu de Beyrouth. Le père Labaki, fondateur et directeur du Foyer Notre-Dame de la Joie dans cette même ville. Les pères Georges, de l'orphelinat de Dat el Alanya, et Issam (qui me conduisit auprès de Toufic). Sœur Adèle, qui m'accompagna à Damour. M. Alain Garachon, physiothérapiste à l'hôpital de Beit Chabab. Mlle Najad, qui m'accompagna dans mes visites à des villages.

POUR CHYPRE :

Le prince Alfred zur Lippe Weinssenfeld, chef de mission du haut-commissariat aux réfugiés des Nations Unies, ainsi que MM. Ray Fell et José Osuna, ses adjoints, et que Mlle Ozel, du même organisme.

359

Mᵐᵉ Soulioti, présidente de la Croix-Rouge cypriote, et le Dr Z. Hakki, vice-président du Croissant-Rouge cypriote.

M. Michael Kazazois, chef des services d'assistance sociale du district de Larnaca.

POUR ISRAËL :

Le Dr Shraga Adiel, directeur général du Youth Aliya, et M. Shimon Schmidt, du même organisme.

Le chauffeur juif Yusef, qui me conduisit à Gaza la musulmane, et le musulman, Issa, qui me conduisit à Bethléem la chrétienne et à la rive occidentale du Jourdain.

MM. Harald Schmid de Gruneck, chef de mission de la Croix-Rouge internationale, Peter Kung (qui m'apporta une aide infinie et multiple) et John Grinling (qui m'accompagna auprès de familles palestiniennes dans la bande de Gaza), tous deux également de la C.R.I.

M. Magnus Ehrenström, directeur de l'U.N.W.R.A. à Gaza.

M. Jaffa Perez, qui me servit d'interprète à l'hôpital Rambam de Haïfa.

M. Harb, directeur d'Air France à Jérusalem, et Mˡˡᵉ Leila, son assistante, auxquels je dois d'avoir pu — et ce, un jour de sabbat — poursuivre sans interruption mon périple, alors qu'un caprice de l'ordinateur avait annulé tout mon voyage autour du monde, méticuleusement préparé et établi.

POUR L'INDE :

Mᵐᵉˢ Vidyaben Shah et Pramila Pandit Barooah, respectivement présidente et secrétaire générale de l'Indian Council for Chil Welfare.

Le Dr P.C. Chunder, ministre de l'Education et de l'Assistance sociale.

M. B. Chatterjee, directeur du National Institute of Public Cooperation and Child Development.

Sir Robert Ffolkes, baronet, directeur des Opérations du Save the Children Fund.

POUR LE BANGLA-DESH :

Le Dr Mizanur Rahman Shelley, directeur des services d'Assistance sociale. MM. Roman Kohaut, délégué du haut commissariat aux Réfugiés des Nations Unies, Dick de Jong, chef adjoint des services d'Information de l'U.N.I.C.E.F., Peter Amacher, chef de mission de l'Union internationale de Protection de l'Enfance, Bob Kay, du Save the Children Fund, ainsi que le Dr W. Burgess, chef des services médicaux du Save the Children Fund, et M. M.A. Mannan, directeur administratif de cet organisme.

Mᵐᵉˢ Jobeda Khanam et Hosne Ara Begum, directrice et directrice adjointe de la Bangladesh Shishu (Children) Academy.

POUR LA THAÏLANDE :

M. Leslie Goodyear, représentant régional du haut commissariat aux Réfugiés des Nations Unies. Le major « Spots » Leaphard, directeur des opérations du Save the Children Fund, et M. Vutichai Saisongcroh, du même organisme.

360

MM. Lunthin Chanou, Nguyen Van Muoi et Thavisat Souphaket, qui me servirent d'intermède respectivement au camp de réfugiés cambodgiens de Kamput, au camp de « boat-people » de Laemsing, au camp de réfugiés laotiens d'Ubon.

S.E. M. Peter Tripp, ambassadeur de Grande-Bretagne, et sa femme Rosemary, pour leur bonté et leurs encouragements.

POUR LE VIET-NAM :

M. Bertram A.N. Collins, représentant de l'U.N.I.C.E.F. à Hanoi, pour ses efforts, hélas ! vains, pour m'obtenir un visa.

POUR LA MALAISIE :

M. Rajagopolan Sampatkumar, représentant régional du haut commissariat aux Réfugiés des Nations Unies, et le Dr Tran, qui avait vécu lui-même l'aventure des « boat-people » et me servit d'interprète auprès d'eux.

POUR SINGAPOUR :

M. S.Y. Kwok, adjoint à l'administration du haut-commissariat aux Réfugiés des Nations Unies.

POUR HONG-KONG :

M. Christopher Carpenter, représentant du haut-commissariat aux Réfugiés des Nations Unies. Le révérend Richard Tsang, directeur du foyer pour enfants de pêcheurs et d'ouvriers. Mlle Wendy, qui me servit d'interprète.

POUR LE JAPON :

MM. Ishino, directeur général du bureau de l'Enfance et de la Famille au ministère de la Santé et de l'Assistance sociale, et Yukio Shimohira, de ce même bureau, pour sa gentillesse et son aide précieuse à Tokyo, Nagasaki et Hiroshima.

MM. Kato, directeur du service des Allocations à l'Enfance au ministère de la Santé et de l'Assistance sociale, Kondo, directeur adjoint du Planning à ce même ministère, Furuya, de l'institut de recherche pour la Protection de l'Enfance (Tokyo), Tatsuwo Sato, directeur de l'Assistance sociale à Nagasaki, Shigeyuki Uyeda, chef du service des Garderies et Pouponnières dans cette même ville, Taketo Taguchi, son assistant, ainsi que MM. Hayashi, de la préfecture, Masato Araki, vice -directeur du Hall Culturel international, et Rumiko Shimozuma, qui déploya un tact infini en me servant d'interprète au cours de deux interviews particulièrement délicates et douloureuses.

MM. Masakatsu Kubohara, chef des services de Protection de l'Enfance à Hiroshima, et Kohra, de la Fondation culturelle pour la Paix, à Hiroshima aussi, qui me servit d'interprète ; Hiroshi Takeda et Hidetoshi Manabe, chef et chef adjoint de la section de l'Enfance aux services de l'Assistance sociale d'Osaka.

POUR LA CORÉE :

MM. Lee Dae Kun, directeur de l'association pour la Protection de l'enfance à Pusan, et Ray Dawson, direction des services de Parrainage du Save the Children Fund dans cette même ville, ainsi que le colonel Robert E. Lees, commandant de la garnison américaine, et que MM. Shin Chul Yong, administrateur du Cansave (Save the Children Fund canadien), et Yi Hong Pae, mon interprète.

POUR LE SÉNÉGAL :

MM. Alan Butler, chargé d'affaires à l'ambassade de Grande-Bretagne, Otto Hagenbuchle, chef de mission du haut-commissariat aux Réfugiés des Nations Unies à Dakar, René Kalberer, son adjoint, et Mlle Malak El-Chichini, du service des Programmes.

MM. Cupidon Sy, administrateur des Programmes de l'association internationale pour la Communication et l'Action sociale, Almamy Barry, représentant des réfugiés, N'Grussaly Baba N'draye, de la Promotion humaine.

POUR LA GUINÉE BISSAU :

MM. Domingos Brito dos Santos, du secrétariat du Conseil national du P.A.I.G.C., et Boal, directeur adjoint du commissariat à la Santé. Mme Teadora Gomez, directrice du commissariat aux Combattants de la Liberté.

POUR LE GABON :

S.E. M. Hervé Mountsiga, ministre des Affaires sociales, et M. Michel Dupoizat, chargé de mission du haut-commissariat aux Réfugiés des Nations Unies à Libreville. S.E. M. Christopher Macrae, ambassadeur de Grande-Bretagne.

POUR LE NIGÉRIA :

M. David Jack, directeur du service de Développement social au ministère du Développement social, de la Jeunesse et des Sports. Le Dr Barbara Meister, de Terre des Hommes.

POUR LE CONGO (BRAZZAVILLE) :

M. Guy Darnal, que je ne connaissais pas et qui, bravant le couvre-feu, s'offrit aimablement à me ramener chez lui et à m'y loger pour la nuit.

POUR LE BOTSWANA :

MM. Gary Perkins, représentant du haut commissariat aux Réfugiés des Nations Unies à Gabarone, Paddy MacCallin, du même organisme, Charles Tibone, secrétaire permanent du Cabinet du président, Julian N'Gunu, du ministère du Service social, Dingilizwe Mguni, du Conseil chrétien des Réfugiés.

POUR LA ZAMBIE :

MM. Cécil Kpénou, représentant du haut-commissariat aux Réfugiés des Nations Unies à Lusaka, Roman Urasa, son adjoint, Finn Reske-Nielsen, du même organisme, ainsi que M. Joshu N'Komo, président du Z.A.P.U. (Zimbabwean African Peoples' Union).

POUR LA TANZANIE :

MM. Cheffeke Dessalegen, représentant du haut-commissariat aux Réfugiés des Nations Unies à Dar-es-Salaam, et Kwame Afriyie.

POUR LE BURUNDI :

M. Dag Andreassen, délégué du haut-commissariat aux Réfugiés des Nations Unies à Bujumbura.

POUR LE KENYA :

MM. K. Matsumoto, représentant du haut-commissariat aux Réfugiés des Nations Unies à Nairobi, Willem Veenstra, du service des Programmes, et D. Bautista, tous deux de ce même organisme. Mmes Aida Gindy, directrice régionale de l'U.N.I.C.E.F., et Virginia Hazzard, du service des Programmes. Mmes M.J. Menya, chef du bureau exécutif de la société de Protection de l'Enfance du Kenya, et Audrey Owina, de ce même organisme. M. Stanley Kinga, secrétaire général du service des Réfugiés, et Mlle Phoebe Manthi, assistante sociale.

MM. David Kikaya, du centre international des Quakers de Nairobi Leslie Charles, conseiller pédagogique à l'Ecole Igunga de Kisumu, Ngare, de l'école primaire de Kawangare, et Tesager Habteslassie Asrat, qui me servit d'interprète durant mes entretiens avec mes interlocuteurs éthiopiens et érythréens.

J'ajouterai que beaucoup de journaux, dans nombre de pays, eurent la bonté de publier un appel de moi à leurs lecteurs, pour qu'ils me fournissent des informations et des anecdotes. Le manque de place m'empêche de donner la liste des noms des correspondants innombrables qui se donnèrent la peine d'y répondre, du monde entier. Chacune de ces lettres, même si l'on n'en trouve pas trace dans ce livre, m'aida considérablement et concrètement à mieux comprendre les conflits, les situations, l'aide apportée très souvent.

Enfin, à Hortense Chabrier et à Georges Belmont j'exprime mon amicale reconnaissance pour avoir mené à bien la difficile tâche de traduire ce livre — leur quatrième entreprise avec moi — en si peu de temps. Et j'adresse également mes sincères remerciements à Paulette Monchet, ma secrétaire, sans l'assistance experte et infatigable de laquelle je n'aurais pas survécu au marathon de recherche et de rédaction qu'a représenté cet ouvrage.

P. T.

Bibliographie

ADAMOVICH, Ales, and Granin, Daniil : *The Blockade Book.*
APPELFELD, Aharon : *In the Wilderness*, Ah' Shav Publishing House, Jerusalem 1965.
BALSS, Dzimtenes : *Daugavas Vanagi*, publications de l'Etat letton, Riga 1963.
BARBARY, James : *The Boer War*, Victor Gollancz, London 1971.
BEGIN, Mena hem : *The Revolt*, W. H. Allen, London.
BENTON, William (Publisher) : *Encyclopedia Britannica.*
BERG, Mary : *Warsaw Ghetto*, L. B. Fischer Publishing Corp., New York 1945.
BRENT, Peter : *The Mongol Empire*, Weidenfeld & Nicolson, London 1976.
BROWN, Dee : *Bury My Heart at Wounded Knee*, Barrie & Jenkins, London.
BURCHETT, W. G. : *Democracy with a Tommy Gun*, Wadley & Ginn, London 1957.
BURGESS, Alan : *The Small Woman*, Evans Brothers Ltd, London 1957.
CHICK, N. A. (Edited by David Hutchinson : *Annals of the Indian Rebellion 1957-58.*
COBLENTZ, Stanton A. : *From Arrow to Atom Bomb*, Peter Owen, London.
COMAY, Joan : *Introducing Israel*, Methuen & Co Ltd, London 1973.
COURVOISIER, Raymond : *Ceux qui ne devaient pas mourir*, Robert Laffont-Opéra Mundi, Paris 1978.
DANAN, Alexis (published in *Cahiers de l'Enfance*, Paris 1956-58) : *la Guerre aux enfants.*
DAVIDSON, Basil : *In the Eye of the Storm*, Longmans, London 1972.
DOXIADIS, K. : *Devastation in Greece*, Imperial War Museum, London.
DUFFY, Christopher : *The Army of Frederick The Great*, David & Charles, London.
EDVARDSEN, Anna : *Det far inte händen igen (Finish War Children 1939-45).*
EPRILE, Cecil : *War and Peace in the Sudan 1955-1972*, David & Charles, London
ERLANGER, Philippe : *Saint Bartholomeu's Night*, Weidenfeld & Nicolson, London.
ERTEKUN, Necati Munir : *Inter-Communal Talks and the Cyprus Problem*, Nicosia 1977.
FREUD, Anna, and Burlingham, Dorothy : *War and Children*, Westport, Connecticut USA 1943.
GODECHOT, Jacques : *The Taking of the Bastille*, Faber & Faber, London 1970.
GRANT, Michael : *Herod The Great*, Weidenfeld & Nicolson, London 1971.
GRIFFITHS, Ruth (Permission of Dr B. H. Burne) : *Nervous Children.*
GRISWOLD, Wesley S. : *The Boston Tea Party*, Abacus Press Tunbridge Wells, 1972.
HACHIYA, Michiko : *Hiroshima Diary*, Victor Gollancz, London 1955.
HAGOP-KRIKOR : *les Arméniens connus et inconnus*, La Pensée Universelle, Paris.
HANBOWSKI, Jerzy : *le Monde se souviendra de ces enfants*, Editions Ruch, Poland 1972.
HENRY, Clarissa, and Hillel, Marc : *Children of the S.S.*, Hutchinson, London 1976.
HERSEY, John : *Hiroshima*, Penguin Books, London 1946.
HIBBERT, Christopher : *The Great Mutiny*, India 1857, Allen Lane, London 1974.
IRVING, David : *The Destruction of Dresden*, William Kimber, London 1963. *Journal des combattants*, Paris.
KARDOFF, Ursula von : *Diary of a Nightmare*, Rupert Hart. Davis, London 1965.
KLEFFENS, E. N. van : *The Rape of the Netherlands*, Hodder & Stoughton, London 1940.
KRUSZYNSKI, Michael : *The State of Health of Poles Evacuated from Russia to Persia*, 1942.

LAPIERRE, Dominique, and COLLINS, Larry : *O Jerusalem*, Weidenfeld & Nicolson, London 1972.

LYONS, Alec, Consultant Psychiatrist, Alexandra Gardens Day Hospital, Belfast. *Pamphlets* reprinted in Community Health, 1973. International Journal of Offender Therapy and Comparative Criminology, The Northern Teacher.

MC CREARY, Alf : *Survivors*, Century Books, Belfast 1976.

MARINIC, Tatjana : *May it Never Happen Again*, Zagreb 1954.

MATTHEWS, Kenneth : *Memories of a Mountain War*, Greece 1944-49, Longmans, London 1972.

MYDANS, Carl and Shelley : *The Violent Peace*, Athenaeum, New York 1968.

NAGAI, Tashaki : *We of Nagasaki*, Victor Gollancz, London 1951.

ORWELL, George : *Homage to Catalonia*, Seeker & Warburg.

OSADA, Arata : *Children of the A-Bomb*, Uchida Rokakuho Publishing House, Tokyo 1959.

Palestinian Liberation Organisation, Foreign Information Department *Tal-al-Zaatar*.

Palestinian Red Crescent, Central Committee : *Role of the Palestinian Red Crescent at Tal-al-Zaatar*.

PINCUS, Chasya : *Come from the Four Winds*, Herze Press, New York 1971.

RAHMAN, Mizanur, *Bangladesh*, University Press of America, Washington 1978.

RICHTER, Lina : *Family Life in Germany under the Blockade*.

RUNCIMAN, Steven : *The fall of Constantinople*, The University Press, Cambridge 1965.

RUNCIMAN, Steven : *A History of the Crusades*, Penguin Books, 1971.

SALZMAN, L. F. : *English Life in the Middle Ages*, Oxford University Press.

SHADRAKE, Alan : *The Yellow Pimpernels*, Robert Hale, London 1974.

SNOW, Edgar : *The Red Star over China*, Victor Gollancz, London 1968.

SZABO, Thomas : *Boy on the Rooftop*, Heinemann, London.

THOMAS, Hugh : *The Spanish Civil War*, Hamish Hamilton, London 1977.

TIBBETS, Paul W. : *The Tibbets Story*, Stein & Day, New York 1978.

WILLEM, J.-P. : *Medecin au Vietnam*, Editions France-Empire, Paris 1978.

Women's International Democratic Federation, The ; Berlin (Publishers) : *la Bombe et le berceau*.

YOUNG, Brigadier Peter : *Dictionary of Battles 1816-1976*, New English Library London 1977.

JOURNAUX :

ROYAUME-UNI : *The Daily Telegraph, The New Statesman, The Observer, The Times, The Sunday Times, The Belfast Newsletter, The Irish News and Belfast Morning News.* — IRLANDE : *The Irish Times.* — FRANCE : *Le Monde, Le Figaro, La Croix, Paris Match, L'Humanité, Le Nouveau Journal, Libération.* — BELGIQUE : *Le Soir.* — HOLLANDE : *De Telegraaf.* — ALLEMAGNE DE L'OUEST : *Die Zeit.* — ITALIE : *Il Tempo.* — ESPAGNE : *El Pais.* — SUISSE : *La Tribune de Genève.* — LIBAN : *L'Orient le Jour.* — AFRIQUE : *Jeune Afrique, The Rhodesia Herald.* — PAKISTAN : *The Pakistan Times.* — INDE : *The Indian Express.* — HONG KONG : *The South China Morning Post.* — JAPON : *The Japan Times.*

PUBLICATIONS DIVERSES :

United Nations International Children's Fund (U.N.I.C.E.F.). — *United Nations High Commissioner for Refugees* (U.N.H.C.R.). — *Union Internationale de Protection de l'Enfance* (U.I.P.E.). — *Amnesty International.* — *Caritas.* — *Christian Aid.* — *Holt International Children's Services Inc.* — *Commission Internationale de Juristes.* — *Jewish Agency, Youth Aliyah Bulletin, Jérusalem.* — *Save The Children Fund.* —

Society of Friends. — S.O.S. Children's Villages. — Terre des Hommes. — United States Committee for Refugees. — Burmese Muslims Association. — Collège Notre-Dame-de-Jamhour, Beyrouth. — Concern. — Daugavas Vanagi (Latvian Welfare Association, Londres). — Maroc, ministère de l'Information. — Oxfam. — War on Want. — Ministère de l'Information, Zimbabwe-Rhodésie.

Table des matières

Première partie

1. « Pourquoi tirent-ils sur nous ? » 17
2. Dans le sillage de la révolution et de la guerre, la famine tue d'abord les enfants 25
3. Les jeunes morts de Guernica 33

Deuxième partie

4. Le long et double martyre des enfants polonais 47
5. Même l'enfer des enfants est pavé de bonnes intentions 63
6. Raïa la fillette à l'étoile jaune 71
7. L'effrayant silence des enfants de Jastrebardko 81
8. Le colonel ne voulait pas que ses fils croient à la guerre 97
9. Il n'y a pas deux sortes de victimes enfantines 109
10. A Hiroshima et à Nagasaki, des enfants meurent encore de la bombe 115

Troisième partie

11. « La liberté, c'est quand on rentre à la maison et qu'on mange des cerises » 129
12. Hong Pae le petit marchand d'allumettes coréen 139
13. Quand « le vent du changement » devient tempête et déracine les jeunes roseaux 155
14. « Ce sont toujours ceux qui ne savent pas qui font le plus de mal » 167
15. Jean-Pierre le petit Congolais de Kolwezi 181
16. Le génocide biafrais fut une véritable guerre aux enfants 187
17. « Que fais-tu ici, pauvre Guinéen ? » 197
18. Pour échapper à Amin Dada, un jeune handicapé fait à pied 120 km dans la brousse 207
19. « O liberté, que de crimes on commet en ton nom ! » 219
20. Pour Marius l'enfant cypriote, tous les soldats portent la livrée de la mort 231
21 A-t-on le droit d'exiger d'un enfant qu'il se sacrifie à une cause, même juste ? 239
22. Le sang de Soweto 249

23. « Voudrais-tu venger tes parents ? — Non, je ne veux plus voir tuer des gens » 263

24. Sandra (treize ans) : « Quand est-ce que ça va finir ? » 275

25. « Le bonheur serait mourir » dit Mohammed, le jeune exilé éthiopien.. 281

26. Des enfants torturés devant leurs parents pour arracher à ceux-ci des aveux 289

27. Les enfants des « boat-people » vietnamiens 297

28. La lamentation des orphelins birmans 311

29. Paddy l'Irlandais : « La vie serait formidable s'il n'y avait pas la guerre » 323

30. Dans les camps de Palestiniens près du Jourdain et de Gaza 333

31. Au doux Liban on a drogué des adolescents pour les jeter au combat 341

Epilogue 353
Remerciements 357
Bibliographie 365

*Achevé d'imprimer le 13 novembre 1979
sur presses CAMERON,
dans les ateliers de la S.E.P.C.
à Saint-Amand-Montrond (Cher)
pour le compte des éditions Robert Laffont
6, place Saint-Sulpice - 75279 Paris Cedex 06*

Dépôt légal : 4ᵉ trimestre 1979.
Nº d'Édition : H.300. Nº d'Impression : 1848/994.